D1176556

ALFONSO SALVINI, O.S.B.

SAN PABLO APOSTOL

VII Edición

EDICIONES PAULINAS, S. A.

Título original:
SAN PAOLO APOSTOLO
Edizioni Paoline - Alba (Italia)

Versión del original por Hermenegildo González

Primera Edición, 1961

Séptima Edición, 1984

D.R. © 1961 by **EDICIONES PAULINAS, S.A.**
Avenida Taxqueña 1792 — México 21, D.F.

Impreso y hecho en México
Printed and made in Mexico

PREFACIO

Escribir la vida de San Pablo Apóstol es cosa, diría el Sumo Poeta, de "hacer temblar las venas y los pulsos"., aun si, como en el caso presente, no se trata más que de seguir a los estudiosos especialistas que han preparado el material, separando, cribando, allanando hipótesis y estudiando las doctrinas. Por eso y sólo después de grandes insistencias me decidí a escribir la obra que ahora presento a las almas buenas, deseosas de conocer la vida del grande Apóstol.

No sé cómo habré salido en el intento; pero debo decir que no me arrepiento de haberla escrito, aun cuando no fuese más que. por lo que ha confortado mi alma.

Aquella energía de Pablo, jamás decaída. ni por enfermedades, ni por las persecuciones de hermanos y extraños; aquel grito "cuando estoy enfermo, entonces soy poderoso"; aquel llamar constante a su Divino Maestro. aquella sinceridad con la que dice: "nuestra confianza es ésta: el testimonio de la conciencia", son un ejemplo que anima, un predicar que persuade, una meditación que conforta.

¡Que pueda producir este saludable efecto en todos los lectores!

Para hacer desear el conocimiento de sus cartas. he puesto algunos pasajes de las mismas en esta Vida a medida que se me iba presentando ocasión, y siempre cuando el reproducirlas esclarecía el concepto enunciado y conjugaba con el desarrollo histórico.

Debo también advertir que al reproducir los discursos, y alguna rara vez pensamientos de la Sagrada Escritura, lo he hecho parafraseándolos.

A alguno le parecerá ridículo esto; pero lo he creído conveniente, por tratar de hacer más comprensibles ciertos conceptos, que de otro modo tendría que haber explicado en notas, o con glosas que habrían hecho más pesada la lectura. La fidelidad al texto, si no ha sido siempre literal, lo ha sido substancial.

Auguro que entre tantos estudios de investigación y ensayos que se han publicado en honor del Apóstol de las Gentes, también este modesto librito pueda hacer algún bien. Si es así, habré conseguido plenamente el fin deseado.

EL AUTOR.

SAULO, EL PERSEGUIDOR

Tarso, no obscura ciudad del Asia Menor, situada en las faldas de uno de los montes de la cordillera del Tauro, a orillas del mar, pertenece hoy políticamente a Turquía y tiene poco más de treinta mil habitantes. En los primeros tiempos de la Era vulgar era una ciudad muy importante, capital de Cilicia, con un comercio muy floreciente. Tenía un puerto interior, formado por el río Cidno, que la unía con el mar, dándole grandes facilidades para comunicarla con los puertos principales del Mediterráneo.

El privilegio de ciudad libre, que había obtenido de los romanos, dueños del mundo, aumentaba sus posibilidades de expansión y la exención de tributos hacía que la vida fuese fácil a sus habitantes.

Por estas razones, los hebreos desde hacía mucho tiempo habían afluído a ella en gran número. En el decurso de esta historia encontraremos a este pueblo astuto y entonces privilegiado en donde quiera que se halle, desarrollando el comercio, tanto en Asia, como en Africa, en Grecia como en Italia, en el mismo corazón del mundo de aquella época, en la Roma imperial. Y en todas partes le encontraremos con las características de su religiosidad inconfundible, que no conseguirá cambiar ni disminuir su multiforme actividad.

7

Celoso de su culto y ae los derechos teocráticos, sabrá a la vez aprovecharse de los privilegios de todos los pueblos, privilegios que serán para él como los que tiene la ciudad en que vive, sin que se mezcle con las mil razas y gentes con las que vivirá.

Cuando el número sea conveniente se levantará una sinagoga, donde los judíos se reunirán el sábado para la meditación de los libros santos y para la oración: y cuando esto no sea posible, por el corto número o la pobreza de los mismos, tendrán igualmente un *proséuco*, un lugar de reunión, para el mismo fin.

En Tarso los hebreos eran muy numerosos: tenían su sinagoga, que era frecuentada también por los prosélitos, gentiles que simpatizaban con ellos y en parte practicaban la religión mosaica, y se asociaban con gusto a los hijos de Israel, sobre todo cuando su posición social les hacía ser queridos y bien vistos.

El hebraísmo, como doctrina, no podría menos de atraer a algunas almas más elevadas, y por lo mismo asqueadas de los errores paganos y de las varias filosofías frívolas, que todos los días predicaban a los cuatro vientos los visionarios, que abundaban en aquellas regiones orientales, cuna de mil sistemas y de infinitas aberraciones mentales y morales.

En Tarso no faltaban en realidad filósofos y literatos. Por esto podía parangonarse con Alejandría y con Atenas; tanto que algunos emperadores romanos tuvieron como maestros y preceptores a filósofos y literatos de Tarso.

★

Los padres de Saulo habitaban en Tarso. Eran hebreos emigrados de Giscala de Galilea, fervorosos en su religión y a pesar de su bienestar pertenecían a la secta más rigurosa: eran fariseos.

Cuando su madre le dio a luz, fue acogido en la familia como una bendición de Dios, y al octavo día fue circuncidado, tomando el nombre de Saulo, en memoria del primer rey de Israel, el más grande de los personajes de la tribu de Benjamín, a la que pertenecía la familia.

La educación de Saulo fue austera, como convenía a un hijo de un observante de la Ley. A los cinco o seis años le enseñaron el alfabeto, poniendo en sus manos la Biblia, en la versión de los Setenta, cuyos recuerdos aparecerán después en el decurso de su vida, en las citas diversas de este gran escritor.

Frecuentó, como es natural, la escuela: no las célebres escuelas paganas, sino una modesta escuela hebrea, acaso anexa a la sinagoga.

En ésta, jamás el maestro daba la preferencia a la forma con detrimento de la sustancia. No perseguía hacer del escolar un gran literato sino un perfecto conocedor de las Santas Escrituras. Por ello los libros profanos, si no estaban prohibidos, por lo menos estaban casi olvidados. En verdad, el griego que Saulo aprendió no es por cierto el griego de los autores clásicos, ni él se entretiene demasiado en las minucias gramaticales. No obstante es la suya una lengua llena de vivacidad, de imágenes y de expresiones vigorosas: en suma, la lengua hablada, la lengua de la conversión familiar y del trato social. Apenas dos o tres veces encontraremos en sus escritos frases que podrían parecer reminiscencias clásicas; en realidad no son sino citas de proverbios o dichos que habían entrado en el uso del pueblo.

En su niñez aprendió también un oficio. Es verdad que no tenía necesidad de él para su sustento. Sus padres eran personas de posición desahogada, y aun ricos, potentes según la carne, como él mismo se verá obligado a decir una vez para su defensa; pero era costumbre entre los hebreos que los jóvenes que se daban al estudio y se preparaban para doctores de la Ley, escribas, rabinos, etc., tuviesen también una profesión manual, un oficio.

En Tarso, capital de Cilicia, estaba floreciente la industria de la fabricación de tejidos, que se exportaban a todo el mundo, y del lugar de origen se llamaban cilicios. La materia prima era suministrada abundantemente por los rebaños de cabras que se apacentaban en los montes del Tauro y la industria era productiva, como lo es en nuestros días. Saulo aprendió el oficio de fabricar tiendas, aprendió a distinguir las lanas, a manejar la lanzadera y la carda gruesa y pesante de hierro, la carducha. Aún jovencito había conseguido aprender el oficio para poder sufragar los gastos de la vida.

Cuando estaba sentado al telar, como aprendiz, seguramente no pensaría que un día aquel oficio le habría de dar el sustento cotidiano para él y alguna vez también para sus compañeros; de suerte que podría decir con arrogancia: "No he comido el pan a expensas de otro"[1].

✱

Cuando Saulo hubo cumplido los doce años, sus padres le enviaron a Jerusalén, para que allí se perfeccionase en sus estudios.

Quizá fue recibido en casa de algún pariente. Sabemos que en Jerusalén —aunque no sabemos el tiempo— se casó una hermana suya, uno de cuyos hijos, muchos años más tarde, le salvará la vida.

Jerusalén era para Saulo la patria y a la vez el lugar, único en el mundo, donde Dios se dignaba recibir el sacrificio para la expiación de los pecados, y es-

(1) 1 Cor., 9, 15. Por todas las citas, ver el Prefacio.

cuchaba las oraciones de los mortales; el centro de toda historia y de toda la cultura hebrea; en suma, la ciudad santa. Era todo esto, a pesar de que entonces no estaba en un período de esplendor político. Estaba sometida al imperio romano, y debía depender de él hasta en el ejercicio de la justicia y en la explicación de aquel derecho que Dios inmediatamente le había dado.

Las formas externas, las apariencias, aún estaban incólumes, el gran Sacerdote y el Sanedrín conservaban una autoridad amplísima, aunque controlada por la autoridad del gobernador romano.

Religiosamente hablando, Jerusalén se dividía en dos grandes sectas: la secta de los saduceos y la de los fariseos.

Los saduceos, a cuya secta pertenecían en su mayor parte los sacerdotes y la aristocracia, eran algo semejante a lo que son los materialistas en nuestros tiempos. No admitían la inmortalidad del alma y consiguientemente negaban también la vida futura y la existencia de los Ángeles.

Los fariseos, por el contrario, eran los "tucioristas", los observantes; pero de una observancia toda exterior y llevada hasta el exceso y el ridículo.

Se discutía entre los fariseos si la bendición dada a la comida, antes de sentarse a la mesa, debía variarse según hubiese sido variada la partición de dicha comida; si, en el sábado, un mutilado podría servirse de su pierna postiza para dar un paseo; si se podrían escribir dos cartas en aquel día, y en caso negativo, si por lo menos podría escribirse una con la mano derecha y otra con la izquierda; si se podría comer en sábado un huevo que la gallina había puesto en el tiempo que estaba prohibido trabajar.

Por lo demás los fariseos eran los verdaderos depositarios de la ciencia sagrada, los observantes de la

11

Ley y sus intérpretes más autorizados. Acaso se preocupaban demasiado de que esta observancia fuese conocida por los demás. Ayunaban lealmente el lunes y el jueves; pero eran capaces de simularse arrugas y un color escuálido y macilento para que todos los que los viesen conociesen que observaban la Ley. Pagaban los diezmos hasta de las especias del huerto, como irónicamente dijo Jesús. Oprimidos por este cúmulo de observancias legales, procuraban compensarse a costa de la ley moral, esto sin contar las presunciones que ellos se hacían y la soberbia y el amor propio con el que viciaban todas sus buenas acciones radicalmente.

La observancia exterior les hacía que se convenciesen de que eran buenos, o, por lo menos, mejores que todos los demás. Se creían ser los únicos que poseían la verdad, y se enfurecían contra todos los que no pensasen como ellos, aún en sus falsas interpretaciones: por eso perseguían al Redentor. Algunos, indudablemente, estaban de buena fe. ¿No era acaso cierto que Jesús no se preocupaba de todas aquellas pequeñeces e inmundicias legales que los maestros habían añadido a la Ley?

Por lo demás, tenemos el hecho, según los historiadores, que casi todos los que inmediatamente se convirtieron al cristianismo, procedían de los fariseos: y si es cierto que entre ellos se encontraban muchos enemigos de Jesucristo, también había algunos defensores de los Apóstoles, como Nicodemus y Gamaliel. Jesucristo dirá de ellos al pueblo: "Sobre la cátedra de Moisés se sientan los escribas y fariseos. Haced lo que predican, pero no queráis hacer lo que ellos hacen".

Cuando Saulo vino a Jerusalén, Gamaliel era el maestro preferido: el oráculo al que se dirigían los jóvenes que tenían deseos de aprender.

De tendencias moderadas, si se le compara con los demás maestros, atraía a sí la mayoría de los estudiosos, no sólo de Jerusalén sino de la diáspora. Frecuentaban su escuela, como Saulo, jóvenes del Asia, de Grecia y de Egipto. Era un hombre de grande sabiduría, virtuoso, y capaz de afrontar las miras de sus colegas por amor de la justicia.

Cuando más tarde, en el Concilio, se buscará el medio de poner la segur a la raíz del árbol de la religión cristiana con la muerte de Pedro y de los demás Apóstoles, será Gamaliel el que, político a la vez que temeroso de Dios, dirigirá a sus colegas estas bellas palabras: "Fijaos bien en lo que pensáis hacer con estos hombres y recordad que si sus obras son humanas no tendrán estabilidad, pero si son de Dios no podréis destruirlas"[2].

Saulo fue discípulo de Gamaliel, y posiblemente en esta escuela tuvo de compañeros a sus futuros colegas en el apostolado, Bernabé y Silvano.

También San Esteban debió pertenecer a la misma escuela, pero ningún hecho ni referencia nos autoriza para darlo por cierto.

Saulo hizo grandes progresos. Cuando en sus escritos recuerda la escuela de Gamaliel, se reconoce al estudiante que sabe haber cumplido con su deber y aprovechado el tiempo asimilándose las enseñanzas del maestro.

Las enseñanzas las daba el maestro en alguna de las salas que estaban en los alrededores del Templo; pero muchas veces se discutía en plena calle. De hecho toda la lección consistía en una conferencia que pronunciaba Gamaliel al auditorio que se apiñaba en su derredor; terminada ésta comenzaban las preguntas y respuestas, que servían para mejor fijar en la memoria los puntos tratados en la conferencia. No

_____

(2)   Hechos, 5, 38-39

13

se utilizaban tablitas ni pergaminos. Toda la habilidad consistía en retener en la memoria las innumerables disposiciones e interpretaciones que seguían a la lectura de la Ley y de los textos sagrados, los cuales eran al mismo tiempo historia nacional, ceremonial litúrgico y derecho público y privado.

Cuando, terminado el curso de estudios, Saulo volvió a Tarso, era un perfecto escriba y un fariseo convencido.

Podría haberse dedicado al comercio, al que se dedicaban sus padres; pero el celo por la religión debía inclinarle a volver a Jerusalén para desarrollar su actividad en un sentido al mismo tiempo sagrado y profano. En verdad la carrera de escriba le hacía apto para el ejercicio de la magistratura y la literatura, así como le ponía en condiciones de hacerse un hombre de religión y predicador de la Ley.

Hemos dicho que retornó a Tarso, aunque no se tengan argumentos seguros; pero se cree así, porque él no conoció a Jesús durante su vida mortal. Si le hubiese conocido, no habría dejado de decirlo claramente en sus cartas, y lo hubiese reconocido, cuando se le presentó en el camino de Damasco para convertirle, y por el contrario le dijo: ¿Y tú quién eres? Con falsos principios, pero convencido de estar en posesión de la verdad, no era de condición tal que hubiese podido quedar indiferente delante de Cristo y de la tragedia del Gólgota.

Sea lo que quiera, pronto volveremos a encontrarle en Jerusalén.

Saulo, hebreo, fariseo, doctor de la Ley y ciudadano romano está en condiciones inmejorables para darse a un apostolado provechoso en pro de un ideal, de una religión.

La Providencia a su tiempo determinará cuál deba ser este apostolado.

★

La Iglesia de Jesucristo era aún el grano de mostaza: pequeña reunión de creyentes frente a una multitud que disentía de ellos. Pero su misma pequeñez contribuía, puede decirse, a hacerla más santa y perfecta. De hecho en Jerusalén los discípulos, interpretando como un precepto aquel consejo del Señor de no preocuparse de las cosas temporales, habían puesto todas las cosas en común; lo cual hubiera sido completamente imposible si la Iglesia hubiese sido más numerosa. Tanto es así que, al aumentar la Iglesia, surgieron obstáculos y dificultades insuperables. Era difícil, por no decir imposible, conservar la más estricta justicia en el reparto de lo que cada individuo y cada familia necesitasen para vivir.

La misma diversidad, de donde provenían los fieles, contribuía a destruir la armonía.

Los hebreos ciudadanos de Jerusalén miraban con un poco de desprecio a los hebreos helenistas, como llamaban a los que eran nacidos de hebreos, pero fuera de la Palestina. Por otra parte éstos ordinariamente eran más inteligentes y celosos que los otros y mostraban en la explicación de los misterios aquella sagacidad y cordura que suele caracterizar a los que no siempre han vivido dentro de la misma puerta y en el ambiente de la misma población.

A medida que crecía el número de discípulos, la vida en común se hacía más difícil y crecían las murmuraciones de unos contra otros, particularmente de los helenistas con relación a los de la ciudad, los cuales por la fuerza de las cosas tenían una cierta prioridad sobre aquéllos. Parece que un mal humor singular se había producido a causa de ciertas viudas helenistas que no recibieron, en el reparto de víveres, lo suficiente para sus numerosas familias. El tomar

15

partido en la defensa de las ciudades, siendo considerado en la Ley como obra meritoria, no tiene nada de extraño que fuese realizado con calor por los helenistas, que hicieron la defensa de las mismas ante los Apóstoles. Estos debieron reconocer que, sin saberlo ellos, se habían cometido errores en la distribución. De hecho, tomado consejo, juzgaron conveniente encargar a algunos los menesteres extraños a la oración y a la predicación, y reservándose los Apóstoles este último ministerio. Aún más: para quitar todo pretexto a la crítica, convocaron a todos los fieles a fin de que ellos designasen los nuevos ministros.

En la reunión, bien por la preponderancia de los helenistas, bien porque la mayoría, reconocido el error, quisiesen dar una satisfacción a éstos, los elegidos fueron todos de los helenistas.

Entre estos elegidos figuraba Esteban,[3] hombre lleno de fe, que ya se había dado a conocer en la Iglesia por los muchos dones con que el Espíritu Santo le había favorecido. Los Apóstoles impusieron las manos a los elegidos, que fueron los siete diáconos, algunos de los cuales, además del oficio de ministrar a las mesas, se dieron también al ministerio de coadyuvar a los Doce en la predicación y con tanto celo y fruto, que aumentaba prodigiosamente en Jerusalén el número de los discípulos, entre los cuales se veían muchos sacerdotes. La parte que Esteban debió tomar en estas conversiones fue extraordinaria, ya que, lleno de gracia y de fortaleza, hacía prodigios y cosas maravillosas en medio del pueblo. Conoció con ello la enemistad de los judíos, los cuales no podían sufrir su celo ardiente, ni sabían cómo resistir a aquella divina sabiduría que resplandecía en sus palabras. En particular se le pusieron en contra algunas sinagogas;

---

(3)   Hechos de los Apóstoles, Capít. 6 y 7.

16

entre ellas destacaba la de Cilicia, a la que pertenecía Saulo, que ya había vuelto a Jerusalén. Se entablaron disputas más de una vez, pero Esteban triunfaba, por lo cual los contradictores, deshechos en el terreno leal de la lucha, recurrieron para obtener la revancha a las malas artes. Comenzaron por calumniarle, intentaron sobornar al pueblo para que se le opusiese, cosas comunes a aquellos que no t enen razones para oponer a sus adversarios. Para los malvados, que habían encontrado falsos testimonios contra Jesucristo, no les fue difícil encontrarlos también contra Esteban, su discípulo. Se le acusó como de costumbre, que hablaba mal de la Ley y del Templo, y fue llevado al Sanedrín para que fuese juzgado.

El sumo sacerdote, el mismo Caifás que había condenado a Cristo, interrogó a Esteban acerca de las acusaciones que se le hacían. La Ley en efecto prescribía que se diese facultad al acusado para defenderse y Esteban usó de tal facultad.

Hizo un largo razonamiento para recordar a todos la bondad de Dios, comenzando por Abrahán y pasando por los patriarcas a Moisés y David, y les hizo notar cómo ellos, pueblo de Israel, siempre habían resistido al Señor. Por fin llegó a la acusación que se le hacía y se defendió recordándoles que el Excelso no habita en templos hechos de mano de hombre, porque no le pueden contener, sino que su trono es el cielo y la tierra el estrado de sus pies. Terminó diciéndoles que ellos, como sus padres, resistían al Espíritu Santo.

Al oír la valiente defensa y la acusación que lanzaba contra ellos, el Sanedrín y los que habían podido entrar en la sala, entre los que se encontraba Saulo, montaron en cólera y protestaron violentamente. Previendo Esteban que de nada le serviría su justa defensa delante de tales jueces, lanzó contra ellos, insensibles a todo otro razonamiento, la invectiva que merecían, diciéndoles: "Hombres de dura cerviz y de corazón y oído incircuncisos, vosotros resistís siempre al Espíritu Santo: como fueron vuestros padres así sois vosotros. ¿A qué profeta no persiguieron vuestros padres? Ellos son los que mataron a los que pronunciaban la venida del Justo, que vosotros acabáis de entregar y del cual habéis sido homicidas; vosotros que recibísteis la Ley por ministerio de Angeles y no la habéis guardado".

De acusado, el santo levita se ha transformado en un acusador implacable, recordando al Sanedrín y a su cabeza, Caifás, el deicidio cometido.

Los sacerdotes, los escribas y los fariseos crujían los dientes contra él: querían, a cualquier precio, deshacerse de un hombre que tenía tal valor. En realidad el derecho de infligir la pena de muerte se la habían quitado los romanos, los cuales debían sancionar, caso por caso, toda sentencia de muerte que el Sanedrín hubiese decretado por motivos religiosos; pero el momento les pareció bien para burlarse de la ley romana.

Precisamente en aquellos días Vitelio, legado de Siria, había depuesto al procurador de Judea, al famoso Poncio Pilato. Marcelo, el nuevo procurador, aún no se había manifestado muy autoritario. ¿Por qué no ponerle delante de un hecho consumado con la excusa de una revuelta popular?

Esteban comprendió la situación. Vio que no saldría vivo de sus manos, y la gloria de ser el primer mártir de Cristo hizo que su rostro se llenase de una alegría divina. Levantó los ojos al cielo como arrebatado de dulcísimo éxtasis, mientras veía a Jesús que venía a confortarle, haciéndole contemplar lo que le esperaba en el Paraíso. A la vista de tanta belleza, Esteban prorrumpe en un canto de victoria:

—"Estoy viendo —dijo— los cielos abiertos, y al Hijo del hombre sentado a la diestra de Dios!"

Caifás y el Sanedrín no esperaron más. Se renovó la escena de cuando Jesús dijo que era el Hijo de Dios.

—"Es reo de muerte —comenzaron a gritar—. ¿Habéis oído la blasfemia? Es reo de muerte".

Rasgaron sus vestiduras en señal de indignación y lo arrojaron violentamente de la sala, para conducirle después fuera de la ciudad y lapidarle como blasfemo.

En el caso de la lapidación la Ley prescribía ciertas formalidades, por las cuales los encargados de la ejecución debían ser los testigos; y con un ceremonial, según el cual, ordinariamente el reo era ejecutado por los dos principales sostenedores de la acusación. En el caso de Esteban este ceremonial no se cumplió. Aún pudo levantarse, después de la primera piedra que le arrojó el testigo, y le oímos llamar dulcemente al Maestro: "¡Oh Señor Jesús, recibe mi espíritu!" Le vemos en medio de aquel granizar de piedras arrojadas por todas las manos, hasta que se sintió desfallecer y cayendo de rodillas dijo la última oración del perdón: "Señor, no les hagas cargo de este pecado. Y dicho esto durmió en el Señor".

Saulo estaba presente. Si no arrojó también él sus piedras contra el mártir, fue porque los dos testigos, a los cuales estaba confiada la ejecución, y que se presumía habrían de ejecutar por sí solos el bárbaro cometido, le habían confiado sus vestidos para que los custodiase.

No perteneciendo a él la ejecución, tomaba parte en ella facilitando, en cuanto estaba en su mano, el cumplimiento de la lapidación por los testigos. Cuando a los golpes rituales siguieron los del populacho, él acaso no tuvo tiempo de sumarse. Pero lo cierto es que aprobaba aquella brutal ejecución.

¿Y por qué no? Acaso no estaba lleno de celo por la Ley? Según sus principios Esteban había blasfemado y debía morir. La calma del mártir, más que hablar a su corazón, le confirmaba que debía procederse sin piedad contra una secta capaz de formar prosélitos tan tenaces. El estaba en plena buena fe. En su vejez, acaso en el último año de su vida, podrá aludir a esta escena terrible con estas sencillas palabras: "Doy gracias a Dios porque ha hecho de mí un Apóstol; de mí que fui un perseguidor, que blasfemaba e injuriaba la religión; pero he conseguido misericordia, porque esto que hice, lo hice por ignorancia"[4].

Contraste curioso entre maestro y discípulo; ¡y qué consecuencias tan opuestas de una misma ciencia!

Gamaliel toma la defensa de los Apóstoles delante del Sanedrín y Saulo, su discípulo, es un adversario rabioso de los secuaces de los Apóstoles.

El primero encuentra valor para defenderles frente a las autoridades religiosas, el segundo les odia y les insulta en el momento más digno de piedad, el de la condena y la cruenta ejecución. No sólo esto, sino que de un acto tan trágico toma nuevo vigor para combatir a los secuaces del Nazareno.

De hecho fue entonces, a continuación de la ejecución sumaria de Esteban, cuando él se puso al servicio de Caifás.

Este, una vez que se cercioró de que había salido airoso frente a la autoridad del nuevo procurador Marcelo, dio principio a la primera persecución contra los cristianos: de una manera particular contra los cristianos helenistas.

Los Apóstoles, siendo todos de la Palestina, pudieron fácilmente permanecer en Jerusalén.

Por lo demás ellos eran los primeros en las obser-

(4)   Tim., 1, 12-13.

Our Lady of Mount Carmel

FREE DRAWING — ANNUAL FIESTA

2020 Alaquinas Drive, San Ysidro, California

FIRST PRIZE .... FORD THUNDERBIRD CAR

SECOND PRIZE $200.00

THIRD PRIZE $200.00

FOURTH PRIZE .... Seller of 1st Prize winning
ticket Wins $100.00

DRAWING: JULY 14, 1985

DONATION: $1.00
Winner Need Not Be Present

Printing Courtesy of
HUMPHREY MORTUARY & FLORISTS

№ 5162

vancias legales, iban el Templo para la oración, no podían ser blasfemadores de la Ley ni profanadores del lugar santo. Los helenistas, por el contrario, fueron tomados como enemigos no sólo en Jerusalén, sino en todas las demás ciudades, y Saulo, después de haber trabajado para estirparlos en la capital, se hizo paladín de su aniquilamiento hasta en los lugares donde aquéllos se habían retirado antes y después de la muerte de Esteban.

En su cualidad de escriba recorría las calles de Jerusalén acompañado de algunos malvados a sueldo del Sanedrín; entraba en las casas y hacía arrestar a hombres y mujeres y los conducía delante de los Setenta con tanta ligereza y crueldad de modos, que algunos se convirtieron en blasfemadores de Cristo y renegaron de sus creencias religiosas.

Cuando no se encontraban ya en Jerusalén más cristianos helenistas que los que estaban en prisión, se presentó nuevamente a Caifás, el cual le dio cartas de recomendación para los príncipes de las Sinagogas de las ciudades a las que habría de ir con el intento de destruir en todas partes la secta nazarena.

Puede causar extrañeza esta ferocidad en la persecución, pero es necesario no olvidar el fanatismo judaico, sobre todo cuando rozaba el orgullo nacional.

Los hebreos estaban entonces bajo el yugo romano, y para un fariseo celoso, como lo era Saulo, el deseo de un Mesías glorioso que había de libertar a su patria del yugo extranjero era la idea central. Ahora, por el contrario, se oponía por algunos un Mesías que había ya venido; pero era un Mesías pobre y que había muerto en el bochornoso suplicio de la cruz. Era el truncamiento de todas las esperanzas judaicas. Saulo se rebeló contra esta idea.

Su temperamento ardiente y su fogosidad juvenil le empujaban a una obra de depuración para la

21

gloria de Israel. Su celo, entonces poco ilustrado y mal dirigido, le hacía tanto más deseoso de venganza y destrucción, cuanto más se adentraba en la tarea, como una fiera que se enfurece más cuando ve correr la sangre.

Pero la mano de Dios iba a escribir la palabra fin en la primera persecución. Caifás fue depuesto poco tiempo después del martirio de Esteban; sus procedimientos contra los cristianos y sus amenazas ilegales contribuyeron en parte a su caída.

De Saulo obtendrá la Providencia un triunfo mucho más grande.

Estos sucesos se desarrollaron del año 34 al 36 de la Era vulgar.

EL CAMINO DE DAMASCO

Damasco, he aquí el campo en el cual tanto Saulo como el Sanedrín se prometía abundante mies para satisfacer la sed de venganza que tenían contra los nazarenos.

Era Damasco una importante ciudad de Siria, rica por su comercio y conocida en los pasados siglos por los maravillosos tejidos que de ella tomaron el nombre de damascos. En los comienzos de la Era vulgar era una de las poblaciones más populosas de los alrededores de la Palestina.

Estando en ella establecidos muchos hebreos contaba con varias sinagogas. El Evangelio era conocido por alguno de los más fervorosos judíos, y acaso también porque en ella se habían refugiado muchos de aquellos que se habían visto obligados a abandonar la ciudad santa por la persecución que siguió a la muerte de Esteban.

Saulo se dirigió a Damasco[1] con el ardor y el ímpetu que convenía a su temperamento y a la seriedad de la primera misión oficial que le había confiado la Sinagoga.

Acaso tomó el camino que va por Tiberíades atra-

_____
(1) Ver: Hechos, 9, 1-20.

23

vesando la Decápolis, pudiendo llegar con los suyos en menos de diez días, hacia el mediodía.

El sol que le había molestado a lo largo del camino, el polvo abrasador que había quemado sus fauces, eran menos molestos al acercarse a la ciudad por la sombra de las avenidas, que estaban en los alrededores de Damasco, flanqueados por árboles frutales: granados, naranjos y sicómoros que despedían agradable perfume.

Por lo demás hubiera sido suficiente para alegrar a la caravana la sola vista de la ciudad; el pensamiento de que dentro de aquel día, o al día siguiente habrían destruido la pequeña iglesia nazarena, que también allí había puesto su asiento para afrentar la austeridad de la Ley mosaica de la que ellos eran los paladines, les hacía acelerar la marcha y aumentaba su alegría.

Dentro de pocos días habrían vuelto a recorrer en sentido contrario el mismo camino; pero volverían con mayor compañía y más satisfechos. Porque esperaban cumplir pronto el mandato recibido de la Sinagoga y adquirir mérito; más numerosos porque conducirían con ellos gran número de nazarenos, sólidamente encadenados, como trofeos de su obra.

De súbito una luz más brillante que la del sol les deslumbró, les ofuscó por completo, haciéndoles caer en tierra.

Los compañeros de Saulo no se atrevían ni siquiera a levantar la cara del polvo o volver la vista hacia su jefe. Oían un rumor como de animado diálogo; pero uno de los interlocutores parecía tener la voz de trueno, como el fragor de una cascada, y no le entendían ni le veían. La misma voz de Saulo, que respondía, estaba cambiada.

Postrado también Saulo en el polvo, había visto mucho más que sus compañeros. Aquello que para éstos era una luz deslumbrante, para él era el Hombre-Dios que le mostraba parte de su gloria celestial, como se la había mostrado sobre el Tabor, cuando vivía, a sus predilectos discípulos Pedro, Santiago y Juan. Su cara resplandecía más que el sol y sus vestiduras eran más blancas que la nieve. En las palmas de las manos y en la parte superior de los pies aparecían cuatro puntos aún más luminosos, y en el pecho una herida que parecía un torrente de luz.

Saulo acaso sospechó lo que podía ser, pero quería saberlo con toda seguridad.

Jesús le llamó dos veces por su nombre, como para inspirarle confianza y hacerle comprender desde las primeras palabras, que aquel torrente de luz que brotaba del corazón era un torrente de amor.

—"Saulo, Saulo, ¿por qué me persigues?"

—"¿Quién eres, Señor?"

—"Yo soy Jesús Nazareno, a quien tú persigues".

Saulo quedó asombrado y tembloroso. En un momento había comprendido aquella verdad que después inculcará ampliamente en su predicación y en sus cartas: La Iglesia de Cristo y Cristo son, en sentido místico, una sola cosa: forman un mismo cuerpo. Cristo es la cabeza, sin la cual no se concibe el cuerpo viviente; los fieles son los diversos miembros, más o menos nobles en proporción de los diversos dones que les ha dado el Espíritu Santo; pero todos útiles y todos vivificados por una energía sobrenatural, en continua dependencia de la cabeza.

El, de hecho, no había perseguido a Jesús, no había tomado parte en su pasión, no había asistido a ella, mofándose como muchos de sus hermanos, y no obstante Jesús le dice: —"¿Por qué me persigues?"

Después vuelve a repetirle: "Tú me persigues", como para ponerle a la vista la enormidad de su pecado.

25

Saulo se reconoció entonces a sí mismo: se vio en lo íntimo de su alma, en el secreto de su conciencia. La palabra de Cristo, que primeramente le postró en tierra, fue como un dardo encendido que le laceró el corazón; le cambió de hombre carnal en hombre espiritual, le inspiró la sumisión humilde y completa a la voluntad de Dios, le dio el desprendimiento y el valor necesario para el apostolado.

Su nueva pregunta es, en efecto, como una reparación ofrecida a Aquel a quien ha perseguido injustamente, aunque por ignorancia; es el ofrecimiento de las propias energías, de la voluntad, de la inteligencia, de los dones naturales, para que Cristo haga de ellos lo que quiera, lo que le mande:

—"Señor, ¿qué quieres que haga?"

¿Qué importan ya las órdenes del Sanedrín, qué vale la misión oficial, para qué pensar en los compañeros que esperan el mandato y el ejemplo de él?

Ahora que la verdad ha destruido el error y la luz ha vencido a las tinieblas, ahora que el amor ha ocupado el puesto del odio, una cosa le interesa:

—"Señor, ¿qué quieres que yo haga?"

—"Levántate —responde Jesús—, entra en la ciudad y allí te será dicho lo que debes hacer".

¡Admirables disposiciones de la Providencia divina, que quiere asociar a su obra la intervención de la obra humana!

Jesús se ha manifestado al perseguidor, le ha trasformado; mas para que éste sepa lo que ha de hacer es necesario que se dirija al hermano, que ha reconocido antes que él la verdad que le debe trasmitir por la ley del amor: es necesario un acto de humildad por el cual merezca oír de un hermano: —"¡Saulo, hermano mío, vuelve a la luz!"

Saulo en efecto había quedado ciego. Levantándose del polvo, tendía la mano a sus compañeros: ¡el caudillo debía ser conducido por sus secuaces!

Y así entraron en Damasco, encaminándose por la calle llamada Recta, hasta la casa de un judío llamado Judas, un hebreo que condividía con ellos la antipatía y el odio hacia los nazarenos y que acaso había sido avisado; pero que seguramente no pensaba hospedar aquel día a un nuevo secuaz del Profeta de Nazaret.

★

La conversión de Saulo, después de la resurrección del Señor, es el milagro más ruidoso del Cristianismo: por ello el racionalismo se ha esforzado en buscar una explicación natural a este hecho maravilloso. Mas no lo ha conseguido.

Baur, como adversario honrado, debió concluir, después de considerar este hecho, que la narración de Damasco resiste a todo ataque y a todo análisis histórico, lógico y psicológico.

Una crítica honrada, cuando se trata de demoler a toda costa, cuando se trata de hechos que envuelven necesariamente una condena de la propia vida, no es lo más frecuente. Para destruir la verdad se ha llegado a utilizar armas que mutuamente se destruyen, a dar nombre de argumentos a falacias que no son sino conatos pueriles de raciocinio.

Renán, con su estilo, más adaptado a la poesía que a la crítica, ha dicho que acaso el rápido pasar de los caminos encendidos a las avenidas umbrosas de Damasco ha producido en Saulo un desequilibrio mental; después, no sabiendo a qué partido quedarse, para llegar a esta conclusión ha inventado un temporal formidable, con el consiguiente acompañamiento de truenos y relámpagos, olvidándose completamente de que el historiador habla de un día espléndido, lleno de un sol fulgurante.

Algunos se afanan en poner como causa de este fenómeno una alucinación; otros, un complejo, aunque obscuro, movimiento psicológico; otros, por fin, quieren ver un estado mental que haría de Saulo un hombre lleno de escrúpulos y dudas, en completa contradicción con toda su vida antecedente y posterior.

La seriedad con la cual Saulo había pedido e iniciado su misión; la convicción y seguridad que tenía de su fariseísmo; la indestructible fe, con la que desde el hecho de Damasco, predicaba la doctrina de Cristo, hasta dar por ella su propia sangre, primero en varias flagelaciones y lapidaciones que le hicieron sufrir los judíos, luego en el desafío a la muerte a cara descubierta en mil circunstancias y, por fin, la muerte gloriosa, que recibió en la primera persecución cristiana, excluyen todas estas fantasías de los hipercríticos.

Basta leer las cartas de San Pablo para comprender lo que fue su conversión. No el fin fatal de una serie de dudas y agitaciones del alma, ni mucho menos la necesidad moral consiguiente al contraste de dos doctrinas.

Acaso, y sin acaso, ni siquiera someramente conocía la doctrina de los cristianos: conocía a éstos tan superficialmente, cuanto un verdugo a sus víctimas. Sabía de ellos que no observaban la ley de Moisés; aquella Ley que para él era el principio de todo sublime pensamiento. Hasta el momento de la aparición era el fervoroso celador de las tradiciones paternas, aquel que sobrepujaba en la observancia de la Ley a la mayoría de los de su nación en aquel tiempo. Desde aquel momento es, por el contrario, el incansable predicador del Evangelio, el impugnador de la Ley, el que prohíbe a los de Galacia que se sometan a aquel yugo inútil, con estas valientes palabras: "Manteneos firmes, y no dejéis que os opriman de nuevo con el yugo de la servidumbre. Mirad que os declaro yo Pablo: que si os hacéis circuncidar, Cristo de nada os aprovechará"[2].

Sería, además, necesario explicar cómo la alucinación pudo ser colectiva; ya que no sólo Saulo, sino también sus colegas fueron deslumbrados por la luz y oyeron un rumor confuso de palabras.

Quedaría aún sin explicar la visión de Ananías que va a casa de Saulo, sin haberle éste llamado ni saber quién era; sería necesario conocer qué relación puede tener una alucinación o una crisis de conciencia con la pérdida de la vista y la readquisición de la misma a las palabras de un hombre que le dice: "Saulo, hermano mío, ve".

La verdad es que Saulo ha visto a Jesucristo, y que esta visión ha cambiado toda su vida. El recuerdo que siempre tiene de su conversión es el de un suceso imprevisto que ha cambiado todas sus convicciones. El ha sido, en cierto modo, conquistado y domado a viva fuerza, en un momento solemne que recuerda varias veces en sus cartas, porque sabe que su verdadera vida comenzó en aquel momento, como también entonces comenzó su apostolado.

"¿No soy yo Apóstol? —dice a los de Corinto—, ¿no he visto acaso a Jesucristo Señor nuestro?" Y más aún: "A mí, como abortivo, se me apareció después que a todos; porque yo soy de los Apóstoles el mínimo, que ni merezco ser llamado Apóstol, pues que perseguí la Iglesia de Dios. Mas por la gracia de Dios soy lo que soy, y su gracia no ha sido estéril en mí; antes he trabajado más copiosamente que todos; pero no yo, sino más bien la gracia de Dios que está conmigo"[3].

(2) Gálatas, 5, 1-2.
(3) 1 Cor., 15, 8-10.

Saulo tendrá después otras revelaciones, porque aquel Jesús que le ha elegido, le guía donde quiere; pero para él solamente esta primera gracia le constituye Apóstol, porque en él la llamada fe se identifica con la vocación al apostolado, como dirá él mismo a los de Galacia: "Mas cuando plugo a aquel Señor, que me destinó y separó desde el vientre de mi madre, y me llamó con su gracia, el revelarme a su Hijo, para que yo le predicase a las naciones, lo hice al punto sin tomar consejo ni de la carne ni de la sangre, ni pasar a Jerusalén en busca de los Apóstoles anteriores a mí: sino que me fui a la Arabia de donde volví otra vez a Damasco"[4].

✱

En casa de Judas estuvo Saulo tres días, antes que nuevas cosas se cumpliesen en él.

Cómo haya pasado estos días, el autor de los *Hechos* lo compendia en pocas palabras: "(Aquí se mantuvo tres días privado de la vista, y sin comer ni beber)".

Estas fueron las cosas exteriores, visibles; pero el trabajo de la gracia en su alma fue grande.

No veía nada, pero había comenzado a ver de verdad. No comía ni bebía, pero su inteligencia estaba saturándose de la verdad, y su corazón estaba recibiendo el rocío divino que iba cerrando las grietas que había abierto el odio.

El haber quedado ciego no lo consideraba como un castigo.

Si sería temporal o permanente aquella ceguera, no lo sabía; de lo que estaba cierto era de que pronto sabía lo que le quedaba por hacer. Se lo había

---

(4) Gál. 1, 15-17.

dicho Aquel que no miente, Aquel que se le había aparecido en el camino. ¿Qué valor podía tener la vista corporal delante de aquel mundo nuevo que se había abierto a su vista interior?

Toda la doctrina aprendida de Gamaliel era nada. Gamaliel debía de posponerse a uno cualquiera de aquellos pescadores nazarenos, que había dejado en paz en Jerusalén, porque los veía ir al Templo para la oración; ni acaso les creía capaces de influir sobre los helenistas, que de hecho dependían de ellos.

Toda la majestad del Sumo Sacerdote y la autoridad del Sanedrín era nada, si ellos habían sido capaces de renegar de Aquel que esperaban, no obstante los prodigios que había obrado, las indicaciones precisas de los profetas y las afirmaciones concretas de Juan Bautista.

Jerusalén y el Templo eran nada; de la primera Aquel que le había aparecido había dicho que sería presto destruida, y del segundo que cesarían los sacrificios, siendo sustituidos por una oblación limpia, que se ofrecería en todas partes.

Por último Moisés, los Patriarcas, los Profetas eran nada, si había aparecido Aquel que habían figurado y anunciado.

Y si todo esto era nada, ¿para qué había él combatido?, ¿por qué había aprobado la lapidación de Esteban?

Saulo veía ahora. Los ciegos de verdad eran sus hermanos de Israel. ¿Pero, por qué no serían ellos también iluminados?

Para el alma ardiente de Saulo esta pregunta era una consecuencia necesaria de la visión que había tenido. Sus hermanos no debían permanecer en las tinieblas, si él, que no se creía mejor que ellos, había llegado a la luz. Si Jesús, que se le había aparecido a él, era tan bueno que se había dejado crucificar por ellos, les debía también conceder la luz. Saulo desconocía las parábolas que había pronunciado Jesús: la de los viñadores, a los que se les quitó la viña por haber matado al hijo del señor; la del rey que hizo el banquete de bodas de su hijo, en el que no tomaron parte los invitados en primer lugar, sino los pobres, los cojos, los despreciados.

Entretanto él se ofrecía totalmente a Dios.

La abstinencia de la comida y bebida en aquellos tres días, era al mismo tiempo una preparación para esta oferta.

A la vez que se ofrecía, preguntaba. Poder conocer pronto lo que debería hacer, pedirlo con insistencia. Querer entreverlo en los fulgores que iluminaban su inteligencia, en las explosiones de penitencia y en los nuevos sentimientos y palpitaciones que hacían sollozar su corazón.

Al tercer día fue oído.

Vio, con aquella vista nueva de la que gozaba hacía tres días, a un hombre llamado Ananías, que venía a la casa en que se encontraba, le imponía las manos y devolvía el vigor a sus muertas pupilas.

¿Qué significa todo esto?

¿Era acaso Ananías el que le diría lo que debía hacer?

Fue durante esta visión de Saulo cuando el Señor se apareció, de la misma manera, a un discípulo de Damasco, de nombre Ananías (acaso el jefe de aquella comunidad cristiana), hombre pío, del cual daban buen testimonio todos los judíos de la ciudad.

Este, elegido por Dios para ser en cierto modo el padre espiritual del futuro apóstol de las gentes, oyó que le llamaban por su nombre: —¡Ananías!

32

—Aquí me tenéis, Señor —respondió.

—Levántate —le dijo el Señor—, y vé a la calle llamada Recta; y busca en casa de Judas a un hombre de Tarso llamado Saulo, que ahora está en oración.

Ananías, que había oído hablar de Saulo a aquellos que habían huído para escapar a su persecución, tuvo miedo al oir aquel nombre, que resultaba terrible a los cristianos y: —Señor —respondió— he oído decir a muchos que este hombre ha hecho grandes daños a tus santos en Jerusalén: y aun aquí está con poderes de los príncipes de los sacerdotes para prender a todos los que invocan tu nombre.

—Vé a encontrarle —le dijo el Señor—, que ese mismo es ya un instrumento elegido por Mí para llevar mi nombre y anunciarlo delante de todas las naciones, y de los reyes, y de los hijos de Israel. Y yo le haré ver cuántos trabajos tendrá que padecer por mi nombre.

Con esto tomó ánimo Ananías, y una vez que cesó la visión, marchó en seguida, obediente a la voz del Señor, y se dirigió a la calle Recta, la calle principal de Damasco. Buscó la casa de Judas y una vez que la encontró fue introducido a la presencia de Saulo.

Con la sencillez propia de las almas grandes que obran bajo el influjo de una idea sobrenatural, se le acercó, y, poniendo sus manos sobre la cabeza de él, del lobo convertido en cordero: —Saulo, hermano mío —le dijo—, el Señor, Jesús, que se te apareció en el camino que traías, me ha enviado para que recobres la vista y quedes lleno del Espíritu Santo.

Al momento cayeron de sus ojos como unas escamas, las cuales, cubriéndole el bulbo ocular, no le habían dañado el órgano de la vista.

Saulo miró a su bienhechor que con tanta sencillez y bondad le había dado el dulce nombre de hermano: y reconoció en él al personaje que se le había mostrado en la visión, y bendijo al Señor que tantas maravillas hacía por su medio. Una puerta verdaderamente espaciosa se le había abierto, y una vez más, por el ministerio de Ananías, se le invitaba a entrar por ella.

—El Dios de nuestros padres ha querido que conocieses su voluntad, y que merecieses ver al Justo y oír su palabra, porque debes ser su testimonio y predicador cerca de todos los hombres, de lo que has visto y oído. ¿Para qué más dilaciones? Recibe el bautismo y lava tu alma de los pecados, por la invocación del nombre de El.

Saulo fue bautizado; acaso recibió también el sacramento de la Confirmación y su alma tan amada de Dios resplandeció fulgurante con los esplendores de la gracia; de aquella gracia, que desde ahora, tanto crecerá en él y tanto se manifestará en sus predicaciones y en sus cartas.

"Cristo —observa San Agustín— hizo caer a tierra al perseguidor, para hacer de él un doctor de la Iglesia: le hirió y sanó, porque El es quien mata y vivifica. El, Cordero muerto por los lobos, que sabe cambiar en corderos los mismos lobos. Así está anunciado en la profecía de Jacob. Pablo de hecho era de la tribu de Benjamín, como él mismo atestigua. Ahora bien, bendiciendo Jacob a sus hijos, llegado que fue a Benjamín, dijo de él: "Benjamín es un lobo rapaz". Pero, ¿será siempre lobo rapaz? No Aquel que a la mañana coge la presa, en la tarde divide los alimentos. Esto es precisamente lo que se verificó en el apóstol Pablo, porque había sido predicho de él".

VASO DE ELECCION

La noticia de lo que había sucedido en el camino en las cercanías de Damasco, y después en la casa de Judas, en la calle Recta, se extendió rápidamente entre la pequeña comunidad cristiana. Se hablaba como del mayor prodigio que había sucedido después de la Ascensión del Señor.

El temor, con el cual habían temblado al anuncio de su venida, había hecho aumentar doblemente el júbilo por el peligro de que se veían librados y por la persecución que había naufragado. Todos los hermanos tenían un formidable argumento a mano para hacer callar a los hebreos, cuando éstos les reprochaban por las novedades que introducían en la Sinagoga.

Saulo —podían responder— doctor de la Ley, hombre de confianza del gran Sacerdote, ha sido echado a tierra en el camino de Damasco. Saulo, tan rabioso perseguidor de los cristianos, se ha hecho cristiano.

Que Saulo se hubiese hecho cristiano, era ya para los puritanos hebreos de Damasco una espina que se les había clavado en el corazón; pero cuando le vieron venir a las sinagogas y tomar la palabra que le pertenecía como escriba y como forastero, y como quien sentía el deber, a toda costa, de hablar a sus hermanos, la espina se hizo más punzante.

La predicación de Pablo era precisa, perentoria, sin ninguna duda en la afirmación de que Jesús era el verdadero Mesías.

Los doctores intentaban contraatacarle, pero la dialéctica robusta de Pablo triunfaba de todas las dificultades. Conocía él perfectamente las argucias y demás falacias de interpretar la Ley al uso de los fariseos, para quedar parado ante ellas. Una cita de la Escritura a propósito bastaba para echar por tierra todo el edificio de pequeñas deducciones, de glosadores, propias de los rabinos de entonces. Por lo demás él presentaba hechos, y la lógica de los hechos siempre ha sido más clara y convincente que la de las argumentaciones.

Los doctores se veían obligados a callar y aumentaba el número de los creyentes y de los simpatizantes. Hasta los gentiles que solían frecuentar la sinagoga y que probablemente habían aumentado después de la llegada de Saulo, quedaban presos por el fulgor de su palabra, y no se separaban de la Sinagoga más que cuando ésta se separaba de él.

El partido farisaico, que había esperado de Jerusalén al amigo, y ahora se veía primero abandonado y después destrozado, meditó su venganza.

Esta no podía ser más que la venganza de la mentira contra la verdad, la acostumbrada en todos los tiempos y en todos los lugares: la violencia. Se pusieron de acuerdo entre ellos (aquel Sanedrín en miniatura) y decretaron matarle.

Así habría desaparecido su contradictor, y a la vez la prueba palpable que los secuaces del Nazareno aducían constantemente: el milagro viviente.

Saulo no temía la lucha, ni la muerte; pero, secundando los impulsos del Espíritu que le guiaba, creyó que no había llegado aún el momento de desafiarla. Además, sentía la necesidad de recogerse delante de Dios; de meditar acerca de todas las revelaciones que se habían sucedido en aquel breve lapso de tiempo, antes y después de su bautismo; de leer nuevamente las Sagradas Escrituras, que tomaban ahora a sus ojos un aspecto y una claridad nueva. Para esto era necesario buscar la soledad, el silencio.

No pudo librarse del atractivo que la soledad ejerce sobre las almas verdaderamente grandes. Esta vez dio ocasión a ello la guerra desleal de los judíos. Saludó a los hermanos; acaso estableció el modo de tener comunicación con ellos para recibir noticias y aprovechar el momento favorable para volver a entrar en acción, y marchó de Damasco hacia Arabia.

¿Se dirigió posiblemente hacia el monte Sinaí, que le recordaba toda la gloria de Dios y la inconstancia de su pueblo?

No lo sabemos.

No obstante, parece más probable que se estableciese en el territorio del rey Areta, el cual residía en Petra, ciudad que daba nombre a las regiones que la circundaban. Vivió en esta soledad casi tres años.

La historia no nos dice nada de este largo período. El mismo Pablo no hace mención en sus cartas sino una sola vez incidentalmente, con estas sencillas palabras: 'Me fui a la Arabia''. No la consideró jamás como lugar de apostolado, como una Iglesia querida con la que tuviese relaciones. Probablemente vivió bastante apartado, hizo su aprendizaje espiritual. Se dio a la meditación de aquellas verdades que tan agudamente debía después explicar, a la consideración de su particular apostolado. El ayuno y la meditación acompañaron el recuerdo de su pasada vida, del martirio de Esteban, de las persecuciones y molestias producidas a aquellos que de ahora en adelante llamará siempre con el nombre de "santos".

Esto no quiere decir que no haya difundido la

buena nueva entre aquellos pueblos y que su predicación no haya fructificado. Acaso la vida errante de aquellos hombres no permitió la formación de una Iglesia estable, aunque hubiese formado muchos cristianos. Acaso también aquellos lugares fueron después el campo de algún otro apóstol, que recogió y dio forma a los efectos esporádicos del apostolado de Pablo.

Pero, más que todo, en la soledad Saulo debío gozar de las visiones y de las enseñanzas de Jesús; el cual así como había formado a los apóstoles con una enseñanza de tres años, alternando en ella parábolas, doctrina, prodigios, humillaciones y sufrimientos, quiso formar a Saulo para el apostolado universal al que le había destinado.

"Os hago saber, oh hermanos —dice en la carta a los de Galacia— que el Evangelio, que yo os he predicado, no es una cosa humana; pues no lo he recibido, ni aprendido yo de algún hombre, sino por revelación de Jesucristo".[1]

"En cuanto a los que tenían más autoridad, habiendo reconocido que a mí se me había confiado por Dios el evangelizar a los incircuncisos, me dieron las manos en señal de aprobación".[2]

Como quiera que sea, al salir de Arabia, habrá podido decir aquello que escribe un poco más adelante en la misma carta: "Estoy clavado en la cruz juntamente con Cristo. Y yo vivo ahora, o más bien no soy yo que vivo, sino Cristo que vive en mí. Así la vida que vivo ahora en esta carne, la vivo en la fe del Hijo de Dios, el cual me amó, y se entregó a sí mismo a la muerte por mí".[3]

---

(1) Gál., 1, 11-12.
(2) Id., ib., 9.
(3) Id., ib., 19-20.

★

Cuando Saulo volvió a Damasco, la ciudad debía estar bajo el dominio directo, no de los romanos, sino del rey de Petra, que la gobernaba por medio de un vicario llamado etnarca.

Cómo el rey nabateo haya venido a conseguir la posesión de Damasco no es fácil saberlo, porque la historia de Siria en aquellos años es muy obscura.

Acaso la obtuvo de los mismos romanos, cuyo emperador Calígula pudo haberle dado la ciudad a Aretas, aunque no fuese para otra cosa que para hacer lo contrario de Tiberio, que era enemigo de aquel rey. No hubiese sido éste el único caso en la vida de aquel loco coronado, que con otros había tenido semejantes procedimientos.

Sea como fuere, lo cierto es que Saulo creyó las condiciones bastante favorables para reanudar la predicación en Damasco, y lo hizo con aquel vigor extraordinario que había conseguido en la soledad, y aquella mayor doctrina que había sacado de la meditación de las Sagradas Escrituras.

Los judíos recurrieron una vez más a las armas preferidas por ellos: la violencia y la traición. Decretaron quitarle de en medio, después de haberse asegurado la cómplice benevolencia del lugarteniente del rey, el cual, posiblemente comprado, llegó en su servilismo a poner soldados en las puertas de la ciudad, para que en el caso de Saulo, informado, se diese a la fuga, lo detuviesen antes que los sicarios hubiesen podido cometer su crimen.

La Providencia deshizo aquel plan diabólico sirviéndose del amoroso afecto que los cristianos tenían para Saulo, los cuales, conocida la maquinación, supieron muy bien librarle de ella.

Llevaron a Pablo a una casa, cuyas ventanas daban sobre las murallas, y desde allí, acomodándole en una cesta, mediante cuerdas, le descolgaron por la noche, poniéndole en seguridad fuera de los muros de la ciudad.

✱

La novelesca liberación nos lleva a decir algo de la figura física de San Pablo, al cual por su pequeña estatura le fue facilitada la evasión.

Su imagen fue muy querida de los primeros cristianos: por ello su semblante fue copiado muy pronto en los mármoles y en los lienzos pintados. El historiador Eusebio nos cuenta haber visto más de uno que ya en sus tiempos, en la primera mitad del siglo IV, se consideraban antiguos. A nosotros han llegado algunos en bronce y en vidrio, todos posteriores a Eusebio, pero igualmente de autoridad, dada la conveniencia que hay entre ellos, y también confrontándoles con lo que dicen *Los hechos apócrifos de Pablo*, del siglo II, que así le describen: "Era hombre pequeño de estatura, con la cabeza calva, las piernas un poco torcidas. La tez de la cara blanca, el aspecto gracioso, las cejas arqueadas y la nariz aguileña"

Sobre la pequeñez de su figura, chancea el mismo San Pablo en la segunda carta a los Corintios.

De él decían sus enemigos que sabía escribir cartas valientes, capaces de infundir pavor, mientras, al verlo, su presencia era mezquina, de poco relieve y su elocuencia sin importancia. Por eso escribía: "Quien habla así, sepa que como soy ahora por carta, tal seré cuando esté presente en medio de vosotros"[4]. Y después, tomando como ejemplo a alguno de sus adversarios de talla robusta, añadía: "Cierto, yo no me atrevo a compararme con ciertos personajes que se ala-

_____

(4) 2 Cor., 10, 11.

ban por sí mismos; yo me mido por mí mismo y me comparo conmigo mismo. No, yo no me glorío desmesuradamente, mas según la medida que me ha sido dada por Dios; la cual todavía me ha permitido llegar hasta vosotros. Por lo demás no tengo necesidad de estirarme para llegar hasta vosotros, desde el momento que os he alcanzado con el Evangelio de Cristo" [5]

Otro rasgo de su fisonomía era el estigma producido por una enfermedad que él llamaba "estímulo de su carne, bofetón de Satanás", aquel estímulo en el que algunos comentadores, basándose demasiado en la Vulgata, han visto, equivocadamente, las tentaciones de la carne.

Aunque no se excluye enteramente que también el Apóstol de las gentes, aquel que ha visto a Jesús y que ha sido elevado hasta el tercer cielo, haya estado probado con esta prueba, entre todas dolorosa y humillante para un alma pura, no puede admitirse en manera alguna que aluda a ella con estas palabras. Se dirigía entonces a sus enemigos, que buscaban todo pretexto, y aun lo inventaban, para demoler su obra; por ello se habría él guardado muy bien de darles un arma para ello en sus manos. Se trataba, por lo tanto, de una enfermedad, y de una enfermedad que se manifestaba al exterior.

En la carta a los Gálatas tiene estas palabras: "A mí en nada me habéis agraviado; al contrario, bien sabéis que, cuando tiempo ha os prediqué el Evangelio, lo hice entre las persecuciones y aflicciones de la carne: y en tal estado de mi carne o de humillación mía, que os era materia de tentación, y vosotros no me despreciasteis, ni desechasteis; antes bien me recibisteis como a un ángel de Dios, como al mismo Jesucristo". [6]

---

(5)   2 Cor., 10, 12-14.
(6)   Id., ib., 12-14.

Algunos han pensado que se trataba de una oftalmía, que suele afear el aspecto del rostro. Otros, con más fundamento, dicen tratarse de las fiebres palúdicas que suelen dejar un color terroso, un aspecto desolador. Así se comprenden aquellas crisis de abatimiento que tanto le deprimían y le hacían buscar con ansia la compañía de algunos de sus colaboradores. Siempre pronto para sufrirlo todo por amor de Jesús, tan valiente que no sólo rehuía el peligro, sino que lo buscaba, se encontraba algunas veces tan postrado, que se sentía cansado y hastiado de la vida. Ahora bien, las fiebres palúdicas tienen esto de característico, que abaten de tal suerte el organismo que llega hasta deprimir las energías psíquicas y enervar terriblemente la voluntad.

Cualquiera que haya sido esta enfermedad, lo cierto es que, luchando contra ella, cumplió con todo fervor y exactitud lo que le pedía su apostolado redoblando con ello su mérito delante de Dios.

Quebrantado con frecuencia por la enfermedad y pequeño de estatura, era sin embargo de una inteligencia aguda, de una ciencia grande y de una voluntad indomable. Un hombre hecho para el mundo, para las acciones resueltas y atrevidas. Pronto de palabra, podía improvisar un discurso perfecto y sacar provecho para su tesis de cualquier divergencia de sus oyentes, de todo hecho o circunstancia que le hubiese sorprendido aun en el momento en que estaba hablando. Tan pronto, que rebatía sobre la marcha cualquier objeción que se le hiciese, como lo veremos a su tiempo, delante de los tribunales. Pensador profundo y genial, cáustico, incisivo, tanto al escribir como al hablar, parece que había nacido para el apostolado a que el Señor quiso llamarlo.

★

Vueltas las espaldas a Damasco, Saulo se encaminó a Jerusalén.

Esto era un atrevimiento extraordinario, diríamos temerario, porque en Jerusalén, aunque ya no era Sumo Sacerdote el astuto Caifás, estaba el Sanedrín compuesto en su mayor parte por aquellas mismas personas que habían tenido que sufrir le vergüenza de su deserción; porque como una deserción vergonzosa aparecía ante ellos su conversión al cristianismo.

Ciertamente que Roma había restablecido su autoridad en la ciudad santa, y Saulo, como ciudadano romano, podía creerse al abrigo de las injurias y abusos que podrían venir de parte de los representantes de la ciudad; pero no así de las autoridades locales, que no desdeñaban otros caminos, cuando se les cerraban los caminos legales.

Saulo tenía un motivo para afrontar estos peligros. Quería ver a Pedro, el jefe de los Apóstoles, su propio superior. Lo dice él mismo en una de sus cartas. Acaso quería también reparar el mal que había causado por ignorancia a la Iglesia naciente: iluminar a los jerosolimitanos, particularmente a aquellos que por sus enseñanzas y su manera de portarse antes, podían haberse hecho más contrarios al nombre cristiano. Parece deducirse esto de la resistencia que opone a la orden recibida del Cielo de salir de Jerusalén, a pesar de saber los peligros que por todas partes le rodeaban.

¡Con cuánta amargura debe haber vuelto a ver aquella ciudad Saulo, el convertido!

Había marchado de Jerusalén con la convicción de que ella era y lo sería para siempre la ciudad santa, desde la cual debía reinar el dominador del mundo, y volvía ahora viéndola despojada de toda su realeza, de toda su potencia y de toda santidad. Jesús había llorado una vez sobre ella, al pensar el triste fin hacia el cual caminaba inconscientemente. Pienso que también lloraría el nuevo discípulo de Cristo al contemplarla ahora de nuevo.

¡Saulo había tenido siempre un concepto apasionado de Jerusalén, amándola entrañablemente de niño, de joven estudiante y cuando era hombre maduro: era imposible no sentir ahora una violenta reacción, al contemplarla con su nueva ideología de Apóstol de Cristo!

Pero debía experimentar una amargura aun mayor que le venía de los cristianos, de los hermanos, de los "santos" de aquella ciudad: era la indiferencia, más aún, la desconfianza de aquéllos hacia él. Y esta desconfianza no la tenían solo los discípulos, sino que llegaba hasta los mismos Apóstoles. Cuanto más buscaba acercarse a ellos, y entablar relaciones, para hacerles participantes de las cosas admirables de las que había sido el protagonista, más ellos le huían, evitando su encuentro y trato.

Temían aún de él. Verdaderamente estaba vestido de la piel de cordero; ¡pero, quién sabe si debajo de aquellas apariencias no se ocultaba aún la fiereza y maldad del lobo!

Podrá comprender la pesadumbre de Saulo únicamente el que ha sufrido la persecución de los propios hermanos, el que se ha visto cerrar el camino para trabajar por un ideal por la sórdida desconfianza de aquellos que deberían ayudarle.

Es verdad que su conversión había sucedido muy lejos de Jerusalén... Aquí se había oído hablar de ella un poco de tiempo; pero después se había sabido también que Saulo había desaparecido de Damasco. ¿Qué había hecho en los dos o tres años desde los cuales había desaparecido sin oírse nada de él? La prudencia aconsejaba estar alerta y no dejarse sorprender por una 'apariencia mansa.

Así hicieron los Apóstoles. Pero entretanto, conociendo el carácter de Saulo, ¿quién podrá decir la amargura que acibaraba su corazón? El creía que se habría disipado toda duda después de las pruebas sufridas en Damasco, en donde dos veces había tenido el honor de haber sido buscado por los enemigos de Cristo que querían matarle.

Afortundamente la prueba no fue larga.

Bernabé, que según parece había sido condiscípulo suyo en la escuela de Gamaliel, se encontró con él. Generosos y emprendedores el uno y el otro, no tardaron en comprenderse. Fue suficiente que Saulo le recordase los sucesos de Damasco, con aquella convicción con la que solía hablar de ellos, para que desapareciese de Bernabé toda duda acerca de él.

Conocía perfectamente a Saulo. Es cierto que era fariseo, pero sin la doblez farisaica. Se podía equivocar, podía haberse equivocado, pero jamás había sido desleal.

Bernabé se encargó de conducirle ante los Apóstoles, de informarles lo más exactamente posible de lo que había sucedido con Saulo, de disipar toda la desconfianza.

Cuando los discípulos vieron a Saulo acogido benévolamente, fraternizar con Pedro y con Santiago, los dos únicos Apóstoles que entonces se encontraban en Jerusalén, toda aversión se disipó: comenzaron a hablar con él, a escuchar sus exhortaciones. Para obtener toda su simpatía esto le fue más que suficiente a Saulo.

Quince días solamente permaneció en Jerusalén.

La mayor parte de este tiempo lo empleó, sin duda, en hablar con los dos Apóstoles, y particularmente con Pedro.

Saulo había recibido la investidura del apostolado del mismo Jesús; pero su Vicario en la tierra debía ser informado minuciosamente de ello. Pedro, por otra parte, no había tenido aún la visión de Jope. Sabía, es cierto, que todos, aun los que estaban fuera del pueblo escogido, podían conseguir por medio del Redentor misericordia delante de Dios; pero acaso en su mente aún no habían madurado todos los desarrollos de la universalidad de aquel edificio del cual era, después del Maestro, la piedra angular. Parece que Saulo debió ser el primero que le hizo entrever lo que muy pronto había de ser la Iglesia.

En los coloquios de los Apóstoles se pusieron las bases de una nueva civilización para la humanidad, de una civilización verdadera: la civilización cristiana.

★

Cornelio a Lápide nos ha conservado una tradición tan grata a nuestro corazón de cristianos, que queremos transcribirla. Es cierto que no tiene fundamento en las fuentes verdaderas de la historia paulina; pero no ha sido ni excluida ni contradicha.

Esta tradición dice que la Madre del Redentor se encontraba en Jerusalén en el tiempo en que la Iglesia sufrió la primera persecución y durante la lapidación de Esteban. Ella, refugio de los pecadores, había rogado por la conversión de los que perpetraban aquel crimen. Habiendo sido después Saulo el más rabioso perseguidor de los seguidores de su Hijo, había rogado por él de una manera particular y, como se vió por el efecto, eficazmente.

De aquí nació en Saulo un grande afecto hacia la Virgen Santísima, afecto pagado por Ella con la benevolencia maternal más delicada: de aquí los coloquios llenos de fuego divino acerca de la vida de Jesús, de los episodios de su infancia: de aquí que el apostolado de Pablo, coadyuvado por las oraciones de la Omnipotencia suplicante, y su bendición sobre la vasta obra del Apóstol, la hizo de tan ubérrimos frutos.

★

En la ciudad santa Saulo se encontró, seguramente, con muchos compañeros suyos de antes de la conversión. Sintió también la obligación de hablar con ellos; particularmente con los helenistas no cristianos, porque con ellos había estado en más estrechas relaciones. Creía que, conociéndole ellos íntimamente, habrían recibido con facilidad su testimonio en favor de Jesús. Volvió a frecuentar sus sinagogas: la de los habitantes de Cilicia, de los Alejandrinos, de los de Cirene, y, en general, de los Asiáticos. Pero éstos fueron tenaces en su error; aún más, comenzaron a tenderle insidias y en breve llegaron hasta tramar un complot contra su vida. Tales proyectos llegaron a oídos de algunos hermanos, los cuales le consejaron abandonase Jerusalén.

Pero Saulo veía en esto una bella ocasión de reparar el mal hecho anteriormente, y no escuchó sus consejos. Ciertamente hubiese continuado y acaso habría sellado con su sangre el testimonio dado en Jerusalén, si el mismo Jesús no hubiese intervenido ordenándole salir de esta ciudad.

De hecho, mientras se encontraba en el templo orando, se le apareció en visión Jesús para decirle:
—Apresúrate y sal de esta ciudad, ya que sus habitantes no recibirán tu testimonio a favor mío.
—Señor —respondió Saulo—, ¿por qué debo salir yo, cuya palabra tiene mayor peso que la de todos los

demás? Ellos saben que yo era el más fanático perseguidor de tus seguidores, aquel que les ponía en prisiones y les batía en las sinagogas. Saben también que, cuando se derramaba la sangre de Esteban, tu apóstol estaba presente y consentía en aquel delito: más aún, para que con mayor comodidad pudiesen hacerlo, custodiaba las vestiduras de los que le apedreaban.

Pero Jesús, que conocía la dureza de aquellos corazones, como para compensarle del fracaso presente y de la corona de la que le alejaba:

—Véte —insistió—, porque te enviaré a países muy lejanos, a predicar la fe a los gentiles.

Con el mandato divino, y ante la perspectiva de un vasto apostolado con el nombre de Jesús, Saulo obedeció.

Los hermanos de Jerusalén, temiendo aún alguna emboscada contra él, le acompañaron hasta Cesarea. De allí se fue a su patria: a Tarso.

Por algún tiempo el autor de los *Hechos* no habla de él. Tampoco Pablo recuerda nunca este período. Pero no fueron años perdidos.

El reposo, y menos aún el ocio, no tuvieron lugar en la vida del Apóstol de las gentes.

En la carta a los romanos recordará a muchos de sus parientes; y queremos pensar que entretanto estaría trabajando por la conversión de los suyos, descubriéndoles los misterios de la fe. No podía obrar de otro modo aquel que escribía poco después: "Si uno no piensa en los suyos, y especialmente en los de su casa, ha renegado de la fe, y es peor que un infiel"[7].

Predicó también a sus compatriotas y acaso vio comprobado aquel proverbio que se aplicó a sí mismo el divino Maestro: "Ninguno es profeta en su patria". El no decir jamás una palabra lo hace verosímil. Pe-

_____

(7) 1 Tim., 5 6.

ro acaso la semilla arrojada no toda cayó entre espinas y piedras, porque poco más tarde le veremos visitar también las iglesias de Cilicia, sea quien fuere el fundador de ellas.

Entretanto, esperaba, sin impaciencia, que llegase su hora.

En una montaña, cercana a su ciudad natal, se muestra aún una gruta, a la que se retiraba con frecuencia, donde acaso pasó mucho tiempo de este período de tres o cuatro años.

Si realmente aquella gruta fue su eremitorio, debió ser testigo de lágrimas y oraciones, de visiones y éxtasis dulcísimos.

Así se iba aumentando la fuente de la que después habían de surgir aquellas cartas rebosantes de sublime doctrina; se agigantaba el amor de aquel que habría deseado ser anatema por la salvación de sus hermanos.

JERUSALEN Y ANTIOQUIA

Mientras Jesús caminaba un día por los alrededores de Tiro y Sidón, una mujer cananea, que había oído hablar de los prodigios que obraba, comenzó a invocarle diciendo: —Señor, Hijo de David, ten lástima de mí: mi hija es cruelmente atormentada del demonio.

Jesús no respondió palabra; y sus discípulos, acercándose, intercedían diciéndole; concédele lo que pide, a fin de que se vaya, porque viene gritando tras de nosotros. El Maestro respondió: yo no soy enviado sino a las ovejas perdidas de la casa de Israel.

No obstante, ella se llegó y le adoró diciéndole:

—Señor, socórreme.

—No es justo —respondió Jesús— tomar el pan de los hijos y echarlo a los perros.

—Es verdad, Señor —replicó la cananea—; pero los perrillos comen a lo menos de las migajas que caen de la mesa de sus amos.

Jesús entonces le dijo: —¡Oh mujer! grande es tu fe; hágase conforme tú lo deseas.

Y en la misma hora su hija quedó curada.

Este hecho sacado del Evangelio que aparentemente nos muestra un Jesús en contraste con el Jesús lleno de misericordia y compasión ante cualquier desventura, un Jesús que restringe, en cierto modo, su misión, jamás lo encontraremos en S. Lucas, que, escribiendo para los gentiles, recoge cuidadosamente todo lo que puede facilitar su entrada en la Iglesia. S. Mateo, por el contrario, como escribe para los hebreos, lo ha recogido; aquí tenemos la llave para comprender el modo diverso de obrar de los Apóstoles en los primeros días de su predicación.

No obstante el último mandato de Jesús resucitado: "Id, e instruid a todas las naciones",[1] ellos no se movieron de Jerusalén, o de la Palestina, sino después de la persecución que les obligó a marcharse, según otro precepto: "Cuando os persigan en una ciudad, andad a otra".[2]

Aun después de la visión de Pedro y el bautismo del centurión Cornelio y su familia, las cosas no cambiaron mucho sobre este particular. Se consideró aquel bautismo como excepción singular, autorizada por el Cielo; pero de la cual no era lícito concluir que la entrada a la Iglesia estaba franca para los gentiles de suerte que éstos pudiesen entrar en masa. La Iglesia de Jerusalén parece se había entregado a la meditación del episodio antes referido, prescindiendo de todos los demás dichos y hechos que le completaban y modificaban.

Humanamente no se podía pretender más de un pueblo que estaba tan compenetrado con sus prerrogativas, y habituado a considerarse la parte elegida de Dios, el pueblo escogido, el heredero de la promesa, en contraposición a todos los demás hombres, desheredados y maldecidos en masa.

El Señor, que vigila por su Iglesia e invisiblemente la guía, hizo que de otra ciudad saliese la chispa de la universalidad, que no podía esperarse de Jerusalén.

---

(1) Mat., 28, 19.
(2) Mat., 10, 23.

★

Antioquía de Siria, llamada entonces la grande, para distinguirla de otras del mismo nombre, entre ellas la de Pisidia, de la que pronto hablaremos, se encuentra al extremo de una bella llanura, sobre la orilla izquierda del Orontes. Desde 1939, es una ciudad de Turquía con apenas cuarenta mil habitantes; cuando llegó San Pablo se encontraba en todo su apogeo.

Agrupada en parte en las faldas de las colinas del monte Silpio, y en parte tendida en la llanura, ofrecía un panorama encantador. Dentro de sus muros tenía un anfiteatro, un Panteón, en el que se daba culto a los ídolos más diversos, y otros muchos templos y monumentos importantes.

Favorecida por los Seleucidas y los romanos, unida al mar por el puerto, no muy distante de Seleucia, unida también a Cilicia y al Asia Menor, importante salida natural para Armenia y los pueblos situados a la otra parte del Eufrates, tenía un comercio muy rico. Por lo que no faltaban hebreos en ella.

Se decía que era la tercera ciudad, por su importancia, del imperio romano: ciertamente lo fue del pueblo cristiano.

Después de Jerusalén, la Iglesia madre y Roma, la sede de Pedro y el campo fecundo de mártires, nosotros debemos poner Antioquía.

Aquí tuvo el Príncipe de los Apóstoles, según la tradición, su Sede por algún tiempo: de aquí partieron los primeros evangelizadores de la gentilidad: aquí recibieron los discípulos de Jesús su apelativo de distinción, con el nombre de cristianos.

¡Cosa maravillosa! Quien dio el primer impulso a la conversión de esta ciudad fue Saulo; pero no el convertido en Damasco, sino más bien el perseguidor de la iglesia de Jerusalén.

52

Los que fueron perseguidos en la ciudad santa se vieron constreñidos a abandonarla y se desperdigaron por todas partes. Cada uno escogía el lugar que más le acomodaba, bien por los parientes que tenía, por las amistades, o por la facilidad para el trabajo que más a propósito le era para vivir. Algunos fueron a la isla de Chipre, otros se establecieron en Francia, y muchos vinieron a Antioquía. En una ciudad grande y cosmopolita era más fácil no ser notados y mayores las posibilidades de encontrar ocupación.

Entre los prófugos que vinieron a Antioquía se encontraban algunos chipriotas y otros de Cirene (aquéllos helenistas de las ideas más amplias, de los que hablaremos en otro lugar), los que comenzaron a predicar la buena nueva entre los griegos, que en la ciudad eran tan numerosos como los hebreos. La semilla cayó en tierra buena y bien pronto se formó una comunidad muy respetable de bautizados, en la que vivían armónicamente helenista circuncidados y griegos que no habían recibido más que el bautismo. La mano del Señor estaba con ellos, dicen los *Hechos*, y era muy grande el número de los que se habían convertido.

Cuando se supo esto en Jerusalén, debió producirse un poco de división entre los "santos". Con todo, los Apóstoles, y Pedro principalmente, que poco antes había tenido que defender lo hecho por él con el centurión Cornelio, no pudieron por menos de alegrarse. Era la misma Providencia que se encargaba de hacer prevalecer el mandato de Cristo: "Bautizad a todas las gentes", sin que nadie pudiese reprocharle que habían abandonado las ovejas de la casa de Israel, por las que había venido Jesús, y a las que ellos se habían dirigido, no exclusivamente, sino en primer lugar, porque primeramente debía ser evangelizado el pueblo privilegiado. De todos modos decidieron mandarles un pastor, o mejor un atento investigador, un legado que los representase: fue elegido para esta misión Bernabé.

Nacido en Chipre, estaba muy unido a la iglesia de Jerusalén. Fue uno de los primeros que, poseyendo bienes materiales, se deshizo de ellos, y puso el precio de los mismos en manos de los Apóstoles para uso de la comunidad. Hombre de autoridad, pertenecía a la familia sacerdotal, como levita; tenía también aquellas dotes externas de majestad y belleza que le hacían destacar entre los demás. Su verdadero nombre era José, mas la facundia en el hablar y los dones recibidos largamente del Espíritu de Dios le habían conquistado el apelativo con el cual es más conocido: Bernabé, el hijo de la profecía y de la exortación. El nombre de profeta significaba en aquel tiempo, no tanto la previsión de lo futuro, cuanto el don de la palabra persuasiva y llena de unción espiritual.

Bernabé vino a Antioquía, y después de cerciorarse con júbilo del floreciente estado de aquella iglesia mixta de hebreos y gentiles, comenzó su apostolado, con el que consiguió nuevas y abundantes conversiones, y un fervor cada día mayor entre los hermanos. La fe y la bondad de Bernabé fueron los medios de los que se había servido Dios para aumentar aquella congregación de secuaces de Cristo. Bernabé se dió bien pronto cuenta de que aquel campo era demasiado amplio para sus solas fuerzas, y pensó en ayudarse de alguno para tratar con los hermanos que provenían del gentilismo. Un nombre le vino en seguida a la mente: Saulo de Tarso.

Su conversión estrepitosa, cuya fama por fuerza hubo de haber llegado a Antioquía, las revelaciones de las que probablemente se había enterado por él mismo, cuando en Jerusalén se había encargado de presentarle a los Apóstoles; la misión que él había recibido en el templo antes de salir de la ciudad santa; la robustez de los raciocinios, con que le había oído discutir; su fervor: todo le indicaba para aquel campo de apostolado.

¿Pero dónde encontrarle.

Se informó lo mejor que pudo, y después partió a la ciudad de Tarso. La distancia entre esta ciudad y Antioquía no era mucha: tres días de camino. Llegado a Tarso tuvo la suerte de obtener noticias precisas, que le condujeron pronto a conseguir su deseo.

Acaso le encontró en la gruta de la montaña cercana a Tarso, donde el buen atleta se ejercitaba en las armas de la oración y la penitencia.

Cuando le hubo contado los efectos sorprendentes conseguidos en Antioquía, Saulo se debió alegrar extraordinariamente, como se alegra el labrador al verdorarse las mieses, que le anuncian está cercana la recolección y ya sueña con una sementera mayor en la próxima estación.

Un año entero trabajaron en la viña mística de aquella ciudad Saulo y Bernabé, y tal fue el fruto, cada vez mayor, que los hermanos comenzaron a ser notados y llamar la atención en la ciudad, formando un grupo tan grande que pedía un nombre. El nombre de "cristianos" estuvo antes en la boca de los paganos que de los hermanos. Aquellos acaso quisieron unir a él un sentido despectivo y algún tanto satírico: éstos comprendieron que era una gloria ser señalados con el nombre de Consagrado de Dios.

★

Hacía el fin de aquel año vinieron de Jerusalén otros profetas; o espontáneamente para consolarse viendo el desarrollo de la casa de Dios, o mandados por los Apóstoles con objeto de ayudar a Bernabé. Entre ellos uno, que se llamaba Agabo, verdadero mensajero de tribulación. Antes de que pasen tres lustros volveremos a encontrarle en Cesarea, en donde predice al Apóstol su prisión. Esta vez la desgracia que anuncia es universal. Una grande hambre habría de desolar toda la tierra, como en efecto la hubo en tiempo del emperador Claudio.

Bien sea que al hablar de esta hambre universal hubiese recordado la pobreza de la iglesia madre, en la que la mayoría de los hermanos provenía del pueblo pobre y la vida común acrecía la nececidad; o bien que los hermanos de Antioquía pensaran de suyo que sus condiciones económicas les ponían en condiciones de prestar alguna ayuda a los de Jerusalén, cierto es que en seguida hicieron una colecta en dinero para enviársela a los ancianos o sacerdote

Por lo demás era corriente en las costumbres tradicionales hebraicas que los hermanos comerciantes, extendidos por todo el mundo, enviasen a la ciudad santa dinero, particularmente para el esplendor del Templo. La colecta cristiana adquiría además un sentimiento de solidaridad y caridad características de la Iglesia, que continuará en los siglos venideros. Bernabé y Saulo fueron los comisionado por la Iglesia de Antioquía para llevar aquella providencial y espléndida limosna. Providencial, no sólo porque en Jerusalén padecían entonces una grande carestía, sino también porque se había recrudecido una violenta persecución. Por esto, acaso, no encontraron ni siquiera a Pedro; igualmente pudo ocurrir el hecho de la liberación prodigiosa de Pedro durante la permanencia de los dos enviados, o poco después.

Recojamos la narración de los *Hechos*[3].

En aquel tiempo Jerusalén estaba bajo el dominio

_____

(3) Hechos, cap. 12.

del rey Herodes Agripa, que la había obtenido de los romanos. Este, que había pasado en su juventud del lujo de la corte imperial a las cárceles, para pagar deudas e intrigas de todo género, se supo ganar el favor de Calígula, el cual le dió no sólo el reino de su abuelo, Herodes el Grande, sino también las tetrarquías de Lisania, Filipo y Herodes Antipas.

Lo suficientemente astuto para comprender que el hacerse bien visto de los judíos era uno de los medios más seguros para continuar con la confianza de los romanos, creyó oportuno ganarse la amistad de aquéllos, persiguiendo a los cristianos. Hizo flagelar a algunos y morir degollado a Santiago, llamado el Mayor, hermano de Juan. Los judíos de la aristocracia, particularmente el Sanedrín, debieron ponderarle grandemente esta actuación, porque pronto pensó condenar a la misma pena al que era la cabeza de la secta nazarena, e hizo poner en prisión a Pedro.

Como se ve, estamos frente a la segunda persecución, peor y más violenta que la primera que dio la gloria de Esteban. De hecho aquélla era una persecución ilegal; debía necesariamente tener los caracteres de tumulto popular, esto es, de breve duración, y fácilmente evitable para los particulares. En ésta, por el contrario, es el mismo rey, puesto por los romanos, quien la inicia sistemáticamente, y acaso la hubiese continuado con todo vigor, si Dios no se hubiera encargado de la defensa de los suyos.

Eran los días de Pascua cuando fue puesto en la cárcel Pedro. Al terminar estos días le habría matado. Mientras tanto le tenía bajo la custodia de dieciséis soldados, que se alternaban en grupos de cuatro para la guardia. Toda la Iglesia rogaba por él.

Mas cuando iba ya Herodes a presentarle al público, aquella misma noche estaba durmiendo Pedro en medio de los soldados, aherrojado con dos cadenas, y los guardas ante la puerta de la cárcel haciendo centinela. De repente apareció un Angel del Señor, cuya luz llenó de resplandor toda la pieza, y tocando a Pedro en el lado le despertó diciendo: —Levántate presto—. Y al punto se le cayeron las cadenas de las manos, y mandóle que se vistiese, le invitó a seguirle y el celeste mensajero iba delante, sin que Pedro pudiese darse exactamente cuenta de lo que estaba sucediendo: se imaginaba que era un sueño lo que veía. Pasada la primera y la segunda guardia, llegaron a la puerta de hierro que sale a la ciudad, la cual se les abrió por sí misma. Salidos por ella caminaron hasta lo último de la calle; y súbitamente desapareció de su vista el Angel. Solamente entonces se dio cuenta Pedro de la verdad, diciendo para sí: —Ahora sí que conozco verdaderamente que el Señor ha enviado a su Angel, y librándome ha de las manos de Herodes y de la expectación de todo el pueblo judaico. Y habiendo pensado lo que haría, y escogiendo entre las casas de los hermanos, cerca de los cuales podría haberse refugiado, se encaminó a casa de María, madre de Juan, por sobrenombre Marcos, donde muchos estaban congregados en oración. Habiendo, pues, llamado al postigo de la puerta, una muchacha llamada Rode salió a escuchar quién era, y conocida la voz de Pedro, fue tanto su gozo que, en lugar de abrir, corrió adentro con la nueva de que Pedro estaba a la puerta. Pero los reunidos le dijeron: —Tú estás loca. Mas ella afirmaba que era cierto lo que decía. Ellos dijeron entonces: —Su Angel es—. Pedro entretanto proseguía llamando a la puerta. Abriendo, por último, le vieron y quedaron asombrados. Mas Pedro, haciéndoles señas con la mano para que callasen, contóles el modo con que el Señor le había sacado de la cárce y añadió: —Haced saber esto a Santiago, el Menor, y a los hermanos—. Y partiendo se retiró a otra parte.

Ocurriese esta liberación milagrosa durante la permanencia de Bernabé y Saulo en Jerusalén, o poco antes, lo cierto es que ellos pudieron verse al menos con uno de los Doce: Santiago el Menor, al cual quiso Pedro se le diese cuenta del milagro, por el que había sido librado de la cárcel.

Este, austero observante de la Ley, admirado no sólo por los hermanos, sino también por los demás hebreos, permaneció como jefe de la iglesia madre, que después de la persecución tomó nuevo vigor, entre otras razones porque la mano de Dios había castigado de manera tan palpable al perseguidor, haciéndole morir ignominiosamente comido por los gusanos.

Bernabé y Saulo entretanto, una vez que hubieron cumplido su misión de limosneros, y ciertamente también de consoladores, volvieron a Antioquía, llevando con ellos a un joven: Juan, por sobrenombre Marcos, el hijo de aquella María, en cuya casa había buscado refugio la cabeza de los Doce, al ser librado de la cárcel.

★

Se acercaba la hora solemne en la cual Pablo se había de entregar por completo a la obra de conquistar el mundo para Cristo.

La oración, la soledad, el apostolado de Antioquía, las visitas a la ciudad santa, le habían gradualmente preparado. Ahora Dios mismo da la última mano a esta preparación con una revelación, solemne y memorable entre todas las demás.

He aquí cómo habla el Apóstol catorce años después, en una carta a los fieles de Corinto: "Si es necesario gloriarse (aunque nada se gana en hacerlo), yo haré por vuestro bien mención de las visiones y revelaciones del Señor. Yo conozco a un hombre que cree en Cristo, que catorce años ha (si en cuerpo o fuera del cuerpo no lo sé, sábelo Dios) fue arrebatado hasta el tercer cielo, y sé que el mismo hombre (si en cuerpo o fuera del cuerpo no lo sé, Dios lo sabe), fue arrebatado al Paraíso, donde oyó palabras inefables, que no es lícito o posible a un hombre el proferirlas o explicarlas. Hablando de semejante hombre podré gloriarme; mas en cuanto a mí, de nada me gloriaré, sino de mis flaquezas y penas"[4].

La solemnidad con que habla, después de tantos años y tantos trabajos apostólicos, nos hace comprender que el éxtasis, al que alude, fue verdaderamente muy extraordinario aun para él, el hombre del camino de Damasco, habituado a sentirse guiado por el Espíritu de Dios.

En aquel éxtasis vio tan sublimes misterios, que juzgó no era conveniente hablar de ellos, ya que la mayoría de los hombres no le habrían comprendido, ni él acaso se habría sabido explicar lo suficiente. Quizá vio la gloria de Dios sin enigma, en cuanto es posible a criatura humana. Quizá el misterio de la Unidad de naturaleza y Trinidad de personas en Dios y el modo de verificarse el misterio de la Encarnación del Verbo. Conoció acaso la naturaleza de los Angeles, su gloria, las concéntricas Jerarquías. Ciertamente le fue revelado el premio reservado a las almas fieles, probablemente la predestinación de los justos, la reprobación de los pecadores, la presciencia de Dios conciliada con la libertad de los hombres. Nos lo hace suponer, la exclamación que espontáneamente parece se le escape después de haber hablado una vez a los romanos: "Oh profundidad de las riquezas de la sabiduría y de la ciencia de Dios. ¡Cuán incomprensibles son los juicios e investigables sus caminos!"[5]

(4) 2 Cor., 12, 1-6.
(5) Rom., 11, 33.

60

La visión debió tener lugar el primer año de la permanencia de Saulo en Antioquía; también pudo ser en Jerusalén. ¿Sucedió acaso en el Templo? No lo sabemos.

Entretanto la iglesia de Antioquía continuaba una vida próspera en toda clase de bienes espirituales, bajo la dirección de sus profetas y doctores. Los tenía de diferentes países; y entre ellos los más insignes: Bernabé de Chipre, Simón llamado el Negro y Lucio de Cirene, que eran contados entre los profetas; Manaén de la Palestina y Saulo de Tarso que eran los doctores. Mientras estaban un día juntos para el retiro, después que hubieron ayunado y rogado al Señor y ciertamente participado de la mesa eucarística, oyeron una voz que el Espíritu Santo les hizo percibir claramente: —Separadme a Saulo y a Bernabé para la obra a que los tengo destinados—. Y después de un nuevo ayuno, y con oraciones, les impusieron las manos y los despidieron para que cumpliesen su misión.

Con estas pocas palabras queda descrita la consagración episcopal: la plenitud del sacerdocio, que a los dos les fue conferida por aquellos que ya la poseían y estaban encargados de darla.

De hecho nosotros encontramos en esta breve ceremonia apostólica el ayuno, la oración y la imposición de manos: lo principal de la sagrada ordenación.

Si esta ordenación comprendía también la que ahora llamamos sacerdotal, distinguiéndola de la episcopal, o bien los dos eran ya sacerdotes, no se puede afirmar con seguridad. Algunos quieren que Saulo hubiese recibido ya el sacerdocio, durante el período de su segunda estancia en Damasco, después que volvió de Arabia; pero no parecen claros los fundamentos de esta suposición, aunque a decir verdad tiene alguna verosimilitud. Lo cierto es que los SS. Padres, —entre ellos el entusiasta admirador de San Pablo, San Juan Crisóstomo—, han visto precisamente en esta imposición de manos que nos refieren los *Hechos*, la consagración episcopal de los dos Apóstoles, a la cual siguió inmediatamente su marcha a la misión.

¡Había deseado tanto Saulo esta misión! Había hablado, y acaso más que todos había trabajado para que la iglesia de Antioquía se orientase en este sentido, esto es, que era necesario salir a evangelizar a las gentes, y no esperar que viniesen éstas a hacerse evangelizar por los eventuales contactos que podrían ocurrir. Ahora la actuación estaba en sus manos y en las de su amigo Bernabé; y los dos tenían amplios pensamientos, para comprender que su acción no podría terminar en las sinagogas, sino que tenía que llegar a la gentilidad.

Enviados así por el Espíritu Santo fueron al puerto de Seleucia y allí se embarcaron para Chipre. Con ellos iba Juan Marcos, al que tomaron como ayuda.

Si hubiese sido Saulo el jefe o director de aquella pequeña comitiva, difícilmente hubiesen tomado la dirección de aquella isla. El tenía ideas más amplias; quería evangelizar los grandes centros, desde los cuales la fe se extendería por el resto del mundo. Chipre era demasiado insignificante y, lo que era peor, poco podría esperarse de ella. Pero Bernabé discurría de otra manera: el amor de patria tenía para él su peso. También Juan Marcos, su primo, fue del mismo parecer, y Saulo condescendió a sus deseos.

Por eso la isla consagrada a Venus fue la primera, entre los gentiles, en recibir la predicación evangélica.

A CHIPRE

Chipre es la última de las islas orientales del Mediterráneo. No es excesivamente grande: 9521 kilómetros cuadrados, poco más que Puerto Rico. Era notable por las minas de cobre y por la abundancia de maderas preciosas, entre las que destaca el boj y el ciprés, que precisamente de esta isla ha tomado el nombre. Viñedos y olivares cubrían las colinas que en pendiente suave llegaban hasta el mar y a sus puertos arribaron con frecuencia las naves comerciales que se dirigían al Oriente; por lo cual era un lugar de comercio importante, donde vivían numerosos griegos y hebreos. Estos últimos tenían sinagogas en todas las ciudades. A pesar de ello no fraternizaban mucho con los indígenas. En sus reuniones de los sábados rara vez admitían a los gentiles timoratos de Dios para escuchar la palabra de Ley, como hacían los hebreos en otras partes. Los indígenas de Chipre tenían un culto demasiado grosero e inmoral para poder comprender la belleza de las páginas sagradas. Los vicios, que exaltaban y practicaban haciendo de ellos un culto a la divinidad, les distanciaban demasiado de la verdad. Adoraban a Venus, bajo el nombre griego de Afrodita.

Los griegos sostenían la leyenda de que Venus había nacido de la espuma del mar, fecundada por la sangre de Saturno. En realidad la diosa de la isla era una piedra tallada, revestida de un paño de púrpura, que quería simbolizar la fuerza generatriz. Sus templos estaban diseminados por toda la isla y unidos a ellos se encontraban los bosquecillos sagrados, donde la fornicación se ejecutaba como si fuese un rito sagrado.

El Apóstol de las gentes debió quedar asqueado. Cuando habla en sus cartas del culto pagano, casi siempre unirá a él la idea de la torpeza y sensualidad. Acaso es un recuerdo de los lugares que vio en esta su primera misión.

En Pafo, capital de la isla, tenía la diosa su principal santuario, el que surgía en una altura, rodeada de la ciudad antigua. La moderna estaba en la parte baja, sobre la ribera del mar; pero el santuario no era olvidado, y eran frecuentes las procesiones que a él se dirigían.

En Pafo moderna residía el gobernador romano, Sergio Pablo.

Una dificultad nueva para la propagación del Evangelio se encontraba en las artes mágicas a las que se entregaban los paganos y muchos hebreos. Estos sabían camuflar su magia con cierta apariencia científica. Le daban un abolengo muy antiguo, la hacían llegar hasta Moisés y a los adivinos de sus tiempos, aquellos que habían obrado cosas admirables en la corte de Faraón, en contra del legislador hebreo. Conservaban además cierta apariencia de moralidad y respetando las Escrituras conseguían para sí y para sus artes algún prestigio. Con frecuencia era evidente, también en ellos, la ayuda que les prestaba el príncipe de las tinieblas, que de conformidad con los lugares y tiempos busca los medios más diversos para aparecer y mostrarse como Angel de luz.

La primera detención de esta caravana apostólica fue en Salamina, pero después de esta ciudad, evangelizaron por lo menos toda la costa que mira Egipto; una quincena de ciudades y pueblos grandes, además de la capital. Lo que ya se ha dicho de la isla, nos hace comprender el género de su apostolado. Un apostolado relativamente fácil, que se desenvolvía en el ámbito de las sinagogas, sin que surgiesen aquellas persecuciones movidas por los judíos, que vemos de ahora en adelante promoverse contra los predicadores del Evangelio.

Esto por dos razones.

La primera porque en Chipre era bastante conocida la nueva religión. Muchos cristianos se habían refugiado en la isla para escapar de la persecución del Sanedrín. Y acaso también para huir de la segunda, promovida por Herodes. Se trata de decir una buena palabra de aliento a éstos y una exhortación a los no convertidos. Entre los hebreos y los hermanos cristianos de Chipre no había surgido aún aquel encono envidioso que vimos en Jerusalén. Eran demasiado diferentes los temperamentos y el ambiente.

La segunda razón de la remisividad hebraica estaba en el hecho de que los paganos no frecuentaban la sinagoga como en otras partes. Además de esto Bernabé, y mucho menos Marcos, educado en un ambiente judío, no creyeron oportuno hablar fuera de las sinagogas. Así la soberbia judaica no tuvo que sufrir la afrenta más grave sobre todo para ellos, de ver que los nuevos predicadores tenían que dirigirse a los gentiles. Saulo se acomodó a la dirección dada por el que dirigía la pequeña expedición, entre otras razones porque comprendía que no hubiese habido correspondencia a las palabras de vida.

El procónsul Sergio Pablo, hombre de ingenio y de estudio, regularmente versado en las cosas experimentales y atento naturalista, viviendo en Chipre sin grandes preocupaciones, porque el ser procónsul en Chipre, más que una carga era una sinecura honorífica, se había dado al estudio de la magia. Acaso encontraba en ella algo más digno de estudio que las torpes jerarquías del Olimpo romano, el cual se enriquecía con nuevos dioses a la muerte de todos los emperadores romanos y algunas veces con la de otros personajes. Un hebreo astuto había conseguido ganarse sus simpatías y permanecía honorablemente a su lado, provisto de todo. Su nombre era Barjesús,[1] pero para dar cierto lustre a su profesión de mago, se hacía llamar Elimas: el sabio. Tenía grande ascendiente ante el procónsul; pero no tanto que éste, habiendo oído hablar de las nuevas teorías que predicaban los tres y acaso algún milagro que el autor de los Hechos no ha conservado, no quisiese verlos para oír de ellos algo nuevo.

Bernabé y Saulo hablaron delante de él, y acaso también en presencia de Barjesús, el cual comprendió en seguida el peligro que corría de verse suplantado en la confianza del generoso procónsul, al que comenzó a rodear con todo el refinamiento y engaño de que era capaz, a fin de que no se dejase coger entre las mallas de los sofismas (así los llamaba) de aquellos nuevos predicadores.

Saulo comprendió en seguida la táctica del adversario, y lo que era necesario hacer para reducirle al silencio.

Tenía delante un pagano que buscaba la verdad, sabía que era el Apóstol de los gentiles por la inves-

_____

(1) Ver: Hechos, 13, 6-12.

tidura recibida del mismo Jesús, y se adelantó a lo que Bernabé dijera que debía hacerse. La gentilidad era su campo. En una reunión, Saulo, lleno del Espíritu Santo, fiero y amenazador, se dirigió a Barjesús y le increpó con estas palabras: —¡Oh hombre lleno de toda suerte de fraudes y embustes, hijo del diablo, enemigo de toda justicia! ¿no cesarás nunca de procurar torcer y trastornar los caminos rectos del Señor?

Quería decirle con esto: No es por medio de los encantos y de las artes mágicas, como debe propagarse la verdad. Tú buscas anular esta verdad haciendo entrar en la propaganda un sobrenatural falso que aparta del Señor. Pero yo combatiré y anularé tus falsas armas con un arma verdadera y honesta: con el milagro.

—Pues mira: desde ahora la mano del Señor descarga sobre ti, y quedarás ciego, sin ver la luz del día, hasta cierto tiempo.

Apenas había terminado de decir esto Saulo, cuando el mago tendía las manos buscando a tientas quien le guiase, porque densas tinieblas cayeron sobre sus ojos, y le sacase fuera librándole de la presencia de su terrible adversario.

¡Caritativo pensamiento de Saulo!

El que había quedado ciego por cierto tiempo, y de esta ceguera había sacado una visión más sublime, con la oración y la conformidad con la voluntad de Dios, inflige al adversario la misma pena, a fin de que también saque provecho. De este modo le predica la salvación, con una fuerza y un vigor atemperado a la resistencia y dureza de su alma.

Una antigua tradición dice que el mago se convirtió en efecto, si bien, vuelto a sus malas artes, apostató de la fe, cayendo en un abismo más profundo que el de antes y del que misericordiosamente había sido sacado.

A la vista del terrible castigo, el procónsul Sergio Pablo quedó conquistado para la verdad y, admirado del poder de la palabra evangélica, creyó. Algunos tienen dificultad en admitir que fuese bautizado, no sabiendo cómo conciliar su cargo oficial con la fe. No consideran estos tales que la religión cristiana aun no era perseguida, y que estaban permitidos todos los cultos. Por lo que se refiere a su participación en el culto oficial, incompatible con la nueva profesión religiosa adoptada, encontraría mil medios para librarse de ella. Por otra parte no era imposible ni mucho menos, que un cristiano se eximiese de ello, especialmente entonces cuando el cristianismo no era sospechoso. De todos modos la narración que de este hecho hace S. Lucas es tal que no da lugar a pensar en una conversión a medias. Fue por lo tanto sincera y completa.

La tradición añade que Sergio Pablo se hizo después pregonero de la Verdad en diversas ciudades de España y en la ciudad de Narbona en las Galias, donde santamente terminó sus días.

La conversión de Sergio Pablo aumentaba maravillosamente la probabilidad de un apostolado aun en la isla de Chipre; y ciertamente Bernabé no hubiese abandonado su patria, si aquel acontecimiento no hubiese hecho pasar automáticamente al primer puesto a Saulo, haciéndole crecer extraordinariamente en la consideración de sus compañeros, y particularmente de Bernabé. De aquí en adelante también él permanecerá en segundo lugar, como un compañero de Saulo. Este, a la vez que pasó ser cabeza del grupo, cambió su nombre, llamándose Pablo.

El mismo S. Lucas no vuelve a llamarle con su antiguo nombre; y cuando nombra a los dos, siempre pone en primer lugar a Pablo y después a Bernabé; lo contrario de lo que ha hecho hasta ahora.

Bernabé es en cierto modo el gregario fiel que conduce al campeón hasta el momento en el cual éste debe iniciar su lucha cerrada.

Y la manera de combatir será digna del campeón. Al fin lo proclamará él diciendo de sí mismo: "He combatido una buena batalla".[2]

¿Tomó acaso Saulo el nombre de Pablo como consecuencia de su primera y fulminante victoria en la conversión del procónsul Sergio Pablo?

En verdad que no parece probable, pues repugna a su humildad, y al concepto que tenía de tales victorias, que se habían de referir siempre a Dios como verdadero autor de ellas. Más tarde dirá de su trabajo y del de un ilustre compañero. "Yo he plantado, Apolo ha regado; pero Dios es el que ha dado el incremento"[3]

Como a muchos hebreos, probablemente al nacer le pusieron dos nombres: uno hebreo y el otro romano. Era una costumbre muy extendida en Israel, y mucho más entre los hebreos que vivían dispersos por el mundo romano. Así Saulo mantuvo el nombre hebraico mientras estuvo entre los suyos y tomó el de Pablo cuando entró de lleno en el mundo romano; acaso también porque su nombre de Saulo no sonaba bien entre los romanos.

Saulo: nombre de un ilustre convertido, pero que nos recuerda al fariseo celoso, al perseguidor implacable.

Pablo: nombre de un apóstol incansable, y de un

---

(2)   2 Tim., 4, 7.
(3)   1 Cor. 3, 6.

corazón lleno de caridad; de uno que sabe hacerse judío con los judíos, gentil con los gentiles, para ganarles a todos para Cristo. Nombre que después de diez y nueve siglos, continúa siendo como una llamada de guerra, encerrando en sí un entero programa, sinónimo de fe, de doctrina y de agudeza de pensamiento. Nosotros no le abandonaremos más.

★

Bernabé y Juan Marcos no supieron resistir a las razones, a las insistencias con las cuales Pablo trataba de conducirlos a un campo más vasto y difícil.

Se embarcaron en Pafo, para el Asia Menor. Aquel sí que era un mundo verdaderamente nuevo para los tres.

Entrando en la bahía de Atalia, navegaron por el río Cestro, llegando a Perge. Debía ser en verano, y la ciudad se encontraba desierta, porque en tal estación toda la población emigraba temporalmente a los montes, para huir de las homicidas fiebres palúdicas. Era inútil permanecer en una ciudad sin habitantes: era necesario encaminarse a pie hacia las montañas, para encontrar a alguien, y también para librarse de las fiebres. Los peligros y molestias se presentaban por todos los lados y entonces Pablo manifestó la idea de pasar las montañas para llegar al interior, ya que las costas mediterráneas estaban desiertas. Peligros por todas partes, dirá más tarde el mismo Apóstol. A Juan Marcos le faltó el valor para afrontarlos. Había abandonado a Chipre por no separarse de su primo Bernabé, seguidor ahora de las directrices de Pablo; pero a la vista de tanta desolación no pudo más y pidió volverse al lugar de partida. Acaso en esta decisión tuvo gran parte, y quizá decisiva, el hecho de la novedad del apostolado paulino, que no coincidía demasiado con su educación reciamente judaica.

Bernabé indudablemente debió sentirlo mucho. Quería cordialmente a su joven pariente, pero el amor y la estima en que tenía a Pablo prevalecieron y dejó partir a su primo.

En cuanto a Pablo, quedó tan disgustado, que preferirá más tarde separarse de Bernabé, su bienhechor y amigo, antes que volver a tomar en su compañía a Juan Marcos. ¡Diversidad de pareceres, que a veces producen sordas hostilidades, persecuciones inexplicables, gastos inútiles de energías!

En nuestro caso, afortunadamente, se trataba de tres santos.

Aunque la diversidad de pareceres los separará, continuarán trabajando por el mismo santo fin, sin que el uno impida o embarace el trabajo del otro.

Más tarde se reconciliarán también Pablo y Juan Marcos.

El Apóstol, cuando se encuentre en la prisión que últimamente sufrió en Roma, escribirá a su discípulo Timoteo: "Toma a Juan Marcos y tráele contigo, porque me es muy útil en el misterio".[4]

Cargado de cadenas, próximo a terminar su vida y consciente de ello, no piensa para nada en el abandono en que lo había dejado; sólo recuerda las bellas dotes, que en él había encontrado, como ministro del Evangelio.

(4) 2 Tim., 4, 11.

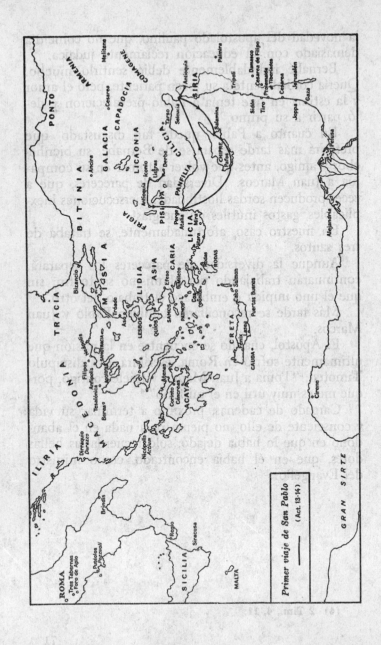

Primer viaje de San Pablo
(Act. 13-14)

LA PRIMERA MISION

El Asia Menor, donde Pablo y Bernabé se encontraron dispuestos a comenzar sus fatigas apostólicas, no tenía en aquel tiempo una unidad política que la sometiese toda entera a una misma autoridad. Había por lo menos diez y siete Estados, diversos por su origen, religión y costumbres.

En Galacia se encontraban pueblos de las Galias, que se distinguían fácilmente por su aspecto, su culto y por la lengua, que por mucho tiempo conservaron.

En Frigia, indígenas y pueblos nómadas, venidos hacía tiempo de Tracia, soberbios en su aislamiento y dedicados a la agricultura. Toscos, groseros y moralmente degradados por lo que se refería al culto que tributaban a Cibeles, en el que llegaban hasta la automutilación, tenían no obstante un innato sentimiento de respeto hacia la divinidad.

Sobre las costas occidentales, que miraban a Grecia, colonias griegas, con numerosas y espléndidas ciudades, entre las que descollaba su capital, Efeso.

Otros pueblos menores daban nombre y fisonomía particular a otros Estados, dependientes entonces de Roma, que los gobernaba por reyes sometidos a su mandato o por procuradores. Por esto a la babel de los cultos indígenas se había sumado el de algunas deidades romanas, y hasta desarrollado en el Asia Menor fácilmente cuanto que el poder romano había sido portador para todos de cierto bienestar.

La diversidad de lenguas y dialectos estaba mitigada en parte por el hecho de que el griego se hablaba casi como lengua común y vulgar, por lo menos en las ciudades.

Pablo y Bernabé, que desembarcaron en Panfilia, se vieron obligados a dejarla por la emigración estiva de sus habitantes, y dirigieron sus pasos hacia Pisidia. Atravesaron las montañas del Tauro, que se levantaban repentinas, derechas a poca distancia del mar, para después bajar gradualmente en altiplanos y llanuras hasta el mar Negro. Por precipicios y caminos rudimentarios, atravesando bosques de pinos y cedros muy bajos y majestuosos, landas incultas, en las que había algunos pastores con sus ganados, después de un penoso camino llegaron a Antioquía de Pisidia.

Hoy esta ciudad ha desaparecido totalmente, pero las ruinas que se han descubierto atestiguan su antigua belleza. Engrandecida en tiempo de los Seleucidas, y privilegiada después con el título de colonia romana, había adquirido grande importancia en razón principalmente a su posición geográfica muy favorable: pues se encontraba en medio camino entre Efeso y las Puertas de Cilicia, comunicación terrestre con Asia.

Los hebreos tenían una sinagoga muy frecuentada por los paganos, indígenas, o romanos, especialmente por algunas mujeres influyentes por su posición social.

Levita el uno, Bernabé, y doctor de la Ley el otro, Pablo, fueron recibidos con el obsequio debido a sus títulos y les fueron ofrecidos los puestos de honor. Ellos, por el contrario, aun agradeciendo esa deferencia, permanecieron en el fondo de la sala, como si fuesen dos forasteros corrientes. Cuando el archisina-gogo, una vez que terminó la lectura de la Ley y de los profetas, se dirigió a ellos con la frase ritual con que se invitaba a los forasteros: "Hermanos, si tenéis alguna cosa de edificación que decir al pueblo, ha-blad", Pablo, puesto en pie, y haciendo con la mano una señal pidiendo atención, comenzó su discurso. Es conveniente reproducirle, con una breve paráfrasis; porque en el fondo debe ser el esquema común a va-rios discursos del Apóstol, pronunciados en idénti-cas circunstancias.

"¡Oh israelitas, y vosotros, los que teméis al Señor, escuchad!

"Vosotros sabéis que el Dios del pueblo de Israel eligió a nuestros padres y engrandeció a este pueblo mientras habitaban como extranjeros en Egipto, de donde los sacó con el poder soberano de su brazo, y por espacio de cuarenta años proveyó a su sustento en el desierto, no obstante sus prevaricaciones e in-gratitud. Para ayudar y favorecer a los israelitas des-truyó después siete naciones en la tierra de Canaán, dando a los israelitas sus tierras en posesión. El mis-mo Señor les constituyó jueces, que rectamente les administrasen: y cuando pidieron rey, Dios les dio a Saúl, hijo de Cis, de la tribu de Benjamín; y remo-vido éste les dio por rey a David, un hombre de quien dijo Dios que era conforme a su corazón".[1]

Dicho este preámbulo, necesario delante de un auditorio compuesto en su mayor parte de hebreos, a los que quería halagar con el recuerdo de sus glo-rias, el orador entró de lleno en la tesis que quería defender.

Los hebreos de Antioquía tenían ciertamente en grande estima al Bautista, porque Pablo adujo con

---

(1) Hechos, 13, 16-22.

toda confianza su palabra para probar la necesidad del Redentor; señal de que su palabra de profeta no se discutía.

"Del linaje de David —continuó S. Pablo— ha hecho nacer Dios, según su promesa, a Jesús para ser el Salvador de Israel: Jesús al cual venimos a anunciaros. No es una vana aserción la nuestra. Juan Bautista, su precursor, predicaba el bautismo de penitencia a Israel, precisamente para prepararle a que recibiese a Jesús. Por esto, cercano al término de su carrera, decía: —¿Quién creéis que sea yo? Yo no soy el que vosotros imagináis, no soy el que esperáis, pero mirad: El vendrá después de mí; y soy tan inferior a El, que no soy digno de desatar el calzado de sus pies.

"Ahora, pues, hermanos míos, hijos de la prosapia de Abrahán, a vosotros es y a cualquiera que entre vosotros teme a Dios, a quienes es enviado este anuncio de la salvación. Es verdad que los hebreos de Jerusalén y sus jefes, no habiendo reconocido en Jesús su Salvador, ni habiendo comprendido las profecías que hablaban de El, le condenaron a muerte. Mas con esto no hicieron otra cosa que dar exacto cumplimiento a los vaticinios que habían interpretado mal. El era inocente, y ellos no obstante no encontrar delito alguno contra El para condenarle, pidieron a Pilato que se le quitase la vida. Y como esta muerte estaba predicha por los profetas, se cumplieron en El todas las demás cosas que estaban escritas. Pusieron en un sepulcro al Salvador del mundo, pero Dios le resucitó de entre los muertos al tercer día. Lo pueden testificar todos aquellos a los que se apareció, aquellos que habían vivido con El, los cuales aún viven y están dando testimonio de El al pueblo.

"Esta promesa de un Mesías, de un Redentor, hecha a nuestros padres, y que se ha verificado para nosotros con la resurrección de Jesús, es la que venimos a anunciaros. El efecto de la cual nos ha hecho Dios ver a nosotros sus hijos, resucitando a Jesús, en conformidad de lo que se halla escrito en el Salmo: 'Tú eres hijo mío, yo te dí hoy el ser'. Y para manifestar que le ha resucitado de entre los muertos para nunca más morir, dijo así: 'Yo cumpliré las promesas juradas a David'. Y por eso mismo dice en otra parte: 'No permitirás que tu Santo Hijo experimente la corrupción'. Ahora bien, a David no puede aplicarse esta promesa, porque él murió y fue sepultado con sus padres, y padeció la corrupción como los demás. Jesús, por el contrario, como fue resucitado por Dios, no ha experimentado ninguna corrupción en su cuerpo.

"Ahora, pues, hermanos míos, tened entendido que por medio de éste se os ofrece la remisión de los pecados y de todas las manchas de que no habéis podido ser justificados por la Ley mosaica. Por lo tanto el que cree en Jesús se limpia de sus pecados"[2].

El discurso de Pablo, que era muy grato a los oídos hebraicos en la primera parte, que podía ser examinado cordialmente en su segunda, venía con estas últimas palabras (concluzión lógica y necesaria para el propagandista del Evangelio) a tomar un carácter polémico; y los jefes de la sinagoga debieron dar señales de haber comprendido aquello que para ellos revestía los caracteres de una herejía incipiente.

A Pablo, ni aun en lo más fogoso de su discurso, se le escapaba nada de lo que hiciese su auditorio: no se le ocultó tampoco la desaprobación de ellos. Por eso concluyó con una amenaza condicional, que invitaba a una más seria reflexión.

"Por tanto mirad no recaiga sobre vosotros lo que se halla dicho en los profetas: —Reparad, burladores

_____
(2) Id. ib., 23-38.

de mi palabra, llenaos de pavor, y quedad desolados: porque yo voy a ejecutar una obra en vuestros días, obra que no acabaréis de creerla por más que os la cuenten y aseguren"[3].

El discurso había producido en el auditorio una conmoción general. La novedad del anuncio y la elocuencia de Pablo se habían impuesto.

Muchos preguntaron si en el próximo sábado hablaría nuevamente. El archisinagogo y los maestros de buen grado les hubiesen dicho que no; pero viendo la unanimidad de las aprobaciones de la multitud hacia la doctrina expuesta por Pablo, no tuvieron más remedio que invitarle.

Pablo debió alegrarse y también su compañero: y se alegraron mucho más cuando, apenas habían salido de la sinagoga, se vieron rodeados de hebreos y gentiles, que los acompañaron a su casa, para continuar oyendo las buenas palabras de verdad que éstos les decían, y más aún cuando vieron acercarse a otros para pedirles una más amplia discusión.

Si alguna vez Bernabé pudo haber bendecido el momento en que cedió al consejo de Pablo de abandonar la isla de su nacimiento, debió ser ésta, en la cual veía multiplicarse la cosecha. Si Marcos no hubiese ido, hubiese tenido también él un grande campo para ejercer su ministerio de catequista.

★

El discurso de la sinagoga y el gran éxito de Pablo fueron conocidos en toda la ciudad de Antioquía. Se habló de él en las familias hebreas y entre los gentiles, ya fuesen indígenas o romanos o griegos, de

_____

(3) Id., ib., 40-41.

tal suerte que al sábado siguiente casi toda la ciudad vino a la sinagoga, dice el sagrado texto; es decir cuantos pudieron entrar en la sala, de todas clases y condición social.

Los jefes de la sinagoga, en seguida se encelaron y tuvieron envidia. Al hacer la invitación a los dos extranjeros, no pudieron pensar que hubiesen tenido un éxito tan clamoroso. Delante de aquella multitud lo comprendieron claramente.

En tantos años como ellos llevaban hablando, apenas habían logrado reunir unas pocas decenas de prosélitos; y estos forasteros lograban llenar la sinagoga por la expectación del segundo discurso.

Más aún; se había hablado mucho de lo sucedido, y los que se preparaban para recibir el bautismo, ciertamente que no habían pedido permiso al archisinagogo. Con esto había materia bastante para atizar y poner en ebullición todas sus pasiones: la envidia, la celosía y la soberbia.

Apenas Pablo comenzó a hablar, en vez de dejarle decir y después rebatir sus argumentaciones, se levantaron algunos doctores con objeciones, dificultades y triquiñuelas de leguleyos. Pero Pablo no era orador que se dejase embrollar, y conservaba toda su serenidad ante los adversarios. Entonces comenzaron éstos a vocear, a interrumpirle, e injuriarle: el acostumbrado argumento de los ignorantes con traje de doctores pero con pocas y cortas razones.

Así no se podía continuar.

Los que habían venido con buena voluntad no entendían nada de aquel tumulto y continuaban manifestando a Pablo que simpatizaban con él y que querían oirle.

Pablo y Bernabé se hicieron una seña, acaso cambiaron algunas palabras de consulta sobre lo que debían hacer, y dominando, en cuanto podían, el rumor, gritaron: "A vosotros debía ser primeramente anunciada la palabra de Dios; mas ya que la rechazáis y os juzgais vosotros mismos indignos de la vida eterna, de hoy en adelante nos vamos a predicar a los gentiles; que así nos lo tiene ordenado el Señor diciendo: "Yo te puse por lumbrera de las naciones para que seas la salvación de todas hasta el cabo del mundo'."[4]

Un tan nuevo hablar llevó al colmo el despecho de los jefes de la sinagoga. Era su destronización, bajo el aspecto religioso, ante la gentilidad. Jamás habían pensado ellos en esta igualdad de derechos. Aun cuando admitían prosélitos, que por otra parte no eran muy numerosos, tenían buen cuidado por no hacerles en todo iguales a ellos. Ahora este hebreo, que no era ni siquiera de Jerusalén sino oriundo de Cilicia, se permitía promulgar novedades que no sólo ofendían la Ley sino que casi la abolían, quitando toda distinción entre el pueblo de Dios y el pueblo de los dioses de leño y de piedra.

Los gentiles, por el contrario, se alegraron. Singularmente aquellos que, movidos del deseo de la verdad, habían ido para escuchar a los Apóstoles.

Muchos creyeron, no sólo de la ciudad, sino de las campiñas que la rodeaban y de los pueblos y villas de la región antioquena, esparciéndose la palabra del Señor por todo aquel país.

Era el triunfo total de la tesis de Pablo; era el cumplimiento de las profecías que se referían a la universalidad de la Redención. Era la aplicación de los frutos de ésta, no restringida sino grandiosa, verdaderamente digna del gran rescate hecho por Jesucristo.

¡Pablo había vencido! Podía venir ahora cualquier persecución.

---

(4) Id., ib., 46-47.

Y vino la persecución, por obra de los hebreos, los cuales se valieron del apoyo de sus prosélitas.

Estas, señoras de alto rango para una ciudad provinciana, estaban muy embebidas en las doctrinas restringidas de los rabinos; acaso les molestó que hubiesen venido a sentarse con ellas, en la sinagoga, gentes de toda condición social, aun de la más baja plebe, e influyeron cerca de sus maridos y en el círculo de sus amistades.

No era necesario tanto para hacer pasar por innovadores ante las jerarquías políticas a Pablo y Bernabé. Ellos lo eran en realidad.

No se probaba que por otra parte sus verdades hubiesen siniestramente influído en el orden público. Pero, ¿cuándo ciertos celosos tutores del orden se creen obligados a un examen de conciencia tan minucioso? Los dos Apóstoles se alejaron de Antioquía, sacudiendo sobre las puertas de la ciudad hasta el polvo de sus calzados. Así cumplían un mandato del divino Maestro y atestiguaban ante el pueblo que declinaban toda responsabilidad delante de Dios.

En la ciudad quedaron todos los que se habían convertido, los cuales, aunque se entristecieron de aquella marcha imprevista, quedaron llenos de los dones del Espíritu Santo de tal suerte que tenían gozo, aun en medio de esta contrariedad.

★

Si los Apóstoles, saliendo de Antioquía, se hubiesen dirigido hacia el Occidente, hubiesen encontrado un campo vastísimo: muchas ciudades, grandes y muy pobladas. Ellos por el contrario se dirigieron hacia Oriente.

Pablo quería acercarse a aquellos pueblos de los

cuales tantas veces había oído hablar en Tarso y cuyos mercaderes había visto en las plazas de su ciudad, que estaba separada de ellos sólo por las montañas del Tauro: los Licaonios.

Llegan a la primera ciudad al cuarto o quinto día de camino.

Iconio, que se convirtió en ciudad importantísima pocos siglos después, en tiempo de los turcos, era entonces una ciudad no despreciable; bien porque fuese un nudo importante de carreteras, o bien porque hacía poco se la había declarado colonia romana. Los hebreos estaban ya instalados en ella y Pablo y Bernabé, no obstante el reciente recuerdo, fueron a la sinagoga con objeto de predicar en primer lugar a los hebreos, y después a los gentiles.

Tuvieron el consuelo de ver muchas conversiones, tanto de unos como de otros: lo que fue causa de que se repitiese, poco más o menos, lo sucedido en Antioquía.

San Lucas no se detiene en contar los pormenores del caso, pero sus breves afirmaciones lo indican claramente.

"Aquellos que entre los judíos se mantuvieron incrédulos, conmovieron y provocaron a ira los ánimos de los gentiles contra los hermanos"[5].

A pesar de ello éstos no se dejaron intimidar; y permanecieron los Apóstoles en la nueva Iglesia mucho tiempo, trabajando llenos de confianza en el Señor, que confirmaba la palabra de su gracia con los prodigios y milagros que por ellos hacía.

Los milagros que hacían reclamaron la atención universal. En efecto, a pesar de las amenazas de los judíos, estaba en favor de los hermanos y de los Apóstoles una buena parte, casi la mitad de la ciudad.

---

(5) Id., 14, 5.

La otra parte de la ciudad seguía la intolerancia hebrea, hasta que un día se produjo un motín entre gentiles y judíos, durante el cual no faltaron quienes instigaron a que fuesen lapidados los Apóstoles.

Pero éstos, advertidos de lo que ocurría, sin esperar la acostumbrada expulsión por parte de los encargados de guardar el orden, la que habría llegado aunque se hubiesen apartado del tumulto, marcharon a Iconio.

Con ello una segunda Iglesia quedaba fundada en el Asia Menor.

Entre las conversiones de Iconio hay una tan importante, tan bella y preciosa que la leyenda se ha apoderado de ella y ha tejido una maravillosa narración, de cada una de cuyas palabras transpira el afecto hacia los dos grandes protagonistas: Pablo y Tecla.

Pero fuera de la leyenda y siguiendo las indicaciones de los primeros Padres de la Iglesia, se tienen noticias que no empequeñecen en verdad la grandeza de Tecla.

San Juan Crisóstomo, los dos Gregorios, S. Ambrosio y S. Agustín la colocan entre las grandes vírgenes cristianas; otros le dan el primado entre todas.

Tecla, joven de diez y ocho años, a la llegada de Pablo a Iconio, sobresalía entre sus compañeras por su belleza y por su virtud. De agudo ingenio y poco amiga de frivolidades, se había dado al estudio de la filosofía y de las letras con resultados muy lisonjeros. Tan buenas condiciones la habían llevado hasta ser la prometida de un joven de alta condición social llamado Tamiro. Acaso se hubiesen celebrado pronto las nupcias, si la predicación de Pablo no hubiese hecho preferir a la joven un partido mejor: la virginidad.

Predicando Pablo en casa de Onesíforo, después de ocurrida la ruptura con la sinagoga, Tecla podía asistir a las predicaciones y a las conversaciones de Pablo, sin moverse de su casa. Bastaba que ella estuviese en la ventana de su habitación que daba precisamente en frente del lugar en que Pablo hablaba.

Creyéndole un filósofo, no quiso desaprovechar la ocasión que tan propicia se le presentaba de aumentar sus conocimientos; pero cuando Pablo, acaso instruyendo a otras jóvenes de la misma edad que ella hubo hablado de la virginidad, quedó tan sorprendida que quiso ser admitida entre las discípulas.

¡Aquel concepto era demasiado nuevo y sublime para no producir una impresión profunda en un alma tan elevada y culta, cual era Tecla!

Bien pronto quedó prendada de aquella novedad. En seguida comprendió aquella palabra tan abstrusa que tan pocos entienden, como dijo el divino Maestro. Fue la primera virgen que, después de la venida del Redentor, le eligió por esposo.

Esto le trajo la enemistad y después el odio de los suyos, no sólo de aquel que la había escogido por esposa, sino también de sus propios padres. Teoclia, su madre, y Tamiro, su prometido, no podían explicarse lo ocurrido.

Cuando hubieron gastado en vano todos los argumentos de la sabiduría mundana, le prohibieron volver a ver a su maestro; y mientras tanto comenzaron a molestar a los Apóstoles, con objeto de que éstos abandonasen la ciudad. Se dice que aquello le ocasionó a Pablo una prisión.

Cuando Tecla lo supo, pudo evadir toda vigilancia de los suyos, y después de haber comprado, con todos los adornos que llevaba, a los custodios de la cárcel, tuvo la felicidad de poderse sentar a los pies del Apóstol, cargado de cadenas.

¡Oh, qué felices aquellas horas pasadas en una obscura prisión, mientras el Apóstol se alegraba al ver la firmeza de Tecla, y ella de sus palabras adquiría tesoros de doctrina mística y estímulo al heroísmo!

Pero fue descubierto el lugar donde se encontraba Tecla por Teoclia y Tamiro, los cuales furiosos la habían buscado por todas partes. Ocurrió una escena terrible y violenta. Tecla no quería abandonar las cadenas de Pablo, mientras él la aconsejaba que por entonces se alejase de la prisión.

Fueron llevados delante del juez. Pablo acaso sufrió una de tantas flagelaciones desconocidas por nosotros; a Tecla se le conminó con la pena de muerte, si no se apartaba de sus descabellados propósitos. Ella habló, se defendió a sí misma, defendió a su maestro y las doctrinas comunes a los dos, y fue condenada a ser quemada en la plaza pública, para ejemplo y escarmiento de aquellas que hubiesen querido seguir el mismo camino, renunciando a dar lo único que según los paganos podía dar la mujer: el placer.

La heroína se dirigió intrépidamente al suplicio: a la vista de la hoguera hizo la señal de la cruz y se arrojó en ella. Mas apenas se acercó a las llamas una terrible tempestad arrojó un turbión de agua que apagó el fuego. Al mismo tiempo resonó un espantoso trueno que hizo huir de allí a la gente y hasta a los mismos verdugos, llenos de miedo.

Tecla huyó también y otra vez encontró a Pablo.

Los Hechos apócrifos dicen que acompañó a Pablo en muchas peregrinaciones, lo cual parece suficiente motivo para creer que debió pasar algún tiempo en los lugares donde él estaba. Siguiendo las indicaciones de S. Ambrosio, los hallamos juntos en Antioquía de Pisidia, acaso en el viaje de vuelta de la primera misión. También aquí la heroína dio buen testimonio al Señor.

Parece que se enamoró de ella el mismo gobernador de la ciudad, el cual, fracasado en sus perversos deseos, la condenó a que fuese pasto de las fieras; pero éstas no le hicieron daño alguno.

Fue también arrojada a una fosa en donde había víboras y serpientes venenosas, pero tampoco le hicieron mal alguno, así que el juez y los verdugos, estupefactos por la novedad de lo ocurrido y acaso temiendo por ellos mismos, la pusieron en libertad. Pablo estaba ya muy lejos; quizá en Antioquía de Siria. Tecla le buscó y parece que pudo tener la fortuna de volverle a encontrar otra vez; pero él, después de un poco de tiempo, le mandó que volviese a su patria.

Tecla obedeció. Tamiro había muerto ya. Teoclia, su madre, aún vivía; mas parece no tuvo la dicha de poder ganarla para Cristo, y partió otra vez de Iconio.

Llegó a Seleucia, en donde puso su doctrina al servicio de la religión y convirtió a muchos a su Esposo celestial, mientras duró su vida, que fue muy laboriosa. Murió a los noventa años. Sobre su tumba, en Seleucia, fue erigido un magnífico templo por los emperadores cristianos.

La Iglesia le ha dado el título de Protomártir; pues aunque murió de muerte natural, fue la primera entre las mujeres que sufrió por Cristo cárceles y tormentos, capaces de suyo para causarle la muerte, si bien no lo hicieron porque el Señor quiso manifestar su gloria.

Litúrgicamente se celebra su memoria el 23 de Septiembre.

★

En Licaonia se levanta, entre todas las demás una montaña de origen volcánico, llamada la montaña negra. Al pie de esta montaña están situadas dos pequeñas ciudades: Listra y Derbe. Fueron las últimas que evangelizaron Pablo y Bernabé en esta primera misión del centro del Asia Menor.

No eran ciudades importantes; más bien eran pueblos grandes habitados por pastores, hombres sencillos, que vivían una vida ordinaria y grosera, y ciegamente devotos de los falsos dioses, a los que con frecuencia ofrecían sacrificios para tenerles propicios. Eran muy hospitalarios; en parte porque creían que a veces los dioses venían en forma humana a visitarlos. A quienes los recibían bien, naturalmente los dioses les colmaban de bienes, y por el contrario quienes los recibían mal eran castigados con males.

Pablo y Bernabé creyeron que estos lugares eran propicios para la predicación; también les indujo a ellos el que en aquellos pueblos no había hebreos, que eran los que los perseguían. En Listra y Derbe no había, por tanto, sinagogas.

Su palabra se dirigía a los gentiles exclusivamente. Libres de las objeciones judaicas, predicaron a Cristo Crucificado y le pintaron como es, todo amor para cada uno de los mortales, tanto que se habría dejado crucificar por uno solo de ellos[6].

En Listra Pablo obró un prodigio, uno de los pocos que recuerda el evangelista entre los muchos.

Había entre sus oyentes un pobre tullido. Estaba tullido desde su nacimiento y escuchaba con avidez la palabra evangélica. El anuncio de que en una vida mejor él también tendría su parte de bienestar y de felicidad, le llenaba de gozo.

Pablo conoció su fe, y como para darle un anticipo y una prueba de que Dios ama inmensamente a sus criaturas, mirándole a la cara: —Levántate —le dijo— y ponte derecho sobre tus pies; yo te lo mando—. Y él se levantó, y andaba.

---

(6) Gál., 3, 2.

Los que presenciaron el prodigio fueron muchos. Paganos aún, delante de aquel milagro vinieron a sus mentes todas las ideas que tenían de lo sobrenatural.

¿Cuándo en la vida se ha visto un hombre capaz de hacer otro tanto? Aquellos dos no podían ser sino dioses.

Comenzaron a gritar: —¡Han venido los dioses a visitar nuestra ciudad! ¡Estos son dioses que se han hecho semejantes a los hombres!

Bernabé era un hombre bello, majestuoso en el andar: no podía ser otro que Júpiter.

Pablo, por el contrario, era de un aspecto mezquino, pobre; estaba consumido, y más que de ordinario por la enfermedad crónica que le hizo sufrir mucho en el tiempo que duró la misión. No tenía en su aspecto exterior nada de divino; pero él de verdad era el que había obrado aquel prodigio, y además hablaba con mucha elocuencia: no podía ser otro que Mercurio.

—¡Júpiter y Mercurio están entre nosotros!— era la voz de júbilo que corría de boca en boca, en medio del entusiasmo universal. Era pues necesario honrarles, hacérseles propicios.

Se fueron a toda prisa en busca del sacerdote que custodiaba el templo de Júpiter, para advertirle del suceso. ¡No era tiempo de estar custodiando la estatua! Su dueño había aparecido en medio de ellos: que se acercase en seguida a rendirle homenaje.

Se escogieron en las manadas los toros más hermosos, les adornaron con coronas los cuernos, y se improvisó una procesión de todo el pueblo, a cuya cabeza iba el sacerdote de Júpiter y las víctimas para el sacrificio.

Los Apóstoles, mientras tanto, se habían retirado a su casa; quizás estaban trabajando para ganar lo suficiente para su sustento y no podían sospechar que habían sido de hecho convertidos en Júpiter y Mercurio.

Habían oído sí los gritos de júbilo y la animación de todo el pueblo, después del prodigio; pero no habían comprendido nada de todo lo que estaba sucediendo. Ellos hablaban en griego y se hacían comprender, pues el griego era el idioma que se entendía casi en toda el Asia Menor. Los de Listra, en cambio, dentro del entusiasmo que se había apoderado de ellos hablaban en su lenguaje licaónico: un dialecto hoy completamente desaparecido y casi ignorado aun de los más doctos filólogos.

Cuando se dieron cuenta de lo que sucedía y del sacrilegio, del cual ellos, sin sospecharlo, eran la causa, se rasgaron las vestiduras al uso hebreo y corrieron hacia la procesión para impedirla a toda costa.

—¿Qué váis a hacer? —gritaron—. También nosotros somos hombres sujetos a las miserias, a los dolores y a la muerte; somos en todo semejantes a vosotros, y hemos venido para anunciaros el verdadero Dios, el que ha hecho el cielo, la tierra, el mar y todo lo que en ellos se contiene. Hemos venido para que dejéis vuestras supersticiones, recordándoos cómo de sólo el verdadero Dios viene todo bien. El cual, si en las generaciones pasadas dejó a las gentes y a las naciones seguir su camino, no dejó con todo de dar testimonio de quien era, de su Divinidad, haciendo beneficios desde el cielo, enviando lluvias y tiempos favorables para los frutos, dándonos abundancia de manjares y llenando de alegría las almas.

Pero aquellos hombres sencillos e ignorantes no eran capaces de entender tan buenas razones. ¡Ellos que estaban tan satisfechos por haber encontrado a los dioses tan cerca de sí y tan al alcance de su mano!

El único raciocinio que les cabía en la cabeza era éste: tal prodigio no puede hacerlo más que un Dios; por lo tanto éstos son dioses.

Los Apóstoles tuvieron que trabajar lo imposible para demostrarles la verdad; y cuando la turba se retiró, abandonando la idea de inmolarles los toros coronados de guirnaldas, no todos quedaron persuadidos de que aquéllos no fuesen dioses. Acaso alguno pensó que no querían aceptar sus sacrificios. Con todo, aquella duda se habría poco a poco esclarecido, si no hubiesen venido los judíos.

Los jefes de las sinagogas de Antioquía e Iconio tenían aún el amargor de sus fracasos y habían mandado emisarios que siguiesen a los dos Apóstoles, para desacreditarles y hacerles difícil la misión.

Y llegaron precisamente cuando el descontento por no haber aceptado los sacrificios, no estaba aún del todo desvanecido. Por eso no les fue difícil traer a los ignorantes licaonios al engaño. Les dijeron que aquellos dos no eran dioses, sino impostores y mentirosos, y que si hacían alguna obra extraordinaria era sólo con la ayuda de los dioses malos y atraerían la venganza de los dioses buenos, Júpiter y Mercurio. Precisamente ellos no habían permitido el sacrificio, porque temían la venganza de los dioses. Por eso lo que les interesaba era castigarles y arrojarles de la ciudad, para evitar los males inminentes que les sobrevendrían por haberles escuchado y dado hospitalidad. Por otra parte el sacerdote de Júpiter debía de reparar el ultraje hecho a su dios, queriendo honrar en su lugar a los impostores.

El argumento tenía para aquellos rudos habitantes de Listra cierta apariencia de verdad. Si no eran genios benéficos, tenían que ser genios maléficos. Con el mismo entusiasmo que les habían impulsado a honrarles, corrieron ahora a castigarles. Los licaonios pasaban pronto de la admiración insensata al odio ciego, según el viento que soplaba en sus almas impresionables y venales.

O se había marchado Bernabé, o sólo Pablo había salido al encuentro de ellos para hablar en propia defensa, o los judíos habían señalado a Pablo como el responsable principal de todos los maleficios; el hecho es que prendieron a Pablo y el populacho le apedreó furiosamente, y cuando le creyeron muerto le arrojaron fuera de los muros de la ciudad como a un malhechor. ¡Tan pronto y tan fácilmente se había cambiado el pueblo!

La historia de la humanidad, aún más civilizada que lo que era Listra, está llena de parecidos incidentes, que explican la corta distancia que separa el Capitolio de la roca Tarpeya.

En Listra había ya algunos discípulos fervorosos. Apenas se dieron cuenta de lo ocurrido, acudieron en torno del mártir, encontrando su cuerpo todo sucio y llagado por los golpes de las piedras que habían caído sobre él como violenta granizada, y llenos de dolor le recogieron para darle honrosa sepultura. Con gran sorpresa suya, y habiendo intervenido Dios sin duda alguna milagrosamente, Pablo vivía aún; le levantaron y con gran cuidado le llevaron a la ciudad.

Fue alojado en casa de Eunice, mujer hebrea, viuda de un gentil. Vivía ésta con su madre, Loide, y con un hijo pequeño, Timoteo; el que más tarde fue un fiel discípulo del Apóstol.

Mujeres llenas de fe (Pablo dará público testimonio de ello) consideraron como un premio el ser dignas de que el Apóstol aceptase sus cuidados y tuvieron de él todo miramiento librándole de los peligros que pudieran acecharle.

Pero, no era prudente continuar en Listra, mientras el pueblo pagano continuaba furioso y pronto a cualquier exceso.

Al día siguiente, no obstante hallarse magullado y anonadado por el atentado cometido contra él, hizo un esfuerzo para emprender con Bernabé un breve viaje. En ocho horas de camino llegaron a Derbe.

Allí encontraron por fin un poco de tranquilidad. Los emisarios judíos no los siguieron. Ni era necesario; pues sabían ya que Pablo había muerto a los golpes de las piedras arrojadas contra él por los de Listra. y no habían vuelto a ver a Bernabé. Acaso había huído. También pudo suceder que a éste no le temiesen, y por eso se volvieron muy gozosos de su hazaña a Iconio y Antioquía. Mientras tanto los Apóstoles, olvidados de los judíos, vivieron tranquilamente, instruyendo y convirtiendo a muchos en aquella pequeña ciudad.

Pero los sufrimientos y las persecuciones que había sufrido, no se borraron jamás de la mente de Pablo. Ya viejo, bajo el peso de las cadenas de su última prisión, recordará con entereza al discípulo Timoteo: "Tú conoces bien las persecuciones, los sufrimientos, y todas las demás cosas que me ocurrieron y tuve que sufrir en Antioquía, Iconio y Listra. Tú sabes qué clase de persecuciones he tenido que soportar. De todas me ha librado el Señor. Y todos aquellos que quieren vivir píamente en Jesucristo, serán perseguidos"[7].

★

Cuando Pablo y Bernabé creyeron que habían trabajado bastante en Derbe, volvieron por el mismo camino a su punto de partida.

Podían también haber continuado adelante, hasta pasar el Tauro por las Puertas de Cilicia hasta Tarso;

_____

(7) 2 Tim., 3, 11-12.

92

pero quisieron volver a ver las cristiandades que habían formado. Las habían abandonado tan repentinamente, que el deseo de hablar con los neófitos se hacía más incitante cada día. Deseaban organizarlas de modo tal que pudiesen ausentarse sin preocupaciones.

Se encontraban ciertamente entre aquellos hermanos algunos que eran favorecidos con los dones del Espíritu Santo: profetas, con el don de lenguas y que obraban milagros; pero faltaba aún el colegio de presbíteros que atendiesen de continuo a la instrucción de los fieles y presidiesen con autoridad las reuniones para la fracción del pan. Este fue el trabajo desarrollado por ellos en su viaje de vuelta. En cada una de las ciudades o pueblos, en donde se reuniese un cierto número de hermanos, ordenaron sacerdotes, con la imposición de las manos, después de haberse preparado con el ayuno y la oración.

Ni es extraño el que pudiesen pasar inadvertidos sin que les molestasen, particularmente en Iconio y Antioquía, donde habían suscitado tanto amor, aunque también muchos odios.

Había pasado ya mucho tiempo. Los hermanos se habían separado por completo de la sinagoga, no sólo los que provenían del gentilismo, sino también los mismos hebreos, los cuales si observaban las prescripciones legales, no debían tener demasiado contacto (apenas el indispensable) con sus connacionales. Querían más bien reunirse entre ellos para consolarse mutuamente con lectura y cánticos y las manifestaciones de los dones del Espíritu; y los Apóstoles, cuando estuvieron entre ellos, no fueron a las sinagogas ni predicaron en público. Se veían en las casas de aquellos hermanos de más alta posición que pudiesen ofrecer a todos una sala lo suficientemente espaciosa para las funciones litúrgicas. En aquellos días no se preocuparon de aumentar el número de los prosélitos, sino de confirmar en la fe y perfeccionar a los creyentes, exhortándoles a no dejarse abatir por las tentaciones manifestándoles que pasando por muchas tribulaciones se puede entrar en el reino de los cielos[8].

★

Las iglesias fundadas en el Asia Menor en esta primera misión, florecían como hemos visto, entre los pueblos más diversos por su origen, lengua y costumbres; pero el Apóstol siempre las consideró como una unidad, que puso bajo el nombre de iglesias de Galacia, uniéndolas a la Galacia propiamente dicha, que visitará más tarde.

Pasados unos pocos años, viéndolas en peligro espiritual y no pudiendo ir personalmente para conjurarles con su presencia operosa, les escribirá desde Corinto una carta, toda fuego y toda amor, en la que se manifiesta cual es, lleno de afecto maternal hacia los que siempre consideró como las primicias de su apostolado.

La carta fue originada por el hecho de que los judaizantes (tendremos ocasión de conocerles en seguida), quitada de en medio su autoridad, le desacreditaban ante los gálatas, para poder imponerles la circuncisión y otras prescripciones legales, como cosas necesarias para la salvación, juntamente con la fe en Cristo.

La primera falsedad que enseñaban era que él no tenía una autoridad igual a la que tenían los Doce. Esta la destruye Pablo con la primera afirmación con que empieza la carta: "Pablo, elegido y constituido Apóstol no por los hombres ni por la autoridad de hombre alguno, sino por Jesucristo y por Dios su Pa-

(8) Hechos, 14, 21.

94

dre, que le resucitó de entre los muertos, a todos los hermanos de las iglesias de Galacia augura la gracia y la paz de Dios Padre y de Iesucristo nuestro Señor.

"Me maravillo como así tan de ligero me abandonáis a mí, que os he llamado a la gracia de Jesucristo, para obedecer a otros evangelizadores, que os anuncian un Evangelio diverso. Mas no es que haya dos Evangelios, sino que hay algunos que os traen alborotados, y quieren trastornar el Evangelio de Cristo. Pero yo os digo que aun cuando un Angel del Cielo, si posible fuera, os predicase un Evangelio diferente del que os he predicado yo, éste sea anatematizado.

"Porque, hermanos míos, el Evangelio, que yo os he predicado, no es una cosa humana: pues no lo he recibido de los hombres, sino por revelación de Jesucristo.

"¡Oh gálatas insensatos! Cuando por la imposición de mis manos descendió sobre vosotros el Espíritu Santo, ¿acaso descendió por las obras de la Ley, que alguno de vosotros ni siquiera conocía? Queréis ser tan necios, que después de haber comenzado con los dones del Espíritu, queráis venir a las obvservancias de las prescripciones carnales, que de nada os aprovecharán? ¿Cómo os han engañado, a vosotros, a los que tanto he hablado del amor de Jesucristo crucificado por vosotros? Habéis sido bautizados en el nombre de Jesucristo; por ello habéis sido revestidos de la gracia de El. Entre vosotros no debe haber distinción entre aquel que ha venido del hebraísmo, y el que ha venido del gentilismo; ya que en Cristo no hay distinción de judío ni griego, de siervo o de libre, ni tampoco de hombre o mujer: porque todos en El conseguísteis la misma gracia".

Y después de haberles sacudido con la robustez de este lenguaje, Pablo les rodea y envuelve con la ternura del afecto:

"Vosotros a mí no me habéis agraviado jamás, y ¿queréis ahora darme este disgusto? Yo recuerdo cómo, no obstante las enfermedades que me hacían despreciable mientras viví en medio de vosotros, no me despreciasteis, no me desechasteis; antes bien me recibisteis como un Angel de Dios, como Jesucristo. ¿Dónde está ahora todo el amor que me teníais? Porque yo me acuerdo que me amabais tanto, que estabais dispuestos y prontos a sacaros los ojos, si posible fuera para darmelos a mí. ¿Por qué ahora, os digo la verdad, me he hecho enemigo vuestro?

"Hijitos míos, por quienes segunda vez padezco dolores de parto hasta formar enteramente a Jesucristo en vosotros: quisiera estar entre vosotros, para hablaros según vuestra necesidad.

"Hermanos míos: Cristo os ha vuelto a dar la libertad; no os dejéis imponer el yugo de la servidumbre, no os circuncidéis. Más bien amaos mutuamente; y si alguno ha caído en alguna culpa, vosotros, los que sois espirituales, instruidle con espíritu de mansedumbre, haciendo cada uno reflexión sobre sí mismo y temiendo caer también en la tentación. Ved: he añadido para vosotros algunas palabras de mi propio puño, a fin de que, ya que no podéis verme a mí, veáis al menos mis letras. La gracia de nuestro Señor Jesucristo sea, hermanos míos, con vuestro espíritu. Amén"[9]

¡Cómo se transparenta la solicitud de Pablo por los gálatas, de estas pocas líneas tomadas de su carta!

Bien pronto será el Apóstol de las grandes ciudades, que escribirá una carta llena de doctrina a los mismos romanos; pero los gálatas, pobres y sencillos, no serán olvidados del grande Apóstol.

Fueron, si no sus primeros hijos, ciertamente el primer núcleo de conquista. ¡Le habían amado tanto, y él a la vez había sufrido tanto entre ellos!

_____
(9)   Gál., 1, 1-2; 6-9; cap. 3, 4 y 5, passim.

★

Una vez que hubieron dado forma estable a la iglesia de Antioquía de Pisidia, Pablo y Bernabé pensaron volver a Antioquía de Siria, de la que habían partido, y en cierta manera habían sido mandados.

No era solamente el deseo de volver a aquellos hermanos lo que les empujaba; más bien querían manifestar las cosas admirables que el Señor había obrado: las nuevas iglesias constituidas ya de sólo gentiles, a fin de que de donde había salido la primera chispa misionera se propagase un fuego mayor.

Cierto, sabían que no tendrían una aprobación universal. Si no en Antioquía, por lo menos en Jerusalén muchos encontrarían materia de crítica en su manera de proceder. ¿Cómo se habían permitido ellos fundar iglesias de gentiles sin agregarlas por lo menos a una sinagoga?

Pero no se cuidaban ahora de estas objeciones. El Espíritu Santo había respondido por ellos descendiendo en sus dones sobre los gentiles bautizados. Entre éstos había quienes tenían el don de lenguas, profetizaban, y hacían milagros con el don de curar. Si el Espíritu no había hecho distinción, tampoco ellos debían hacerla. Fuertes con el apoyo de Dios, habrían puesto a los disidentes delante del hecho consumado.

Superados los pasos del Tauro, descendieron a Panfilia. Hacía entonces cuatro o cinco años que habían pasado por allí sin evangelizar localidad alguna, ni siquiera Perges, a la que habían encontrado casi desierta por las emigraciones estivas.

Ahora la estación era propicia y no podían dejar Panfilia sin sembrar por lo menos una chispita de fe.

Perges era, por su importancia, la segunda ciudad de aquella región: además venían a ella gentes de toda la Panfilia, especialmente con ocasión de las fiestas de Diana que en esta ciudad tenía un magnífico templo. Todo esto no se le ocultó a Pablo, que miraba siempre a los grandes centros, a los ganglios de las naciones.

Predicaron la buena nueva y fueron escuchados. Después, continuando por Atalia, esperaron allí una nave que los llevase a Siria.

No debieron esperar mucho, porque el puerto era muy frecuentado.

Llegados que fueron a Antioquía de Siria, reunieron a todos los hermanos y les contaron todas las cosas que el Señor había hecho con ellos y por medio de ellos, y cómo había abierto a los gentiles las puertas de la fe.

¿Cuánto tiempo estuvieron?

No poco, nos dice el historiador del Apóstol.

Así le tuvieron también para recuperar las fuerzas y fortificarse; y mientras tanto iban madurando y preparando los acontecimientos que habían de ofrecer la ocasión de dar a las cuestiones, que aún estaban sin resolver, la dirección y el desarrollo que la Providencia había establecido para la universidad del reino de Cristo.

EL DECRETO DE JERUSALEN

La lucha externa que la Iglesia tuvo que sufrir, promovida por el judaísmo, tuvo sus puntos culminantes en la persecución del Sanedrín que le dio el Protomártir, y aquella que movió Herodes Agripa y que hizo brotar la primera flor de martirio entre los Doce.

El odio judaico contra la iglesia en Jerusalén fue como el ejemplo que debían seguir todos los judíos dispersados por el mundo. Como en Antioquía de Pisidia y en Iconio, así lo veremos levantarse, amenazador y desleal, en Tesalónica, Corinto y en casi todas las ciudades visitadas por el Apóstol.

Pero además de este enemigo exterior, otro enemigo no menos peligroso surgía del judaísmo, y era el peligro interno que constituían los judaizantes.

Es necesario definir y aclarar este vocablo.

Judaizantes se llamaban aquellos cristianos, que, proviniendo del hebraísmo, mostraban tal adhesión a la Ley mosaica, que la preferían en la práctica a la expansión del reino de Jesús. Ellos creían que la puerta de este reino había de ser solamente la sinagoga. Con otras palabras, que no podía uno hacerse cristiano sin pasar por el hebraísmo. Por lo tanto, si un gentil quería convertirse, debía ser primeramente circuncidado y debía continuar observando la Ley. Sólo cuando esto hiciese, podía ser perfecto cristiano, porque era un perfecto hebreo. Les parecía una concesión muy grande el admitirle al seguimiento de Cristo, aun siendo a través de la sinagoga. Reducían así el cristianismo a una secta hebraica, la más observante, la más santa, pero siempre una secta.

Siguiendo sus principios, el cristianismo jamás se habría adueñado del mundo. El mundo no quería en manera alguna hacerse judío. Lo había manifestado con toda claridad, cuando a pesar de las innumerables sinagogas que había por todas partes, y no obstante la perfección y pureza de sus doctrinas, si se comparan con las locuras del paganismo, no se había convertido más que en una porción insignificante, representada por los pocos prosélitos que solía haber en los puntos donde prevalecían los judíos. Y aun no todos, ni mucho menos, se sometían a la circunción. Muchos se contentaban con creer y se llamaban afiliados. La circuncisión era una señal de esclavitud. El alma huye instintivamente de la esclavitud, busca la libertad: religiosamente busca la libertad que nos ha dado Cristo. Pablo, que ha recibido directamente de Cristo resucitado su Evangelio, será el enemigo de los judaizantes; pero no de todos.

En efecto, si queremos entender bien los sucesos que están para desenvolverse, debemos distinguir dos clases de judaizantes: los que creían que la práctica del judaismo era una cosa buena, aun para los que habían venido del gentilismo al cristianismo, y los que imponían dicha práctica como condición esencial y se atrevían a decir a los hermanos convertidos: —Si no os hacéis circuncidar según el rito mosaico, no os podréis salvar.

Con los primeros Pablo transigía y obraba según las circunstancias; pero fue enemigo irreconciliable de los segundos.

Estos rigoristas eran de hecho inicial o virtualmente herejes, en cuanto que destruían con sus doctrinas el valor de la redención de Jesucristo.

Tenían su centro en Jerusalén, donde acaso residían la mayoría, pero se encontraban también y pululaban esporádicamente por todas partes, y donde quiera que se hallaban se oponían por sistema a la predicación de Pablo, llegando a veces hasta perseguirle directamente.

Ya hemos visto que el cristianismo se había podido extender vastamente en Antioquía de Siria, porque había sido predicado por hebreos helenistas y a los helenistas. Estos, como habían vivido fuera de Jerusalén, habían mitigado bastante el rigor hierosolimitano. En contacto con los paganos, la necesidad les había obligado a quitar importancia a todas aquellas minuciosas prescripciones legales y rituales que debían servir principalmente para hacer una separación completa, un valladar infranqueable entre el pueblo de Dios y los pueblos de los dioses. Los cristianos de Jerusalén, en su mayor parte habían venido de la secta farisaica, y por tanto daban una importancia capital a la observancia de la Ley. Eran perfectos cristianos sin dejar de ser perfectos fariseos. La inobservancia antioquena era a sus ojos, por lo menos, un signo de menos perfección.

A medida que el cristianismo se iba desenvolviendo como religión independiente del hebraísmo, y admitía en su seno idólatras e incircuncisos, crecía la indignación de los judaizantes rigoristas, a algunos de los cuales el Apóstol no teme sellarlos con el apelativo de falsos hermanos, de espías que se han infiltrado a escondidas "para observar la libertad que nosotros tenemos en Cristo, y reducirnos a la esclavitud de la Ley".

Cuando se supo en Jerusalén la vuelta de Pablo y

Bernabé a Antioquía, a las iglesias fundadas con gentiles en el Asia Menor, y se conoció la mayor autonomía que del hebraísmo iba adquiriendo de día en día la iglesia antioquena, llegaron allá también algunos de aquellos falsos hermanos y comenzaron a predicar la necesidad de la circuncisión y a extender la desconfianza hacia Pablo y Bernabé, que habían autorizado aquellas libertades.

¿Quién era Pablo? Y por muy ruidosa que hubiese sido su conversión y grande el celo desplegado, ¿cómo podía compararse con los Apóstoles que Cristo había escogido?

Hasta en Antioquía tomó cuerpo la escisión.

Algunos judíos daban la razón a los rigoristas de Jerusalén. Los gentiles convertidos se encontraban perplejos sobre si en su conversión no habrían dado acaso un paso incompleto.

Se pensó que el medio más seguro para hacer que volviese la tranquilidad, sería el recurrir a la iglesia madre.

Los judaizantes contraponían a la autoridad de Pablo y Bernabé la de los Apóstoles. Pues acúdase a los Apóstoles y escúchese su respuesta.

Pablo, por medio de una revelación, fue avisado de que no rehuyese este juicio, y junto con Bernabé, designados los dos por lo iglesia de Antioquía, tomaron el camino de Jerusalén.

Esto sucedía poco más o menos en el año cincuenta de la Era vulgar.

Pablo quiso llevar consigo también a Tito: un gentil cristiano que no se había circuncidado. Acaso le llevó de intento, como una prueba de las efusiones del Espíritu que había descendido también sobre los no circuncidados.

Acompañados solemnemente, al salir de casi todos los hermanos en una parte del camino, los tres prosiguieron después por Fenicia y Samaría y publicaban en todas las comunidades las cosas que el Señor había obrado por su medio entre los gentiles, con lo cual infundían grande gozo espiritual en las iglesias.

En Jerusalén las cosas cambiaron de aspecto. Estos relatos no producían entusiasmo. Aunque los tres habían sido acogidos como hermanos, se murmuraba contra ellos, porque no habían impuesto la observancia de la Ley a los nuevos convertidos. Se murmuraba particularmente contra la presencia de Tito, en cuya compañía no querían estar durante los ágapes que precedían a la fracción del pan.

Pablo vio en seguida que era necesario obrar con firmeza, pero también con prudencia. Antes de dar cuenta a toda la asamblea de los fieles, quiso hablar separadamente con los Apóstoles.

Estaban entonces en Jerusalén Pedro, Santiago, y Juan.

El primero había vuelto hacía poco tiempo, arrojado de la ciudad eterna por el edicto de Claudio. Pedro, que había tenido la visión de Jope, que había vivido en Roma, que sobre todo tenía una asistencia particular del Espíritu Santo, como cabeza visible de la Iglesia, no podía estar contra Pablo.

Juan, el discípulo predilecto, estaba apartado de toda contienda.

Santiago, juzgando humanamente, debía ser el más difícil de conquistar. El, primo del Señor, obispo de la ciudad santa, que por sus virtudes había conseguido el apelativo de "Justo", era el más fiel observante de la Ley.

Los hermanos le veían frecuentemente subir al Templo y pasarse allí de rodillas días enteros en oración. La asiduidad de esta posición le había formado una callosidad en las rodillas. Los mismos fariseos no convertidos le admiraban por su fervor.

¿Si llevaba con tanto cuidado el fardillo de la Ley, habría aliviado fácilmente a los otros de él?

Como perfecto fariseo, no. Como lleno del Espíritu y de la caridad de Cristo, sí.

Pablo no empleó mucho tiempo en persuadir a los tres Apóstoles de la bondad del propio método. Les hizo también una exacta exposición de todo lo que había hecho, "para que diesen fe de que él no había corrido inútilmente".

Expuso también el caso de Tito, aquel gentil no circuncidado que había traído de propósito consigo, como para proponer el estado de la cuestión.

Los tres le debieron de recomendar que le sometiese a la circuncisión, para dar cierta satisfacción a los cristianos de Jerusalén, pero Pablo se opuso absolutamente. No porque reputase este rito como malo en sí. En otras circunstancias sometería a un fiel colaborador, como sometería a sí mismo, al nazareato; pero si ahora hubiese consentido en ello, todos hubieran podido concluir que la circuncisión era esencial a la profesión de cristiano; que los Apóstoles así lo habían juzgado; y él habría tenido que someterse a tal decisión, si bien en el Asia Menor, fuera del control de ellos, había prescindido de tal observancia.

Los tres comprendieron lo justo y razonable del argumento y no insistieron. En señal de aprobación de la norma que Pablo y Bernabé habían seguido, estrecharon sus manos.

Pablo no necesitaba de esta aprobación y reconocimiento, habiendo recibido su Evangelio directamente de Jesús; sin embargo le servirán de argumento capital contra sus enemigos.

Cuando éstos propalen calumnias contra él, cuando le pinten como un oportunista, uno que no tiene la plena autoridad apostólica, les podrá echar en cara: "Santiago, Cefas y Juan, las columnas de la Iglesia, me han estrechado la mano, en señal de concordia, para que continúe predicando a los gentiles"[1].

El Apóstol de las gentes tuvo entonces también ocasión de demostrar que su hostilidad a la circuncisión, y al judaizar de la Iglesia naciente, no procedía de antipatía hacia los hebreos y el hebraísmo.

Para él los hebreos eran también el pueblo de Dios, el que había custodiado su palabra. Se gloriará de ser hebreo; ¿pero qué culpa tenía de que el Señor le hubiera revelado el fin que había de tener aquel pueblo, su Templo, y sus sacrificios?

Los tres le rogaron que no se olvidase de los pobres de Jerusalén. Aquella iglesia estaba ahora en la indigencia que irá siempre en aumento, y Pablo no se olvidará jamás de ello. A los ricos y a los pobres, a las iglesias de Filipo y de Tesalónica, en Corinto y en todos los lugares, él, que se mantenía del trabajo de sus manos, pedirá limosna para los pobres de la iglesia madre; la pedirá con insistencia y con tales argumentos que demostrará en todas partes, cuánto le interesaba.

Acaso una parte de aquellos medios de vida, que él pedía de limosna, serviría para aliviar la miseria de algún hermano judaizante, de alguno de aquellos que no le querían bien. No importa; él pedirá con toda buena voluntad, porque se trata de pobres de Jerusalén, de sus hermanos hebreos. Aunque éstos le hubiesen despreciado, y aunque supiese que le habían odiado, pedirá por ellos, cumpliendo en tal caso el precepto de Jesús: "Amad a vuestros enemigos; haced bien a aquellos que os odian, y rogad por los que os persiguen y calumnian"[2].

---

(1) Gál., 1, 9.
(2) Mat., 5, 44; Luc., 6, 27 y 35; Rom., 12, 14.

*

Obtenida la aprobación de los Apóstoles, vencida la cuestión de principio acerca de la no circuncisión de Tito, Pablo estaba en el camino del triunfo completo.

Lo obtuvo cuando los tres reunieron a la asamblea de los hermanos, más para comunicarles sus decisiones, que para obtener la aprobación. En verdad, obtenida la aprobación de Santiago, faltaba la cabeza de una hipotética oposición; y sin una cabeza no hay partido, a lo sumo se han desidentes individuales.

Había algunos que querían una indagación completa y diligente de todo lo que había hecho Pablo; otros habían comenzado a hablar de él, y se habían encendido las discusiones.

Pedro, como presidente de aquella asamblea, por ser cabeza de los Doce, se levantó, y una vez que estuvieron en silencio:

"Hombres y hermanos, —dijo— escuchadme: Vosotros sabéis que Dios, desde hace mucho tiempo, me ha escogido para que predique el Evangelio a las gentes, encargándome del bautismo y de la instrucción del centurión Cornelio. Y Dios, que conoce los corazones, ha dado testimonio de la bondad de lo hecho, enviando a ellos el Espíritu Santo, como nos lo había enviado a nosotros. Entre ellos y nosotros no hizo distinción alguna. ¿Por qué, pues, queréis tentar a Dios, por qué —digo— queréis imponer a estos hermanos, venidos del gentilismo, un yugo, una ley que ni nuestros padres, ni nosotros hemos podido llevar?

"Y no obstante nuestras prevaricaciones, creemos, que tanto ellos como nosotros, podremos conseguir la salvación por la gracia de Nuestro Señor Jesucristo"[3].

_____
(3) Hechos, 15, 7-11.

Estas palabras debieron helar los hervores de los judaizantes. Pedro, el Jefe, no sólo se había puesto al lado de Pablo, sino que en cierto modo había hecho la apología de su obra y, lo que es más, había hablado de la Ley sin darle honor alguno; más aún ¡la había calificado el yugo que no se puede soportar!

El estupor produjo el silencio, y Pablo y Bernabé supieron aprovecharse de él. Pedro, el Jefe, les había abierto el camino, cuando habló de los dones del Espíritu Santo que habían descendido sobre los bautizados en Cesarea. Aquello había sido un caso aislado. Ellos pudieron añadir que el Espíritu había descendido generalmente sobre todos aquellos que habían bautizado en la gentilidad. Hablaron de los que habían recibido el don de profecía; de los que recibieron el don de lenguas, tan numerosos que tuvieron que disciplinar su hablar; de los obradores de milagros que Dios había suscitado de entre los gentiles, tanto de los hombres toscos, de los pastores de Listra y Derbe, como de los ciudadanos y hombres cultos de Antioquía e Iconio.

Si los bautizados que no se habían circuncidado obraban prodigios, tenían la aprobación de Dios. Si Dios les aprobaba y recibía, ¿por qué pedirles aquello que no les había pedido Dios, para derramar sobre ellos su Espíritu?

El argumento era perentorio y del todo concluyente.

Una sola persona hubiera podido en aquella asamblea, no digo levantar los ánimos, pero al menos aminorar la derrota tremenda de los judaizantes: Santiago el Menor.

Acaso, cuando éste se levantó para hablar, aquéllos tuvieron un suspiro de alivio, pero debió ser de muy corta duración.

"Hermanos, —dijo Santiago— escuchadme también

a mí. Simón Pedro os ha recordado cómo dispuso Dios hacer su pueblo y formar secuaces suyos entre los gentiles. Yo añado que con su discurso y modo de obrar y con los de Pablo y Bernabé concuerdan las profecías según está escrito en los libros inspirados: —'Después de esto yo volveré y reedificaré la casa de David, a fin de que también los demás hombres busquen al Señor, y le busquen también todas las gentes, sobre las cuales ha sido invocado mi Nombre'.

"Todo esto había sido previsto por el Señor desde el principio de los siglos. Por lo cual yo juzgo que no se debe inquietar a los que se convierten de la gentilidad, imponiéndoles la obligación de circuncidarse. Basta que se abstengan de las viandas inmoladas a los ídolos, y de la fornicación a que se entregaba como si hicieran un acto de culto a sus falsos dioses; y que no coman la carne ni tampoco la sangre de los animales ahogados"[4].

La tesis de Pablo había triunfado totalmente. La circuncisión y todas las demás pesadas y difíciles observancias legales no tienen absolutamente nada que ver con la Iglesia fundada por Cristo.

Desde este punto está completamente desligada del judaísmo, en cuyo tronco había germinado.

Entre las cosas mandadas por la Ley, y ahora defendidas por la palabra de Santiago, la abstención de la fornicación estaba en la esencia moral de la Iglesia, bien sea que por fornicación se entiendan los pecados a que se entregaba el mundo de tal modo, que ni siquiera reconocía en ellos culpa alguna, bien se entienda aquellas uniones matrimoniales que la Iglesia siempre había prohibido y que también condenaba la Ley mosaica.

Las otras que se referían a la comida de ciertos

---

(4) Hechos, 15, 13-21.

manjares, fueron aceptadas por el momento, y para aquellos a los cuales los Apóstoles entendían era necesario imponérselas. Eran una concesión a los escrúpulos hebraicos. El hebreo sentía una repugnancia para ciertas comidas, que se había hecho instintiva. Pareció conveniente y justo que también los que se convirtiesen del gentilismo se abstuviesen de ellas, para evitar que en los ágapes fraternos surgiese ocasión de escándalo y acaso de disensiones. Más tarde Pablo no se preocupará de tales prohibiciones, haciendo así para frustrar las amenazas de los judaizantes.

Sobre las carnes inmoladas a los ídolos, execrables para los hebreos, he aquí el pensamiento del Apóstol en su carta a los de Corinto:

"En orden, pues, a los manjares inmolados a los ídolos, sabemos que el ídolo es nada en el mundo, y que no hay más que un solo Dios; y por eso puede comerse de todo. Mas, como hay algunos que creen que los ídolos son algo y comen bajo este concepto viandas que se les han ofrecido, y pueden escandalizarse de ver que coméis de aquello que antes les ha sido ofrecido a los dioses falsos, está bien que en tal caso os abstengáis de comerlo.

"Vosotros sabéis que los ídolos son nada, pero puede suceder que no reflexione esto un hermano menos instruído, y de aquí que pueda escandalizarse si os ve comer tales carnes.

"En cuanto a mí, os diré que si supiese que comer carne escandaliza a un hermano, estoy dispuesto a no probar jamás un bocado de carne en mi vida".

Y también:

"¿Qué es lo que pienso? ¿Quiero yo acaso decir que lo que se ha inmolado al ídolo sea algo? ¿O que el ídolo mismo tenga algún valor? Pues bien, quiero deciros que lo que los gentiles inmolan a los ídolos lo inmolan a los demonios, no a Dios. Ahora bien, yo no quiero que tengáis relación o sociedad alguna con el demonio. Por eso no comáis de las carnes que les sean inmoladas, cuando otros puedan escandalizarse; porque aunque bajo la ley del Evangelio no hay comida o manjar que por sí mismo sea malo o prohibido, puede suceder que el comer de él sea contrario a la caridad. Por esto comed de todo lo que se vende en las carnicerías, sin andar indagando si ha sido inmolado a los ídolos o no, ya que todo pertenece al Señor. Si alguno de los infieles os invita a comer, y queréis aceptar la invitación, comed sin reparo de todo lo que os sea servido, sin indagar de dónde proviene. Pero si alguno os dice: —Esta pitanza ha sido inmolada a los ídolos, no comáis para que no déis motivo de escándalo al que os vea.

"No déis escándalo, ni a los judíos, ni a los gentiles, ni a la Iglesia de Dios; como también hago yo, que procuro acomodarme a todos y en todo, no buscando lo que es de mi particular interés, sino lo que es más ventajoso a muchos, para que se salven"[5].

Hemos querido reproducir estos pensamientos del Apóstol para que se vea cómo, dada la amplitud de sus miras, la aceptación de las condiciones propuestas por el obispo de Jerusalén no era una especie de compromiso entre ellos, sino sólo un miramiento temporal para los hebreos; respeto y modo de obrar que había de consolar algo a los judaizantes derrotados.

Discutida y establecida la verdadera doctrina, los Apóstoles tuvieron cuidado de promulgarla por medio de una carta o decreto, en la que se encuentran todas aquellas solemnes palabras verdaderamente dignas del

_____

(5) 1 Cor., 8, 10 y ss.

Vicario de Cristo, del discípulo predilecto de Cristo y del primo de Jesús: "Ha parecido al Espíritu Santo y a nosotros:

"Los Apóstoles, los presbíteros, y los fieles de Jerusalén, a los hermanos convertidos del gentilismo que están en Antioquía, Siria y Cilicia, salud:

"Por cuanto hemos oído que algunos, que de nosotros fueron ahí sin comisión nuestra, os han alarmado con su discurso, inquietando vuestras conciencias, nos ha parecido bien a nosotros, reunidos en un mismo espíritu, escoger algunas personas y enviaroslas con nuestros carísimos Bernabé y Pablo, que son sujetos que han expuesto sus vidas por el nombre de nuestro Señor Jesucristo.

"Os enviamos, pues, a Judas y a Silas, los cuales de palabra os dirán también esto mismo. Y es que ha parecido al Espíritu Santo y a nosotros no imponeros otra carga fuera de estas cosas necesarias, a saber: que os abstengáis de manjares inmolados a los ídolos, y de la sangre, y de animal ahogado, y de la fornicación, de lo cual si os guardáis, y cumplís estas cosas, haréis bien... Dios sea con vosotros"[6].

La carta fue confiada a Judas y a Silas y a otros hermanos, que salieron con Pablo y Bernabé para Antioquía.

Con qué alegría fueron recibidos, es inútil decirlo.

Alejada ya para siempre la pesadilla de la circuncisión, que en ciertos lugares les hacía ridículos ante los paganos, se habían quitado todos los impedimentos que, por la meticulosidad de las observancias hebraicas, amenazaban impedir sus mismas relaciones civiles; además se había restablecido plenamente la autoridad de sus Apóstoles particulares, Pablo y Bernabé.

Silas y Judas hicieron aun más que promulgar el

_____

(6) Hechos, 15, 23-29.

111

decreto deseado. Como estaban llenos de ciencia y de autoridad, y teniendo además el don de profecía, hablaron varias veces para instruir a los cristianos antioquenos, y con ello añadieron consuelos a consuelos.

Una mutua simpatía se estableció entre ellos, tanto que al llegar la hora de la separación, y debiendo los de Jerusalén volver a su ciudad, Silas se quedó en Antioquía. Judas partió con los otros hermanos cuyos nombres no nos han conservado los *Hechos de los Apóstoles*.

★

Los judaizantes, que habían turbado a la iglesia de Antioquía, no tuvieron el valor de oponerse en seguida a lo que decía la carta, pero cuando los que componían la misión se marcharon, nuevamente se hicieron notar, no ya poniendo obstáculos como antes, a cara descubierta, sino cavilando y buscando razones para hacer pasar a los cristianos "ex-gentiles" como cristianos de segundo orden, en comparación con los cristianos circuncidados, pueblo de Dios y observantes de la Ley.

Está bien —decían ellos— que los Apóstoles no os hayan obligado a la circuncisión, pero si vosotros por vuestra propia convicción os sometéis, seréis más perfectos, porque os hacéis en todo semejantes al pueblo de Dios. Si observando sólo algunas de las leyes hebreas, las cuatro que os ha impuesto el decreto, obráis bien, ¿quién puede negar que observándolas todas haréis mejor?

El discurso tenía alguna apariencia de verdad, y era muy peligroso, pues aquellos que de tal modo hablaban, afirmaban tener la aprobación de Santiago el Menor, que era el obispo de Jerusalén.

Acaso figuraba su nombre en las cartas que estos judaizantes llevaban; pero en este caso puede asegurarse que había sido sorprendida su buena fe, pues Santiago sólo entendía recomendarles a la caridad de los hermanos, cosa entonces corriente, siempre que los cristianos se trasladaban a un lugar nuevo; pero no para acreditarles como predicadores de novedades.

Sea como sea Pablo tuvo que trabajar para desvanecer estas nuevas insidias, que se tendían al Evangelio que él predicaba.

Un incidente le permitió hacerlo con mayor vigor. Sin saberlo, sus adversarios trabajaban a favor suyo.

El Apóstol Pedro, apenas tuvo noticias por Judas del buen estado de la iglesia antioquena, quiso visitarla para consolarse viendo aquel florecimiento del cristianismo y también para pasar unos días con Pablo, a quien estimaba y amaba.

Llegado que fue a Antioquía, en los ágapes fraternos, donde se servían también comidas que los hebreos no hubiesen probado, él tomaba de todo, sabiendo que la Ley mosaica no tenía valor alguno y que sólo debía cumplirse lo que el Maestro había mandado.

Invitado a casa de los cristianos "ex-gentiles", iba con toda libertad, sin preocuparse para nada de las numerosas prescripciones y purificaciones de su pueblo, recordando lo que le había dicho el Señor: "Lo que Dios ha purificado no puede llamarse impuro".

La alegría de los cristianos de Antioquía llegaba al sumo: el que era Cabeza de la Iglesia, aunque hebreo, vivía con ellos, frecuentaba sus casas y les aprobaba con las palabras y con los hechos.

Pero he aquí que llegan de Jerusalén los judaizantes que dicen traer cartas de recomendación de Santiago. Entonces Pedro comenzó a temer; hizo más raras las visitas y no volvió a sentarse a la mesa con los cristianos "ex-gentiles".

No debe sorprender esta manera de obrar de Pedro.

Piedra verdaderamente estable, sobre la que se apoya la Iglesia, por voluntad de Jesucristo que había rogado por él para que no fallase su fe, se mantendría, humanamente hablando, como había sido en el período de la vida pública del Maestro.

Corazón ardiente, espíritu entusiasta, era Apóstol de tanta fe que había caminado sobre las olas; no obstante esto, poco tiempo después Jesús tuvo que decirle: —Hombre de poca fe, ¿por qué has dudado?

La víspera de la Pasión protesta que no abandonará a Jesús, aunque todos le abandonen, y al día siguiente le niega por tres veces. Es capaz de desenvainar la espada y arrojarse contra el escuadrón armado que condujo Judas, y después tiene miedo ante la criada del pontífice, que le señala como uno de los secuaces del Nazareno.

Ahora no quería indisponer a los cristianos hebreos. El no habría de estar mucho tiempo en Antioquía, y podría tener disgustos si volvía a Jerusalén. Juzgó que lo más prudente era disimular un poco; esto no sería un gran mal, desde el momento que con el decreto de Jerusalén la libertad de la Iglesia estaba perfectamente asegurada.

Aquí se equivocó, como se vio en seguida por las consecuencias que dedujeron los hermanos hebreos, los cuales, si al principio con su ejemplo habían fraternizado libremente con los que antes fueron gentiles, ahora se retraían de ello; y éstos naturalmente quedaban mortificados y capitidisminuidos.

El ejemplo de Pedro fue tan perjudicial que el mismo Bernabé, el compañero de Pablo, comenzó a judaizar, y temía dejarse ver en la mesa con aquellos mismos fieles que él había convertido.

Pablo tuvo otra vez la intuición del peligro: vio la llaga y supo aplicar en seguida el remedio. Un remedio violento, pero el más a propósito para acabar toda cuestión y restablecer el orden.

114

Las miradas y las esperanzas de los fieles que procedían del gentilismo estaban fijas en él. En la mortificación de verse descalificados por los hermanos, y principalmente por Pedro y por Bernabé, no tenían otro consuelo ni otra esperanza que su fidelidad y su caridad.

Un día, en el que todos estaban reunidos para un ágape intervino Pablo. Vio que Pedro estaba separado de la mayoría, entre los judaizantes, y le dirigió en público una pregunta que no admitía réplica:

"¿Cómo es, Pedro, que tú con ser judío, vives como un gentil entre los gentiles; y ahora con tu ejemplo fuerzas a los gentiles a judaizar? Les obligas moralmente; porque ellos, por no ser reputados cristianos de segundo orden y para poder gozar de tu compañía, se ven obligados a privarse de una libertad, a la que tienen pleno derecho.

"Nosotros, que somos judíos, reconocemos que el hombre no se justifica por la observancia de las prescripciones legales, sino sólo por la fe en Cristo. Porque si hubiésemos debido esperar la justificación por las obras de la Ley, no hubiese sido necesaria la muerte de Jesús"[7].

Pedro quedaría seguramente desconcertado ante tal libertad de hablar; pero por otra parte vio que no tenía nada que responder. Pablo le había dirigido la palabra, poniéndole delante las consecuencias que él seguramente no había calculado. Cuando comprendió adonde conducía aquella simulación que él había creído inocente, no dudó en reconocer su equivocación.

Esta falta de pura inadvertencia del Príncipe de los Apóstoles no envuelve naturalmente cosa alguna que sea contra la moral y las buenas costumbres. Más aún, su grandeza moral se agiganta, "porque oír la

_____

(7) Ver: Gál. 2, 14-21.

verdad de boca de un inferior, someterse humildemente sin prejuicios, sin miramientos a sí mismo y al primado, el amar más tiernamente al que le contradice, es uno de aquellos actos, de los que sólo son capaces los corazones más nobles y grandes" (Fouard).

Nosotros admiramos también a Pablo. No debemos creer que su manera de portarse proceda, aunque sea muy lejanamente, de un carácter altanero. No. El reconocía a Pedro como a su cabeza, su jefe. Para verle fue a Jerusalén. En el segundo viaje trabajó lo posible para obtener su apoyo y aprobación. Le expuso humildemente todo lo que había hecho. Ciertamente le costó oponerse tan bruscamente; pero inflamado por el amor de Jesús, todo entrañas de caridad para sus hijos espirituales, se arrojó, para su salvación, a tomar una decisión rectilínea, propia del que no conoce desviaciones. Aquella disimulación de Pedro podía hacer vacilar a las almas, podía impedir el desarrollo que estaba comenzando a tomar la Iglesia. La clarividencia y el amor, la firmeza del carácter y la impetuosidad en el obrar, eran talentos que había recibido del Padre Celestial. No podía tenerlos ocultos. Era necesario aplicarlos cuando hacía falta.

Después de este suceso la iglesia antioquena tuvo tranquilidad. Sus doctores y profetas, Pablo y Bernabé entre los primeros, la confortaban con la predicación y el ejemplo.

Los dos se iban con frecuencia con el pensamiento a las iglesias que habían fundado; tanto más que no carecían ya de operarios evangélicos en Antioquía.

¿Por qué —dijo un día Pablo a Bernabé— no volvemos a visitar las iglesias que hemos fundado? Esta ciudad no tiene ya necesidad de nosotros, como acaso la tengan los pobres hermanos de Licaonia y los habitantes de Pisidia y de Chipre.

Aprobó Bernabé esta proposición; y sin otra cosa manifestó el deseo de volver a tomar como ayuda a Juan Marcos, aquel que les abandonó en Perges. Era su primo; sabía que era hombre bueno, servicial, pronto para trabajar en la mística viña, arrepentido de lo hecho.

Pablo se opuso absolutamente. Acaso temía que Marcos tuviese demasiado ascendiente sobre Bernabé, o acaso le reputase inútil para una misión difícil. El hecho es que antes que tomarle por compañero prefirió separarse de Bernabé, y esto no sucedió sino después de una áspera discusión.

Debió ser muy dolorosa para los dos aquella separación; en particular para Pablo, que había tenido en Bernabé, sucesivamente, un valedor poderoso, un amigo sincero, un superior benévolo y un colaborador fiel. Pero tanto importa; también los santos tienen su punto de vista y su carácter, y naturalmente se dejan guiar por él.

Pablo escogió un nuevo compañero, Silas; y Bernabé, tomando consigo a Marcos, fue a Chipre, donde visitó las iglesias que había fundado.

Según otras fuentes posteriores, que no son ni mucho menos tan seguras como los *Hechos de los Apóstoles*, Bernabé, después de Chipre habría ido a predicar en Italia, particularmente en Liguria y en Lombardía, fundando en esta última la iglesia de Milán. Vuelto a Chipre, su patria, allí recibió la corona del martirio en el séptimo año del reinado de Nerón. Su cuerpo fue encontrado después de cuatro siglos en Salamina. Sobre su pecho tenía un ejemplar del Evangelio de San Mateo, transcrito por su propia mano.

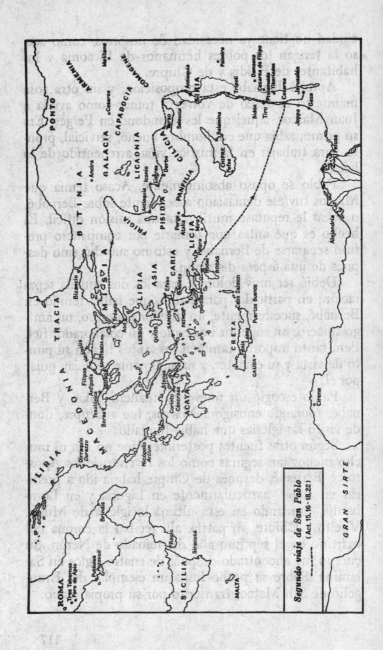

Segundo viaje de San Pablo
(Act. 15,16 - 18,22)

DE ASIA A EUROPA

Silas, el que llevó el decreto de los Apóstoles a Antioquía, llamado en latín Silvano, fue, como hemos dicho, el nuevo colaborador de Pablo.

La elección hecha por Pablo no podía ser más feliz; ya que Silas, habiendo pertenecido a la iglesia madre, podía dar testimonio de todos los sucesos que habían acaecido desde el término de la primera misión y, siendo ciudadano romano, estaba como Pablo resguardado de muchas de las molestias que podrían venir de las autoridades civiles.

Los hermanos de Antioquía despidieron también esta vez a los que marchaban, con sus homenajes, obsequios y con sus oraciones. ¡Eran una gloria antioquena aquellos misioneros! La ciudad debía estar orgullosa; sentía de hecho la gloria de facilitar su tarea apostólica.

Tomando el camino de tierra hacia el valle llamado "las Puertas de Siria", se detuvieron en todas las ciudades y pueblos en donde había un núcleo de cristianos. A Pablo le acuciaba el deseo de promulgar el decreto de Jerusalén. Era para las iglesias un contraveneno que destruía todas las asechanzas de los judaizantes, lo mismo las que estaban poniendo entonces que las que viniesen después, cuando Pablo hubiese marchado. Por lo demás, hacer esto era un deber de los misioneros, ya que el decreto no era sólo para la iglesia de Antioquía, sino que estaba dirigido a todas las iglesias de Siria y de Cilicia.

Siria y Cilicia, la misma ciudad natal del Apóstol escucharon su predicación. En algunas de aquellas iglesias había trabajado él. Todos le conocían de oídos y tenían para él las mejores referencias; así que fue aquél un viaje que debió traer mutuas alegrías y mucho provecho. Pero los Apóstoles no se detuvieron mucho tiempo en ninguno de aquellos lugares. A Pablo le atraían fuertemente las comunidades que había fundado directamente y las que tenía designio de fundar. Si alguna ciudad lo hubiese atraído de mil maneras, aun así no hubiera ido para no verse obligado a trabajar en un campo que otro hubiese ya trabajado.

Acaso por esto no vio Alejandría, ni marchó a Roma. Con todo soñaba con grandes centros, como puntos estratégicos, desde los cuales se habría extendido el cristianismo por todo el mundo. Pero para ir a cada uno de estos en particular, se dejará guiar por el Espíritu, bien directamente por medio de revelaciones, o indirectamente siguiendo el camino que le trazaban las contingentes circunstancias. Mientras tanto la primera meta eran las iglesias fundadas en el centro de Asia Menor y las regiones vecinas que creía estaban reservadas a él.

Una vez que dejaron Tarso, Pablo y Silas siguieron hacia el valle de Cidno y se dispusieron a traspasar las montañas del Tauro, las más salvajes de toda la cadena, en el punto designado con el nombre de "Puertas de Cilicia".

Es este punto una garganta (mejor diríamos una hendidura de la montaña) tan estrecha que podría cerrarse con puertas, como lo estuvo en algún tiempo, para impedir el paso de los ejércitos. En el fondo de la garganta rumorea un torrente y en la pared rocosa se desenvuelve el camino, muy frecuentado en aquel tiempo por ser la única comunicación entre el Asia Menor y Siria, a través de Cilicia.

A lo largo del camino, en los descansos del mediodía y por la noche en las toscas cabañas que les servían de albergue, los dos Apóstoles hablaban de Cristo, de su vida, de la resurrección, de la gloria futura. Así aquellos días de viaje eran una no interrumpida misión.

Cuando llega el otoño y las plantas dejan caer su semilla, hay muchas que la confían a un ala providencial que les da la madre naturaleza, por cuyo medio es transportada muy lejos. Entonces, a un soplo del viento, millones de semillas, como pequeñas mariposas, se desprenden de los abetos, del ácer, de los tilos olorosos y de otras plantas del bosque, y vuelan hasta grandes distancias. Muchas se posan inútilmente sobre la piedra, sobre la tierra seca; muchas están destinadas a perecer; pero otras se adhieren a tierra fecunda, meten la pequeña raíz, germen de vida, y surge un árbol robusto. Así entre las buenas palabras, dichas como incidentalmente al pasar, hay algunas que están destinadas a suscitar la idea.

El Apóstol procuraba sacar provecho de todo.

Descendiendo por las pendientes occidentales del Tauro, se mostró a Pablo y a Silas la llanura de Licaonia con sus lagos, sus estanques, con sus pastos inmensos, constelados de rebaños de cabras y manadas de asnos silvestres. Pero Pablo, aunque era profundo psicólogo, no era un grande admirador de la naturaleza. A él la llanura de Licaonia le trajo en seguida la idea de las comunidades que había establecido. Hablaba con calor a su compañero, recordándole su entusiasmo para obtener las victorias deseadas. En Derbe y en Listra fueron recibidos con simpatía. Encontraron aquellas cristiandades tranquilas y fervorosas bajo la guía de los presbíteros que dejaron al fundarlas.

Acaso alguno le pidió noticias de Bernabé: acaso la mayoría no se acordaba siquiera de él. El Apóstol de los licaonios había sido Pablo con un colaborador. Este se encontraba presente ahora con Silas.

Pronto la caravana aumentaría: precisamente en Listra. Timoteo, el hijo de aquella Eunice hebrea que había hospedado a Pablo despúes de la lapidación, era actualmente un joven en la plenitud de la vida. Educado con todo cuidado por su madre y por la abuela materna Loide, conocía las Sagradas Escrituras y observaba la Ley, si bien con aquella largueza que era corriente en la diáspora, en donde se le daba preferencia teniendo buen cuidado de los preceptos morales y del conocimiento de la verdad, prescindiendo de todo aquello que era rito o pura ceremonia. Tanto es así que, como su padre fue gentil, el hijo ni siquiera había sido circuncidado. Su madre, acaso para no contrariar a su marido, se creyó autorizada para prescindir de este rito esencial para un hebreo.

¡Qué diferencia de ideas y de ver las cosas entre los judíos de Jerusalén y los de la dispersión!

Timoteo había sido bautizado por Pablo, o por sus colaboradores, en la primera misión; y acaso había recibido entonces de él los primeros gérmenes de la vocación.

Ahora éstos se habían desarrollado con los buenos ejemplos de las santas mujeres, y a la llegada del Apóstol el joven manifestó sus deseos.

Pablo sintió un gran gozo en su alma pero, queriendo proceder con todo cuidado y ponderación en cosa de tanta importancia, consultó a las iglesias de Listra y de Iconio sobre la oportunidad de conferirle la plenitud del sacerdocio. Los testimonios fueron unánimemente favorables. Todos podían decir de la piedad, de la ciencia, de la virtud, de la doctrina y de los dones del Espíritu, que tenía abundantemente.

Entonces el Apóstol reunió a los presbíteros, y asistido de ellos le impuso las manos, consagrándole obispo. La gracia sacramental descendió sobre él tan visiblemente, que Pablo hablará de ella aun en la última carta que escribió a su discípulo, ahora co-apóstol, que será el más fiel y amado entre todos. De carácter dulce, sabía compadecer a Pablo en los tremendos abatimientos producidos por sus accesos de fiebre y hacerle menos penoso aquel estado de postración física y moral.

"Yo no tengo —escribirá por su parte Pablo— ninguno que me esté más unido en corazón y espíritu que él; él me ha servido en el ministerio de la predicación del Evangelio, como un hijo sirve a su padre"[1].

Hemos dicho que Timoteo, si bien era hijo de hebrea y había vivido según las costumbres hebreas, no estaba circuncidado. Pablo quiso que se sometiera a tal rito. Con esto demostró que no obraba por ideas preconcebidas, ni por oposición ciega, cuando se levantaba contra las pretensiones injustas de los judaizantes. En Jerusalén no quiso en modo alguno que Tito se sometiese a este rito, porque era hijo de gentiles y principalmente porque los hierosolimitanos la imponían como si se tratase de cosa esencial para la profesión de perfecto cristiano. En Listra, tratándose del hijo de una judía, y considerando que la circuncisión le haría más acepto y simpático a los hermanos hebreos, que de otro modo podrían haberle tenido (aunque fuese con injusta exageración) como apóstata del hebraísmo, circuncidó él mismo a Timoteo.

_____

(1) Filip., 2, 22.

★

Confirmadas en la fe las iglesias de Licaonia, los tres misioneros evangelizaron a Frigia y a Galacia. Sinade, Pesino y Ancira (la actual Angora, capital de Turquía) vieron su celo y sus virtudes, obteniendo indudablemente gran provecho.

Aquellas poblaciones, en realidad, estaban bien dispuestas. De grosera corteza, pero de ánimo ingenuo, tenían un gran respeto hacia la divinidad. Los excesos a que se entregaban, aun con el sacrificio de ellos mismos, a sus ritos sagrados, les hacían por su inclinación capaces de darse sin reserva al Dios verdadero. Pablo ansiaba conquistas más importantes. Le atraían Lidia y Jonia, que tenían las ciudades más populosas de Asia, y que tal vez ellas solas asumían tal nombre exclusivamente. El pensaba que una vez ganadas para el Evangelio las ciudades de Esmirna, Efeso, Mileto, Pérgamo, Colosas y Laodicea, podría aquél extenderse por toda la península. Pensó, pues, acercarse a ellas para comenzar su apostolado, pero el Espíritu Santo no se lo permitió. ¿Cómo se manifestó esta prohibición?

Probablemente con una revelación. Pablo se dejaba guiar de lo alto.

Entonces los tres fueron a Misia, más que para detenerse en ella para dirigirse hacia Bitinia; pero llegados que fueron a Bitinia, la prohibición del Espíritu Santo se dejó sentir aún. El Señor proveía de suerte que sus operarios evangélicos no derrochasen en vano su actividad, y Bitinia o había sido ya evangelizada por otros o lo sería muy pronto.

No pudiendo ir hacia el norte: Bitinia; ni al sur: Licia y Jonia, ni queriendo, por otra parte, retroceder, Pablo con los suyos siguieron su camino y llegaron a la playa de Tróade, atravesando la Misia.

Tróade era entonces una ciudad muy importante, tanto que los romanos pensaron hacer de ella la capital del Oriente. Si no llegó esta ciudad a tanto fue, sin embargo, declarada colonia romana, con los mismos privilegios que tenían las ciudades de Italia. Más tarde, con la dominación de la media luna, decayó extraordinariamente, quedando reducida a una ciudad miserable y sin importancia.

No parece que Pablo se detuviese en ella mucho tiempo. Después volvió varias veces; pero por ahora parece que estuvo sólo en espera de alguna inspiración que le dirigiese a un nuevo campo de apostolado. Ahora se encontraba en las fronteras del Asia. Grecia e Italia habrían podido recibirle con fruto. ¿Pero quién la primera?

Una noche Pablo tuvo un sueño. Le pareció ver a un hombre, vestido al estilo macedón, que se le puso delante y le decía: —Atraviesa el mar y ven a Macedonia; tenemos necesidad de tu ayuda.

Por la mañana tomó la decisión de evangelizar Macedonia. Advirtió a sus colaboradores, los cuales otra vez habían aumentado. En Tróade había encontrado un cristiano natural de Antioquía y médico de profesión. Acaso éste vino a visitarle para sugerirle algún remedio que aliviase su mal. Médico y enfermo eran dos almas grandes, y se entendieron en seguida. Lucas, que este era el nombre del nuevo compañero, se embarcó con Pablo, Silas y Timoteo con dirección a Macedonia.

La importancia de este nuevo colaborador es excepcional; no sólo para las fatigas apostólicas, sino también porque será el historiador de Pablo. En su libro, los *Hechos de los Apóstoles*, después de los primeros capítulos, que se refieren a la iglesia naciente y a la obra de Pedro, escribirá únicamente la historia de Pablo, entrando en algunas escenas como actor y en otras como testigo ocular, siempre fiel y sobrio, artista de la narración, en la cual pondrá las preseas de su cultura literaria.

Como médico le fue muy útil a Pablo. Este quiso en sus cartas darle tal apelativo. Lucas, sin embargo, de esto no dice nada. Por humildad, seguramente, calló el bien que le hizo al maestro, y en él al mundo.

★

Una mañana Pablo, Silas, Timoteo y Lucas se embarcaron en Tróade en un barco que hacía servicio de cabotaje en el Egeo. Soplando un viento favorable, pudieron llegar aquella misma tarde a la isla de Samotracia: una montaña altísima que surgía de las aguas, célebre por los misteriosos ritos que se celebraban en honor de los dioses de los Cabiros. La tarde del día siguiente ponían pie en Europa, desembarcando en Nápoles (hoy la Caballa), emporio marítimo de Filipos, ciudad importante que se adentraba en el continente unos quince kilómetros en la parte de allá del monte Pangeo. En Nápoles no se detuvieron. Acaso Pablo no descubrió, en aquella variedad de razas y tipos que ofrecen los puertos del mar, el tipo que vio en sueños en Tróade. Por eso sin duda, hicieron a pie, al día siguiente, el camino de Filipos.

Esta ciudad debía su antiquísimo origen a las minas de oro que había en sus alrededores, y que fueron explotadas, en gran escala por primera vez, por el padre de Alejandro Magno, Filipo, que le dio el nombre. Antonio y Octaviano libraron allí la gran batalla contra Bruto y Casio; y desde aquel tiempo los romanos la favorecieron de todos modos, concediéndole el título y los derechos de colonia. Y colonia italiana era en realidad, porque vivían muchos italianos, descendientes de los veteranos que habían tomado parte en la batalla con Antonio.

La Vía Egnacia que partiendo de Durazzo atravesaba a Iliria y Macedonia, era una soberbia arteria, por la que circulaban constantemente mercaderes, soldados y viajeros de todas clases; pero los de Filipos se conservaban bastante fieles a sí mismos, sin mezclarse con las diversas clases de razas que por ella pasaban. Si bien vivían entremezclados macedonios y latinos, poseían los unos y los otros aquel buen sentido práctico que les hacía superiores a los sofistas, que se dedicaban a propagar filosofías más o menos adulteradas. Laboriosos y honestos, celosos de los derechos familiares, respetuosos con la mujer, que era la reina de la casa, tenían a los ojos de Pablo muchas cualidades buenas que les hacían dignos del Evangelio. Con todo, aun allí quiso comenzar la predicación por los hebreos, aunque eran pocos en número. Tan pocos que no tenían ni siquiera una sinagoga. El sábado se reunían en un cercado, que respondía a los lugares de oración, llamado proséuco; lugar al aire libre, al lado de la Vía Egnacia, y cercano al río Gangites, que hacía más fáciles las abluciones rituales. Cuando llegaron Pablo y sus compañeros, no encontraron sino a unas pocas mujeres, en su mayoría prosélitas: entre ellas había una de Tiatira de Lidia. Se llamaba también Lidia. Acaso le había venido el apelativo del nombre de su patria. Era mercader de telas de púrpura, y poseía una discreto patrimonio. A la predicación de Pablo, el Señor le abrió el corazón, para que pudiese entender bien las palabras del orador; así que ella fue la primera que se convirtió, y fue bautizada a la vez que los que componían su casa. Quedó tan reconocida de este beneficio espiritual, que quiso recompensar a sus bienhechores de alguna manera.

'Si me juzgáis digna de servir y ser fiel al Señor, —dijo— venid para que os alojéis en mi casa"[2].

Pablo no quería, pero ella le rogó con tanta insistencia que no tuvo más remedio que aceptar. Acaso también por conocer las condiciones financieras florecientes de Lidia, y la posición privilegiada que tenía entre los macedonios, el Apóstol se creyó dispensado de seguir el tenor de vida que se había impuesto.

Los demás Apóstoles, ordinariamente, eran acompañados en las misiones de alguna mujer piadosa, que atendía a los quehaceres de la casa. Pablo jamás quiso pensar en esto. Tecla le hubiese seguido y servido con toda fidelidad. Quién sabe cuántas se hubiesen tenido por muy honradas con haberle tenido cerca de sí, para suministrarle todo lo necesario para vivir. El jamás consintió en ello. Todo lo que podía ser necesario para su sustento y el de sus hermanos misioneros, provenía del trabajo de sus manos. En Tesalónica y en Corinto pasarán en el telar una buena parte del día y, si era necesario, también parte de la noche. Pero en Filipos hizo una excepción. Se hospedó en la casa de Lidia, y es natural deducir que ella, que era bastante rica, se preocuparía del sustento de los cuatro.

Por lo demás, los convertidos de Filipos eran, en su mayor parte, personas que se gloriaban de su título de ciudadanos romanos, que poseían lo suficiente para vivir: parece debieron ser poco numerosos los esclavos y libertos. Sólo por esto aceptó Pablo de ellos aquellos bienes temporales que le eran necesarios todos los días. Y ellos debieron tenerse por muy honrados, ya que les vemos con frecuencia hacer colectas, para mandarle dinero, cuando creían que tendría necesidad. Le mandaron varias veces, a Tesalónica, a Corinto y a Roma, durante la primera prisión.

_____

(2) Hechos, 16, 15.

Cuántos ricos de nuestros tiempos tendrían necesidad de meditar en esta generosidad de los filipenses, especialmente con relación a aquellos que son los descendientes en línea recta de Pablo, quiero decir con relación a los misioneros.

San Pablo dio público testimonio de esta esplendidez de los de Filipos. Los misioneros, con frecuencia desprovistos de lo necesario para la buena marcha de la misión a ellos encomendada, darían también un buen testimonio delante de Dios.

★

No sabemos si los fieles continuaron reuniéndose en el proséuco, o en casa de Lidia. Acaso a la casa de ésta venían los ya convertidos, o acaso, siguiendo a los Apóstoles que continuarían acercándose al proséuco los sábados, para disputar y predicar, fuesen allí con ellos.

Entre los que frecuentaban el lugar de oración, si es que no estaba cerca de su casa, se encontraba una jovencita que estaba obsesa o poseída del demonio. Hacía de adivina, dando respuestas y predicando el futuro. Probablemente había nacido esclava y había sido comprada, por estas sus cualidades capaces de ser explotadas, por diversos paganos, que así conseguían ganar bastante dinero entre los que venían a consultarla.

El demonio que la poseía, comenzó a hablar de los cuatro operarios apostólicos. Acaso constreñido por una fuerza superior, se vió obligado a dar buen testimonio de ellos, o más probablemente con el oculto deseo de producir molestias y daños a los convertidos.

Lo cierto que esta joven, siempre que pasaban por aquella calle, para dirigirse a la oración, Pablo y sus compañeros, les seguía gritando: —"Estos hombres son siervos del Dios Altísimo que os anuncian el camino de la salvación"[3].

Pablo por algunos días no se preocupó de ella y la dejaba gritar, pero un día viendo que la joven no se cansaba, y temiendo que, al correr el tiempo, tal testimonio más que ayudar les perjudicaría, volviéndose a ella, pero hablando al espíritu maligno: —"Yo te mando —dijo— en nombre de Jesucristo, que salgas de esta muchacha"[4].

El demonio salió al punto de aquel cuerpo y la jovencita debió dar gracias al Apóstol con la mayor efusión; pero no los dueños de ella, los cuales, viendo que la joven había perdido las cualidades adivinatorias que la hacían útil para ellos por la gran ganancia que les acarreaba, juraron vengarse del Apóstol.

Acusar a los Apóstoles, delante de los magistrados, de haber librado a una joven del demonio, no podían, pues ellos mismos habrían caído en las mallas de la Ley. Pensaron, por eso, acusarles de que fomentaban supersticiones y perturbaban el orden público; con tanta más facilidad podían hacer la acusación por tratarse de judíos, y en Filipos se conocía el edicto de Claudio que había expulsado de Roma a esta raza turbulenta.

Nosotros —decían aquellos paganos a los magistrados— no podemos aceptar y mucho menos practicar la doctrina y las costumbres que éstos predican, porque queremos permanecer fieles a las instituciones de Roma.

Cuando los magistrados vieron la muchedumbre que los dueños de la esclava habían tenido cuidado de reunir, y oyeron que se trataba de dos extranjeros (Pablos y Silas, pues los otros no habían sido pre-

_____
(3) Hechos, 16, 17.
(4) Id., ib., 18.

sos) y por añadidura judíos, no se preocuparon de entablar un proceso, ni siquiera se tomaron la molestia de preguntar a los acusados. Dieron la orden de que fuesen flagelados. Acaso Pablo y Silas querían manifestar que eran ciudadanos romanos y entonces seguramente los magistrados hubiesen obrado de muy distinta manera, ya que, ordenando la flagelación de un ciudadano romano, corrían el peligro de ser condenados ellos a la pena capital. ¿Pero, cómo podrían hacerse oír de los magistrados, si éstos no les preguntaban? La muchedumbre que gritaba tampoco les escuchaba.

Fueron bárbaramente azotados y, después, conducidos a la cárcel, dando orden al carcelero que los custodiase con mucho cuidado. Este los puso en un profundo calabozo, un subterráneo húmedo y falto de luz, y para más agravar su situación les puso los pies en el cepo. Este instrumento estaba formado por dos bloques de madera que tenían agujeros a varia distancia, en los cuales hacían introducir los pies de los condenados y, una vez dentro, quedaban sujetos con un tornillo en cada extremo de las maderas, con lo cual perdían toda libertad de movimientos. Para Pablo y Silas este tormento era más doloroso, por haber sido azotados hasta derramar sangre, y no podían apoyarse en parte alguna, sin que se recrudeciese el dolor de las llagas.

Pero, aunque muy llenos de dolores en el cuerpo, sus almas estaban llenas de alegría por haber sido dignos de padecer por el nombre de Jesús. Estaban tan contento que, hacia la medianoche, empezaron a cantar salmos y alabanzas al Señor.

Los prisioneros que se encontraban en las celdas superiores estaban asombrados. Era en verdad cosa nueva que cantasen los que se hallaban en la celda

131

subterránea, donde, en general, eran encerrados los condenados a muerte, o al menos los que debían ser tratados con el mayor rigor.

¿Qué sabían ellos del gozo interior que tienen los perseguidos por la justicia, los calumniados, aquellos que tienen la conciencia tranquila aun cuando sean tenidos por rebeldes y malhechores?

De repente se sintió un gran terremoto, tal que se meneaban los cimientos de la prisión. El edificio tuvo tal sacudida, que parecía separarse de sus cimientos. En el mismo instante se abrieron las puertas de todas las celdas y cayeron las cadenas que sujetaban a los prisioneros, los cuales debieron quedar como atontados, porque ni siquiera pensaron en huir.

Sobresaltado, despertó también el carcelero y, viendo todas las celdas abiertas, supuso que los prisioneros hubiesen escapado: sabiendo el castigo que le esperaba en tales circunstancias, desenvainando la espada se la iba a clavar en el pecho. Viendo Pablo este acto criminal: —"Estáte quietð, —le gritó— no te hagas daño alguno, pues todos, sin faltar uno, estamos aquí, nadie ha huído"[1]

El carcelero, habiendo cogido una luz, visitó la prisión y considerando lo que había ocurrido, no pudo menos de reconocer que había sido un suceso sobrenatural. ¡Quién sabe si el testimonio que la endemoniada había dado de aquellos hombres hace varios días, había llegado también a los oídos del carcelero? Se arrojó a los pies de Pablo y Silas, como para pedirles perdón por haberles tratado con demasiado rigor y después, sacándoles afuera, les preguntó:

¿Qué debo hacer para salvarme?

—¿Cree en el Señor Jesús —le respondieron— y te salvarás tú y tu familia.

_____
(5) Hechos, 16, 28..

Mientras tanto los miembros de su familia habían acudido al lugar donde estaban el carcelero y los Apóstoles, y Pablo les enseñó sumariamente la doctrina cristiana, acaso mientras el carcelero y los suyos lavaban a Pablo y Silas las heridas que les habían hecho con la flagelación.

Así, mientras curaban sus cuerpos, los Apóstoles, en compensación, curaban a la piadosa familia del carcelero sus almas, y cuando les vieron bien dispuestos, tomando agua de aquella misma fuente que había servido para limpiarles a ellos las heridas, los bautizaron en el nombre del Padre, y del Hijo y del Espíritu Santo.

Con esto el llanto se cambió en alegría, y saliendo todos del patio de la cárcel, subieron a la casa del carcelero, que hizo preparar una modesta cena. Pablo y Silas hacía varias horas que no habían comido cosa alguna; cenaron lo que era necesario para dar un poco de vigor a sus decaídos cuerpos, y es de creer que ellos, después, prepararían otra mesa a sus neófitos para alimentar su alma. Seguramente Pablo tomaría el pan y el vino y, dadas gracias a Dios, pronunciaría las palabras sacramentales, y luego el Cuerpo y la Sangre de Cristo serían distribuidos a todos los comensales, que sentirían con ello ser un solo espíritu por la unión de la caridad y por la unión a la Cabeza divina del cuerpo místico.

Mientras en la cárcel se desenvolvían estos sucesos, trabajaban Lucas, Timoteo, Lidia y los hermanos más influyentes en favor de los Apóstoles. Sabiendo como habían ocurrido las cosas, debieron recurrir a los magistrados, para informarles que los detenidos eran ciudadanos romanos y que se hiciese justicia. De otro modo no se comprenderían por qué los pretores enviaron muy de mañana a los lictores al carcelero, con la orden de que pusiese en seguida en libertad a los Apóstoles. Habiendo comprendido que habían caído en un error colosal, que podría costarles muy caro, creyeron poderlo remediar así, fingiendo no saber que el que ha hecho el mal, debe reconocerlo y dar una satisfacción congruente. Pablo se lo recordará.

Apenas el carcelero les dio ésta, que creía la mejor de las noticias, el Apóstol pidió hablar con los alguaciles, y cuando estuvo en su presencia les dijo: —Vuestros magistrados, después de habernos azotado públicamente sin oírnos en juicio, siendo ciudadanos romanos, nos metieron en la cárcel, ¿y quieren ahora soltarnos en secreto? No ha de ser así: sino que han de venir los magistrados y soltarnos ellos mismos.

Los lictores fueron a llevar a los magistrados esta respuesta, y cuando contaron la entereza con que Pablo manifestó estas razones, se quedaron lívidos, y sin tardanza alguna vinieron a darles toda clase de explicaciones y a rogarles que hiciesen el favor de marcharse de la ciudad, a fin de evitar complicaciones.

Pablo estaba persuadido de que su permanencia en Filipos no estaría libre de oposición, y por otra parte sabía que la Iglesia fundada en esta ciudad se desarrollaría más pacíficamente bajo la presidencia de aquellos que no habían sido mirados de reojo: Lucas y Timoteo. Tuvo compasión de aquellos magitrados y les dijo que sí se irían, pero cuando les agradase a ellos; habían de partir no como criminales indultados, sino como ciudadanos honrados, víctimas de una injusticia. Los magistrados no tuvieron más remedio que acceder, y Pablo y Silas se dirigieron a casa de Lidia, y consolaron a los hermanos que estaban llorosos y tristes por la noticia que habían tenido de que iban a dejar la ciudad. Después de haberles dirigido palabras de edificación, partieron, dejándoles a Lucas y Timoteo para que continuasen y afirmasen la obra cristiana fundada en Filipos. Los Apóstoles siguieron la Vía Egnacia, con dirección a Tesalónica.

No nos ha de maravillar esta entereza de Pablo. Además de estar muy en consonancia con su carácter, era necesaria por el honor de la iglesia filipense.

No se debía poder decir nunca por los enemigos que sus fundadores habían sido dos malhechores, que tuvieron que ser arrojados de la ciudad por sus deméritos

★

El Apóstol volverá a Filipos varias veces, y jamás se olvidará de esta iglesia que tan fiel le fue y continuará siéndolo. Es una de las pocas, en la que los judíos no le hicieron mal ni le persiguieron, acaso porque eran demasiado pocos.

La persecución, no obstante, no faltó, aunque venida de parte de los gentiles, porque es necesario que el que vive según el espíritu de Dios, sea perseguido. Lo ha dicho Jesús y su palabra siempre se cumple: "Si a mí me han perseguido también os perseguirán a vosotros"[6].

Aun nosotros cuando estamos fuertes en la fe, nos alegramos, y cuando vemos las nubes de la maldad, de la envidia, y del odio que se condensan y ciernen sobre nuestras cabezas, estamos entonces verdaderamente seguros de pertenecer al Maestro.

La carta escrita a los filipenses desde la prisión de Roma, dos lustros después de haber ocurrido los hechos narrados anteriormente, tiene estas hermosas palabras:

"Doy gracias a mi Dios cada vez que me acuerdo de vosotros, rogando siempre con gozo por todos vos-

_____

(6) Jn., 15, 20.

135

otros en todas mis oraciones, al ver la parte que tomáis en el Evangelio de Cristo, desde el primer día hasta el presente; porque yo tengo una firme confianza que quien ha empezado en vosotros la buena obra de vuestra salud la llevará a cabo hasta el día de la venida de Jesucristo. Y es justo que yo lo piense así de todos vosotros: pues tengo impreso en mi corazón el que todos vosotros sois compañeros de mi gozo en mis cadenas, y en la defensa y confirmación del Evangelio. Dios me es testigo de la ternura con que os amo a todos en las entrañas de Jesucristo. Y lo que pido es que vuestra caridad crezca más y más en conocimiento y en toda discreción, a fin de que sepáis discernir lo mejor, y os mantengáis puros y sin tropiezo hasta el día de Cristo.

"Haced cumplido mi gozo, sintiendo todos una misma cosa, teniendo una misma caridad, un mismo espíritu, unos mismos sentimientos, no haciendo nada por temor ni por vanagloria: sino que cada uno por humildad mire como superiores a los otros, atendiendo cada cual no solamente al bien de sí mismo, sino a lo que redunda en bien del prójimo. Tened en vosotros los mismos sentimientos que tuvo Jesucristo, el cual siendo verdaderamente Dios por naturaleza, se anonadó a sí mismo tomando la forma o naturaleza de siervo.

"Así, carísimos míos, puesto que siempre habéis sido obedientes, no sólo cuando yo estaba presente, sino también durante mi ausencia, trabajad con temor y temblor en la obra de vuestra salvación. En fin, hermanos míos, vosotros alegraos en el Señor. Hermanos míos, carísimos y amabilísimos, que sois mi gozo y mi corona, perseverad así firmes en el Señor, queridos míos.

"...Hermanos míos, todo lo que es conforme a verdad, todo lo que respira pureza, todo lo justo, todo lo que es santo o santifica, todo lo que os haga amables, todo lo que sirve de buen nombre, toda virtud, toda disciplina, sea vuestro estudio. Lo que habéis aprendido y recibido y oído, y visto en mí, esto habéis de practicar: Y el Dios de la paz será con vosotros"[7].

¡Feliz Apóstol que podía decir con toda verdad y sencillez estas últimas palabras a sus hijos espirituales! Este es el secreto de la fecundidad de su apostolado, por el cual se hacía todo para cada uno de los suyos que llevaba en el corazón.

(7) Filip., 1, 3-10; cap. 3 y 4, passim.

TESALONICA Y ATENAS

Pablo y Silas marcharon de Filipos, siguiendo la Vía Egnacia, y llegaron, acaso en un día, a la ciudad de Amfípolis y poco después a Apolonia, que se encuentra en el límite entre Macedonia y la península calcídica. No se detuvieron en ellas porque no había sinagogas en dichas ciudades, o acaso porque las consideraron de importancia secundaria.

Pablo se dirigía a Tesalónica[1], ciudad que por su puerto y por la posición que tiene es, lo mismo hoy que entonces, un centro de primerísimo orden: la desembocadura natural de toda Macedonia que converge allí por los valles del Asio y del Estrimón.

Aunque era ciudad libre, residía en ella el gobernador romano, pero la administración dependía de ciudadanos indígenas, que se llamaban politarcos. Aun así Roma se hacía oír de ellos, cuando y como quería, siendo la dueña del mundo.

Pablo se hospedó en casa de un judío llamado Jasón, bien porque era su pariente, o más bien porque se dedicaba en grande al mismo oficio que ejercía Pablo. El Apóstol se puso en seguida a trabajar tejiendo la esteras cilicias, según había aprendido en su patria.

En el primer sábado, y en los dos siguientes, fue

---

(1) Hoy Salónica.

a la sinagoga y, con la Escritura en la mano, hizo lo posible para convencer a los judíos de que el Mesías había venido, procurando explicar principalmente las profecías que se refieren a la vida humilde, los sufrimientos y la muerte del Hijo de Dios. Pero era difícil persuadir a aquellas gentes que esperaban sólo un Mesías glorioso, que había de reivindicar las glorias nacionales y dominar al mundo. Esto era más difícil tratándose de judíos de Tesalónica, dedicados todos al comercio, gente que además del culto a Jehová, tenía en su corazón un profundísimo culto al dios dinero. Pocos fueron los que se convirtieron, en su mayoría prosélitos y, entre éstos, algunas mujeres de noble linaje.

Una vez que se separó de la sinagoga, Pablo comenzó su apostolado en casa de Jasón, multiplicándose entonces con gran celeridad el número de cristianos.

Las gentes de baja condición —como empleados del puerto, mozos de cuerda, descargadores y barqueros— fueron conquistados en seguida por un hombre que trabajaba como ellos, y más que ellos. Iban a escucharle también cuando estaba trabajando. Mientras se cansaban las manos en el manejo de la carducha y de la lanzadera, fluían de su boca palabras de verdad. Ciertamente les repetiría las parábolas de Jesús, especialmente aquellas en que palpita el amor hacia los humildes, los desheredados: les hablaría de la primera venida de Jesús, que nació, pobre niño, en un portal, temblando de frío; pero no dejaría de poner en parangón su segunda venida lleno de majestad y de gloria, para glorificar a todos los humildes que hubiesen seguido sus enseñanzas. A todo esto añadiría con toda seguridad una bien ordenada y oculada caridad con la que subvendría a sus necesidades, aliviando sus actuales miserias. Se deduce esto del hecho que, no obstante su trabajo más que suficiente para su sustento, y además de la ayuda que le daban algunas mujeres ricas y nobles, él aceptó por dos veces el dinero que quisieron enviarle los de Filipos.

Pablo era feliz en medio de aquel elemento popular. Era el padre, el consejero. Si veía que alguno no atendía lo debido al trabajo, le exhortaba pacientemente, le rogaba considerase que él mismo trabajaba, aunque muy bien podría no trabajar, porque el que sirve al altar tiene derecho a vivir del altar; les hacía reflexionar que el mismo Jesús había trabajado, y si con todo esto no les convencía, les arrojaba en rostro aquella frase que ciertos demagogos modernos usan con frecuencia sin entenderla, y que es de Pablo: "¡El que no trabaja que no coma!"

En la carta que más tarde les escribió se vio obligado a repetirles esta misma máxima. La venida del Cristo libertador se había grabado en la mente de aquellas gentes ignorantes; su imaginación había trabajado en torno a ella, y muchos creían inminente la segunda venida.

Después que marchó Pablo, discutían entre sí los detalles de tal venida; si sería más feliz la suerte de aquellos que habían dormido en el Señor, o la de los fieles que aún viviesen cuando viniera el gran día del Mesías. Muchos tenían compasión de los muertos, porque no asistirían, como los que aun viviesen, al triunfo.

Pablo, enterado de esto, hubo de escribirles, para hacerles comprender que todos, tanto los que hubiesen muerto, como los que aún viviesen, asistirían al triunfo de Jesús. De algunas frases de aquella carta. y por las detorsiones que se habían hecho en su interpretación, se propagó entre ellos que el gran día estaba muy cerca. ¿Entonces —se decían— para qué trabajar, para qué ahorrar para el día de mañana? Bastaba trabajar lo poco que era suficiente para conservar la vida, y si la caridad daba también para esto, tanto mejor.

El Apóstol se vio obligado a escribirles una carta para demostrarles que ninguno sabía el tiempo y época precisa de aquel día; por lo tanto cada uno debía atender con todo cuidado a cumplir con su obligación y trabajar. Fue en esta carta en la que repitió la frase célebre: "Así es que aun estando entre vosotros, os intimábamos esto: quien no quiere trabajar tampoco coma".

Por esta carta se ve que la "parousía" debió ser predicada con frecuencia en Tesalónica por los Apóstoles. Y se comprende. En una comunidad compuesta en su mayor parte de ex-gentiles, eran inútiles, o al menos poco útiles, las aplicaciones escriturísticas. La instrucción se reducía a una catequesis dogmática y moral de fácil inteligencia. Entre tantos y tantos sacrificios como tenían que soportar aquellos pobres fieles, lo único que podía confortarles era la esperanza de una vida mejor. De aquí el deseo ferviente del gran día.

La victoria de Jesús sobre todos sus enemigos era el tema frecuente de las conversaciones de aquellos neófitos.

Esto, manifestado al exterior, dio ocasión a los judíos para perseguir a Pablo. Los judíos reunieron cuanto pueblo pudieron de la ínfima plebe: aquel pueblo miserable que en ciudades como Tesalónica, a veces se desborda como un torrente para destruir cualquier institución, sin comprender lo que quiere, y quién ha sido el que le ha movido, ni siquiera de donde ha salido. Con cuatro palabras encendidas de demagogia le excitaron contra los Apóstoles, produciendo una manifestación hostil.

141

El lugar donde se albergaba Pablo era conocido en toda Tesalónica, y el gentío se dirigió allá y gritando llegó a la casa de Jasón para prender a los Apóstoles. Afortunadamente no les encontraron en casa.

Prendieron a Jasón y le llevaron ante los politarcos o magistrados, acusándole de haber hospedado a aquellos extranjeros que predicaban nada menos que contra los decretos del César, que afirmaban no se debía obedecer al emperador, sino a otro rey, llamado Jesús.

Los magistrados, tratándose de un delito de lesa majestad, querían ser severos, y más por encontrarse bajo la vigilancia inmediata del gobernador romano; pero Jasón se defendió valientemente.

—Todos podían —dijo— dar testimonio de su intachable conducta como ciudadano; por lo demás él no había jamás sobornado a nadie. Había sí recibido en su casa a unos connacionales. ¿Pero desde cuándo era esto un delito?

Delante de la realidad, la prevención que tenían los magistrados contra Jasón debió desaparecer. Ordenaron fuese puesto en libertad, no sin haberle impuesto una multa y amonestarle se guardase muy bien de no caer en el delito de inteligencia con los que tramasen complots contra Roma. Mientras tanto, viendo el feo aspecto que iba tomando el asunto, los fieles que habían escondido a Pablo y a Silas les persuadieron que saliesen pronto de Tesalónica. Cuando hubiese bajado el hervor efímero del furor popular, y esclarecido las cosas, podrían volver; mientras tanto que pusiesen tierra por medio y se salvasen.

Pablo al principio puso alguna resistencia, sobre todo por el temor de que Jasón y los suyos hubiesen tenido por culpa suya graves perjuicios; pero cuando supo que había podido terminarlo todo con una multa, marchó aquella misma noche.

142

Aquella salida inesperada debió de ser para Pablo muy dolorosa. Había soñado con hacer de Tesalónica un gran centro de irradiación del cristianismo, y a sus ojos la obra aún no estaba terminada.

Arrojado de Filipos, su alma quedó tranquila, pero a Tesalónica trató de volver varias veces. No le fue posible. El odio de los judíos era tenaz. Hubieron de sentir los efectos de tal odio los cristianos de aquella comunidad. Los judíos no perdonaron jamás a los Apóstoles y a los cristianos el apartamiento de la Sinagoga de algunos de ellos y de las nobles mujeres que la frecuentaban antes.

San Pablo podrá escribir a los hermanos de Tesalónica: "Vosotros habéis imitado a las iglesias de Dios que hay en Judea, reunidas en Jesucristo: habiendo también vosotros sufrido de los de vuestra propia nación las mismas persecuciones que aquellas han sufrido de los judíos, los cuales, después de haber matado al Señor Jesús y a los profetas, a nosotros nos han perseguido y desagradan a Dios, y son enemigos de todos los hombres, pues se oponen a su salvación, prohibiéndonos el predicar a los gentiles a fin de que se salven. Así llenan la medida de sus pecados, por lo que la ira de Dios ha caído sobre su cabeza, y durará hasta el fin.

"En cuanto a mí y a Silvano, arrancados de vosotros, separados por un poco de tiempo con el cuerpo, no con el corazón, hemos deseado con gran ardor y empeño volveros a ver. Quisimos pasar a visitaros; y en particular yo he estado resuelto a ello más de una vez; pero Satanás nos lo ha estorbado. ¿No sois vosotros delante de nuestro Señor Jesucristo nuestra esperanza, nuestro gozo y nuestra corona de gloria? Sí, vosotros sois nuestra gloria y nuestro gozo"[2].

_____

(2)   1 Tesal., 2, 14-20.

143

El deseo de permanecer en comunicación con Tesalónica, y la esperanza de poder volver, dirigió los pasos de los Apóstoles a Berea, que, si bien a sólo 75 kilómetros de Tesalónica, estaba muy apartada, por estar lejos de la Vía Egnacia.

Esta ciudad tenía, entre otras ventajas, la de poseer un comercio floreciente y estar situada en las llanuras del Vardar, lo que hacía que los hebreos tuviesen allí una sinagoga.

Como si se hubiesen olvidado del odio de los hebreos de Tesalónica, se dirigieron, según costumbre, a los judíos, para comenzar su apostolado. Esta vez tuvieron mejor fortuna. Los hebreos de Berea eran de alma más noble que los de Tesalónica. Una vez que oyeron la nueva interpretación que Pablo hacía de las profecías mesiánicas, tuvieron buen cuidado de consultar las Sagradas Escrituras y, viendo que las citas e interpretaciones de Pablo eran como él decía en aquellos particulares en los cuales antes no habían parado mientes, no se contentaron con asistir el sábado a la sinagoga para oírle, sino que la frecuentaban todos los días, ensanchando cada vez más los horizontes de sus conocimientos de la Escritura y de la verdad. Los creyentes fueron muchos, tanto entre los hombres como entre las mujeres, y muchas de éstas últimas de condición elevada.

Por eso, sin duda la noticia del éxito de Pablo debió llegar pronto a Tesalónica, y en seguida que llegó a los oídos de estos judíos, varios de ellos se pusieron en viaje para fomentar también en Berea la persecución contra los Apóstoles, y particularmente contra Pablo, ya que Silas, que le había acompañado hasta aquí, y Timoteo que acababa de unirse a ellos llegado de Filipos, no les daban en rostro.

En la sinagoga de Berea debió encenderse una discusión fogosa, si no ya una verdadera riña. Por una parte, los judíos de Tesalónica con los pocos de Berea que no se habían convertido; y por la otra, la mayoría de aquella sinagoga que se había convertido, haciéndose cristiana. La victoria, como es natural y justo, fue por la mayoría, que era cristiana, pero entonces los derrotados organizaron una manifestación popular, cuya causa fue el oro judaico.

No sabemos que acusaciones se hicieron contra Pablo; probablemente las mismas que en Tesalónica: excitación a la revuelta y delito de lesa majestad, basadas las dos sobre el equívoco de un Jesús Rey, en oposición a los emperadores romanos. Parece deducirse esto del hecho de que los hermanos de Berea aconsejaron a Pablo que se alejase inmediatamente, pues peligraba su vida. Delitos en que se mezcla la pasión política pueden conducir a la muerte hasta a un inocente.

Silas y Timoteo no fueron buscados ni turbados en lo más mínimo, por eso pudo Pablo dejarlos para que presidiesen y terminasen de organizar aquella cristiandad, mientras él, acompañado de algunos de Berea, tomó el camino del destierro; esta vez sin destino fijo, como quien dice, a la ventura.

Se dirigieron hacia el mar, por un camino que no fuese muy frecuentado, y acaso llegaron al puerto de Dium, o Metón, con la intención de embarcarse en la primera nave que desplegase sus velas.

Los de Tesalónica debieron mandar gentes a perseguirle. Esto explica el cuidado de los hermanos de Berea de hacerle acompañar, no solo hasta el mar, sino hasta una ciudad lejana en la que estuviese libre de la malignidad de la persecución, que con tanta violencia habían desencadenado contra él.

145

Encontraron una nave que zarpaba para el Pireo, y subieron a ella.

Fueron costeando y pasaron por el pie de los célebres montes, el Olimpo, el Osa y Pelión, y enfilando el estrecho que divide la isla de Eubea de Grecia, y entrando después en el golfo de Egina, la nave atracó en el puerto del Pireo.

Pablo y sus compañeros creyeron haberse alejado bastante. Habían estado navegando tres o cuatro días, y Atenas, la ciudad de aquel puerto, era lugar a propósito para que se perdiese el rastro del Apóstol, aun en el caso de que sus enemigos hubiesen tenido la intención de seguirle hasta allí.

Los que le habían acompañado se despidieron de él.

¡Cuantos recuerdos, cuántos saludos enviaría con ellos seguramente el Apóstol!

El campo de Macedonia prometía una cosecha óptima, pero ya el *inimicus homo* trabajaba para su ruina, si ésta hubiese sido posible. Bien pronto hubiera sembrado cizaña entre espiga y espiga.

Pablo no quería permanecer mucho tiempo solo; por eso rogó a los que partían para Berea dijesen a Silas y Timoteo que viniesen a unirse con él lo antes posible, después de haber dejado bien establecida la jerarquía en aquella comunidad; por lo demás, una vez recibidas las informaciones y dadas las instrucciones convenientes, les volvería a enviar, pero que viniesen ahora en seguida.

Timoteo vino de hecho en seguida, pero las noticias que traía de Macedonia eran tan desconsoladoras que Pablo no tuvo corazón de quitarles aquella ayuda, y le volvió a enviar allá, a pesar de que él le era tan necesario en aquel período de crisis y abatimiento. Prefirió sufrir él solo, para que Timoteo pudiese llevar sus exhortaciones y sus ánimos a los queridos cristianos de Tesalónica.

En Atenas Pablo estará sin compañeros y sin amigos; ¡y se trataba de un mundo totalmente nuevo, aun para él que había recorrido toda el Asia Menor, y ahora conocía Europa!

★

Atenas, la actual capital de Grecia, unida al cercano puerto del Pireo mediante un ferrocarril, está situada en el mismo lugar en que estaba la Atenas del tiempo de San Pablo.

Fundada la bella ciudad quince siglos antes de la Era vulgar, había ido siempre creciendo en belleza, hasta que Jerjes la incendió 480 años antes de Jesucristo. Reedificada poco después, la hicieron más bella que antes, y tuvo su período áureo en el aspecto político contemporáneamente al apogeo intelectual y artístico. En aquel tiempo todo lo que era bello, todo lo que era elevado y sublime en la vida del pensamiento, era griego y con frecuencia ateniense.

Los principales entre los filósofos habían enseñado sus doctrinas en Atenas, y los más grandes entre los artistas habían trabajado en ella. Por eso, aunque cayó bajo el yugo macedón y más tarde bajo el de Roma, no cesó de ser una ciudad importante. Continuó viviendo bajo la égida de la gloria pasada, y con la herencia que aquellos grandes hombres le habían dejado.

La misma Roma, que la tuvo por enemiga varias veces, no se atrevió a hacerle mal alguno; más aún, los romanos venían a ella a completar su educación y a beber allí inspiraciones e ideales superiores. Cicerón, Ovidio, Virgilio, Horacio y Varrón estuvieron en ella algún tiempo. En la época del Apóstol las escuelas no tenían ya la fama que antiguamente habían tenido, pero parecía que la filosofía continua-

147

se prosperando por fuerza de inercia, por aquel hábito mental que las generaciones de entonces habían recibido de las pasadas.

Habían quedado como dueños del campo el epicuréismo y el estoicismo. Pero si alguno hubiese trompeteado una idea cualquiera que hubiese tenido algún sabor de novedad, seguramente hubiera sido escuchado con complacencia. Más aún, este parecía ser el aspecto característico de los atenienses, según Lucas: el amor de las novedades, informarse día por día si había ocurrido alguna novedad.

El epicureísmo, partiendo del concepto de la materia eterna, y admitiendo como razón suficiente de todo lo que existe la combinación fortuita de los átomos, ponía el fin del hombre en el bienestar físico, en dar gusto al propio cuerpo. Debían por eso buscarse aquellos placeres que más agradaban al cuerpo, pero al mismo tiempo gozar de ellos con tal medida que su uso no fuese causa de un dolor subsiguiente. Naturalmente, negaban la vida futura.

Los estoicos tendían a hacerse superiores al placer y al dolor, y ponían como fin de la vida la sabiduría, la virtud y el heroísmo, como cosas más dignas de la grandeza y nobleza humana. No obstante, como tampoco éstos no admitían más que la materia, o caían en el panteísmo, predicaban una moral que, además de los otros defectos, tenía el de estar basada en un orgullo desmesurado. ¡Qué lejanos estamos, de todas maneras, de las doctrinas de Platón y Aristóteles!

En el arte la ciudad no había decaído tanto, no porque produjese mucho, sino porque al menos conservaba las obras maestras que la embellecían.

En la ciudad alta, la Acrópolis, no había habitantes: podía decirse era un museo, un templo múltiple. ¡Allí todo era grande!

En el fondo de una roca tallada a pico, estaba el templo de la Victoria, que recordaba a los atenienses sus pasada grandeza; el Eréteo, dedicado al mismo, Partenon, consagrado a la joven Palas, conocida entre los latinos con el nombre de Minerva, la diosa de la sabiduría, y también del valor y, por lo tanto, de las batallas.

Pericles, en el mejor tiempo de Grecia, había encomendado a Fidias la dirección de la construcción de este templo, y Fidias colocó en él su obra maestra: la estatua de Palas Atenea alta trece metros.

Sobre la cima del monte de Marte estaba el aréopago, el tribunal supremo de Atenas, soberbio edificio de forma semicircular, donde se sentaban los areopagitas: los jueces de la ciudad, escogidos entre los arcontes. Pasaba por ser el más incorruptible entre los tribunales. Los jueces ejercían sus funciones durante la noche, a fin de que ninguna imagen turbase su ánimo, y los abogados debían ser breves en sus discursos, procurando no abusar de la retórica. Los areopagitas se reunían también en asambleas extrajudiciales, bien para oír alguna conferencia o para tomar alguna decisión. A veces se permitía acudir al referido lugar hasta a los extraños al tribunal, como lo hicieron para el discurso de Pablo.

El resto de la ciudad, que se encontraba en la parte baja, estaba llena de recuerdos: el Liceo y el Peripato de Aristóteles, los lugares consagrados con la memoria de Sócrates, de Platón, y de los grandes guerreros y políticos atenienses, las calles llenas de estatuas de dioses y héroes. Ya que los griegos se hacían pasar por los más religiosos entre los hombres, un comediógrafo ingenioso había dicho muy bien que ¡en Atenas era más fácil encontrarse con un dios que con un hombre!

¡Cómo debía estremecerse Pablo a la vista de tantos ídolos, él, hebreo que abominaba hasta la apariencia de idolatría tanto por educación como por temperamento!

En el centro de todas estas calles estaba la plaza pública, el Agora, con sus estatuas de hombres ilustres y sus pórticos, entre los cuales era célebre aquel en donde se reunían los estoicos, el *Stoa-Poecile*, donde se nombraban aquellos filósofos. En el Agora se reunían todos: los ciudadanos y los forasteros. Los ciudadanos, cuya curiosidad era proverbial, no podían dejar pasar un día sin venir a informarse de todo y de todos. Los forasteros, porque allí podían con facilidad ponerse realmente en contacto con aquella población que había impuesto al mundo sus leyes, su amor a las artes, a los ejercicios físicos, y a todo lo que era o tenía apariencia de civilización.

★

Pablo, apenas le hubieron dejado solo sus compañeros, quiso darse cuenta de lo que era Atenas.

Había oído hablar, quien sabe cuántas veces, de ella, con admiración; la había oído alabar; ahora podía observarla cómodamente por sí mismo. Que no admirase la belleza creo no pueda decirse ni afirmarse. Una inteligencia tan poderosa como la suya no podía por lo menos de reconocer lo bello, pero este reconocimiento no estaría libre de disgusto; el disgusto de ver la belleza al servicio de la falsedad.

Seguramente sentiría arder dentro de sí el deseo de decir a aquel pueblo una palabra de verdad.

Entre los monumentos que había visto paseando por las calles, le había llamado la atención un ara dedicada al dios desconocido, *"Ignoto Deo"*.

Creen, reflexionó consigo mismo, que hay tantos

dioses, que alguno puede escapar a la vista y a su enumeración; ¡y no conocen al verdadero Dios!

Casi para consolarse de un espectáculo tan molesto para él, fue a la sinagoga y comenzó a tratar, con sus connacionales de la Verdad que le había sido confiada.

Pero ¡oh desgracia! Si en otras ciudades había encontrado la lucha, aquí encontraba una cosa que si por un lado era menor, por el otro era muchísimo peor: la indiferencia. Parecía que los hebreos, al contacto con la civilización helénica habían adquirido el carácter de los griegos: la ligereza. Le dejaban discurrir, predicar, pero cuando se llegaba al reconocimiento de la verdad, doblaban la cabeza y se marchaban, aquí no se conmovían; oían a Pablo como si se tratase de un nuevo filósofo.

¡Venían tántos a Atenas!, y todos tenían su verdad que decir; y todos, también, encontraban alguno que les escuchase.

¿Acaso la religión, como la filosofía, había caído en el dilettantismo?

Pablo comprendió en seguida que con tal catadura de gentes podía hacerse bien poca cosa, pero tenía que permanecer algún tiempo en Atenas y convenía utilizarlo. También el se fue al Agora. ¿Quién sabe si algún gentil no estaría mejor dispuesto que los hebreos y los prosélitos?

Era nuevo, decía cosas nuevas, y fácilmente encontró quien le escuchase. Del *Stoa-Poecile* se le acercó un grupo de filósofos: comprendieron que Pablo, no obstante la menor pureza del lenguaje que usaba, tenía cultura, tenía ideas y no desdeñaron ponerse a discutir con él. También algunos epicúreos creyeron que valía la pena discutir. Por espacio de varios días estas discusiones se renovaron, y el grupo aumentaba.

151

Algunos de los que pasaban cerca de él, al oírle hablar con aquel lenguaje dialectal, se decían: —He aquí otro sembrador de palabras. Otros, que se habían detenido un poco a escucharle, respondían: —No; es uno que anuncia divinidades forasteras. Es un nuevo par de dioses: Jesús y Resurrección.

El hecho de la resurrección de Cristo y de todos los hombres, anunciado por Pablo con aquella elocuencia inflamada, había sido tomado por una nueva diosa.

No era cosa extraña para los atenienses, que después de haber deificado una turba de héroes habían concedido el mismo honor aun a las cosas abstractas. Entre otras diosas veneraban la impudencia. ¿Qué mal era unir a éstas la resurrección?

Pero aquellos filósofos estoicos y epicúreos, que desde hacía varios días rodeaban a Pablo (algunos de los cuales eran de alta condición y de los que tenían derecho a sentarse en el Areópago), viendo que se habían reunido muchos y que le escuchaban con gusto, le dijeron: —Ven con nosotros al Areópago. Allí podremos escucharte con mayor libertad, y tú también tendrás facilidad para hacerte oír de un auditorio más numeroso.

Pablo aceptó la invitación. La idea de hablar en aquel lugar no le intimidó, y por otra parte le alegró la propuesta de un auditorio más numeroso y escogido.

El que está seguro de la verdad siempre confía. ¿Si aquellos filósofos deseaban conocer novedades, por qué no habían de comprender la verdad: una verdad que encerraba un mundo entero de novedades? Ah ¡si el Señor quisiese formarse por su medio un pueblo fiel en aquel centro de la idolatría! Porque tal era en verdad, a los ojos de Pablo, Atenas.

Los miebros del Areópago, la flor nata de la intelectualidad ciudadana, se sentaron alrededor, en los bancos destinados a los jueces; otros muchos, que los habían seguido, permanecieron en pie, haciendo semicírculo, en modo de poderle oír cómodamente, y Pablo, en medio del Areópago, de pie, se dispuso a hablar.

Quien hubiese visto a aquel hombre de pequeña estatura mirar con seguridad a su auditorio, le habría juzgado como presuntuoso; pero el que hubiese conocido su pasada vida y la futura hubiera pensado que si alguno entre los predicadores del Evangelio podía hablar al Areópago, más aún, que tenía derecho de que allí se oyese su palabra, era indudablemente él, aquel hombre tan magrecito, de cara flaca, que parecía en aquellos días quebrantado bajo un peso superior a sus fuerzas. Tenía derecho, él, porque era capaz de sostener la parte que había tomado, mejor dicho, la que Dios mismo le había señalado.

Desde lo alto del escalón desde el cual hablaba, tenía bajo sus ojos toda la ciudad. Las mil deidades de sus templos, de sus plazas, de sus calles, que en parte veía con los ojos del cuerpo y todas con los de la mente, le provocaban una fuerte invectiva pidiendo su destrucción; pero él sabía adaptarse a todos los auditorios.

De las Sagradas Escrituras no había por el momento que hacer mención alguna, era necesario comenzar por aquellos mismos principios que admitía su auditorio. Después podría llegar el momento oportuno aun para aquellas verdades que más podían escocer a una asamblea de soberbios.

"Ciudadanos atenienses, —comenzó diciendo— echo de ver que vosotros sois más religiosos que los demás pueblos. Porque al pasar, mirando yo las estatuas de vuestros dioses, he encontrado un altar con esta inscripción: "Al Dios Desconocido". Pues bien, ese

Dios que vosotros adoráis sin conocerle, es el que yo vengo a anunciaros. El Dios que ha creado el mundo y todas las cosas contenidas en él, siendo como es el Señor del cielo y tierra, no está encerrado en templos fabricados por hombres".

El Partenón, que soberbio se levantaba enfrente, parecía una protesta contra las afirmaciones de Pablo; pero por lo demás, ¿qué valor tenían aquel templo y los demás ante aquellos filósofos que sólo admitían la materia? La plebe tosca y de baja extracción no estaba ciertamente en el Areópago.

"Dios —continuaba el Apóstol— no necesita del servicio de las manos de los hombres, como si estuviese menesteroso de alguna cosa; antes bien El mismo está dando la vida a todos, el aliento y todas las cosas. El es el que de uno solo ha hecho nacer todo el linaje de los hombres, para que habitase la vasta extensión de la tierra, fijando el orden de los tiempos o estaciones, los límites de la habitación de cada pueblo, queriendo con esto que buscasen a Dios, por si rastreando y como palpando pudiesen por fortuna hallarle, como quiera que no está lejos de nosotros. Porque dentro de El vivimos, nos movemos y existimos; y, como algunos de vuestros poetas dijeron, somos del linaje o descendencia del mismo Dios. Siendo pues nosotros del linaje de Dios, no debemos imaginar que el Ser divino sea semejante al oro, a la plata, o al mármol, de cuya materia ha hecho las figuras el arte o la industria humana.

"En los tiempos pasados Dios ha tolerado esta ignorancia, pero ahora quiere que los hombres salgan de esa ignorancia, se enmienden y hagan penitencia".[3]

Era necesario, en verdad, el valor de Pablo, el valor que da la verdad, para denunciar a aquellos espíri-

---

(3) Hechos, 17, 22-30.

154

tus soberbios su ignorancia, y hablarles de penitencia. Esto no obstante, los filósofos le escuchaban. Veían que realmente se encontraba algo nuevo en su doctrina. Acaso hacían señales de asentimiento. Pablo creyó llegado el momento para anunciarles a Cristo.

"Dios tiene determinado el día que ha de juzgar al mundo con rectitud, por medio de aquel Varón constituído por El, dando de esto a todos una prueba cierta, con haberle resucitado de entre los muertos"[4]

El milagro de la resurrección hizo estremecer a aquellos espíritus soberbios. No quisieron continuar escuchando, para oír las pruebas que seguramente aduciría el orador. Muchos se levantaron, sonriendo desdeñosamente, y diciéndose el uno al otro: —No valía la pena de haberle hecho hablar en el Areópago.

¿La resurrección? ¿No es acaso el placer lo único que vale en la vida?, decían los epicúreos. Aun los estoicos creían que buscando la virtud, la sabiduría, el heroísmo, el hombre se había elevado tanto que ya no podía buscar otra cosa. Sin embargo algunos de ellos hubieran escuchado con gusto a Pablo, hubieran querido oír las razones en que apoyaba sus aserciones, el desarrollo de tal doctrina; pero la mayoría, que se levantaba, y se marchaba comentando sarcásticamente, no permitió continuar el discurso. Por esto se acercaron a Pablo y le dijeron: —Te volveremos a oír otra vez sobre esto.

Entre ellos debía encontrarse con seguridad un personaje ilustre, un areopagita, que había ocupado el cargo de arconte: Dionisio, el cual con otros debió volver varias veces a oír al Apóstol, y estas conversaciones tuvieron éxito. Dionisio y algunos otros, entre los cuales se encontraba una mujer llamada Damaris, se convirtieron y formaron una minúscula comunidad en Atenas.

_____

(4) Id. ib. 31,

Pero Pablo comprendió en seguida que no había que esperar algo de provecho, por el momento, de un pueblo escéptico, al cual la riqueza del exterior cubría el vacío más absoluto de sustancia. No quiso ni siquiera esperar a que viniesen sus queridos colaboradores, a los que había citado en esta ciudad. Les dejó el aviso de que apenas llegasen les hiciesen proseguir el viaje sin detenerse: él iba a Corinto.

La iglesia de Atenas no fue nunca muy numerosa, y cuatro siglos más tarde había aún en Atenas muchos paganos. Pablo, por su parte, se desentendió completamente. Quería llevar la luz del Evangelio a aquellos que la anhelaban con sencillez de corazón. ¿Cómo podían aspirar a ella los atenienses, si se creían ellos la luz de todos los pueblos? Su soberbia e indiferencia les hicieron indignos de la predicación apostólica.

¡Qué advertencia para el indiferentismo de nuestros días, y para el orgullo de aquellos que, hinchados por la ciencia terrena, se ponen en peligro de perder la gloria de la ciencia de la salvación!

LA IGLESIA DE CORINTO

Corinto, adonde fue Pablo, era una ciudad cosmopolita, a semejanza de Atenas. A ésta iban las gentes por el arte y por la filosofía, a aquella por el comercio y por la industria. Puede decirse que Atenas y Corinto eran las únicas ciudades de entonces de Grecia; todas las demás habían quedado arruinadas por las invasiones romanas. También Corinto sintió la dureza de la mano de Roma, a la cual, para reprimir una sublevación de patriotas, no le pareció demasiado entregarla a las llamas; pero esta vez, quien había causado el daño, para decirlo con Dante "puso la medicina", porque un siglo después, César mandó una colonia romana para reconstruirla.

La ciudad, dada su favorable posición, creció rapidísimamente. Colocada en el istmo que de ella toma el nombre, y teniendo un puerto en el mar Egeo y otro en el golfo de Lepanto que comunica con el mar Jónico, recibía las mercancías de Oriente y de Occidente. Por otra parte a los marineros de la época no les gustaba afrontar el cabo Maleo y preferían hacer el transporte a Corinto, mejor que girar alrededor del Peloponeso; tanto más porque el pequeño cabotaje podía hacerse a través de un canal que unía los dos mares.

157

Corinto era conocida además por su industria de la fusión del bronce en una mezcla particular que se llamó metal de Corinto, y por otra industria más lucrativa aún, lo mismo entonces que hoy, la de imitar los objetos antiguos que se encontraban en las excavaciones que se hacían en sus alrededores. Por cada uno de los que encontraban, aquellos astutos traficantes fabricaban cientos, que presentaban como auténticos antiguos, vendiéndolos a un precio fabuloso.

Una ciudad de tales recursos no podía estar en crisis. Concurrieron a ella griegos y hebreos y toda clase de negociantes de las diversas partes del mundo: aventureros que buscaban fortuna y aventureros que aspiraban a aumentar la que ya tenían. Los esclavos eran muy numerosos; hay quien dice que se acercaba su número al medio millón.

Es fácil imaginar la moral de un conglomerado tan diverso. Los vicios particulares de cada pueblo se habían propagado como patrimonio común, y para dar la última mano a este *pandemonium*, en lo alto, en la ciudad inexpugnable, se levantaba un famoso templo a Venus con mil sacerdotisas.

Pablo, apenas llegó a la ciudad, se informó dónde estaba el barrio judío, y en él también preguntó si había alguno de su mismo oficio de tejedor.

El espíritu del Señor le hizo encontrar a un matrimonio que hacía poco había venido de Roma, Aquilas y Priscila: habían sido obligados a salir de Roma por el decreto de Claudio que había expulsado de allí a todos los judíos. Problablemente eran ya cristianos, acaso instruídos y bautizados por San Pedro. Lo cierto es que éstos le acogieron cordialísimamente.

En Corinto su comercio no había tenido gran desarrollo, pero debían de tener una pequeña tienda, en donde trabajaban solos, o a lo más con algún obrero. Pablo se acomodó bien. Se puso a trabajar con ellos, con aquel vigor y entusiasmo que le era característico, a pesar de que su salud se resentía con facilidad y la fiebre le atormentaba frecuentemente. El sábado descansaba, o mejor dicho cambiaba de trabajo. Iba a la sinagoga, y valiéndose del título de doctor de la Ley, se hacía escuchar de sus compatriotas, a los cuales anunciaba a Jesús.

Aquilas y Priscila debieron ayudarle, en este primer tiempo en el que el Apóstol no tenía ayuda alguna, en la catequesis de los neófitos; y debieron también defenderle de las injurias y de los sarcasmos y acaso de las insidias de los malévolos.

Poco más de seis años después, este matrimonio volverá otra vez a Roma en donde tenía un negocio floreciente y donde conseguirá volver a levantarlo, recuperando la posición desahogada de que antes gozaba, así que tendrá una casa tan amplia que servirá para que en ella se reúnan los fieles. El Apóstol, en su carta a los romanos, da de ellos este hermoso testimonio: "Salud de mi parte a Priscila y a Aquilas, que trabajaron conmigo en servicio de Jesucristo, y los cuales por salvar mi vida expusieron sus cabezas: por lo que no solamente yo me reconozco agradecido, sino también las iglesias todas de los gentiles"[5].

En este saludo es nombrada Priscila antes que su marido. Acaso Pablo le era deudor de una asistencia asidua en los accesos de su enfermedad: la caridad pronta y la paciencia afectuosa de ella en el servicio del enfermo, debieron quedar profundamente grabadas en la memoria de Pablo con un recuerdo constante de gratitud.

Mientras tanto Timoteo y Silas, que venían de Macedonia, se unieron a él y, además del gran consuelo moral por su compañía y de la ayuda en el trabajo

_____
(5)   Rom.. 16, 3-4.

apostólico, le trajeron recursos de dinero que le mandaba la fiel iglesia de Filipos.

Pablo pudo desde entonces entregarse a la predicación con más asiduidad. No solamente los sábados, y acaso no sólo en las sinagogas; siempre con preferencia a los hebreos. Pero a ellos no les era grata esta actuación de Pablo, de tal suerte que muchos no le querían escuchar. Llegó a tal el aborrecimiento, que bastaba que comenzase a hablar en medio de ellos, para que, con blasfemias y produciendo confusión, buscasen hacerle callar y quitarle los prosélitos que iba haciendo. Comprendió que no le dejarían ya ni un momento en paz. Por eso un día en que el barullo y el escándalo era mayor, se separó violentamente de ellos, después de lanzar sobre ellos el grito de su inocencia:

"Vuestra sangre —dijo— recaiga sobre vuestra cabeza: yo no tengo la culpa. Desde ahora me voy a predicar a los gentiles"[6]. Y sacudiendo contra ellos el polvo del ruedo de su vestido, salió de la sinagoga y entró en casa de un prosélito convertido, llamado Tito el Justo, cuya casa estaba contigua a la sinagoga.

No parece que fuese a vivir allí: él se encontraba muy bien en la pobre casa de los tejedores. La casa de Tito el Justo debía ser más anchurosa y por tanto más a propósito para las reuniones; por ello, sin duda, fue preferida como lugar de predicación y para el ejercicio de la liturgia cristiana.

El Apóstol cuando salió de la sinagoga, no salió solo; muchos le acompañaron para escucharle, entre éstos el archisinagogo, Crispo, que ciertamente no aprobaba la intolerancia de sus connacionales.

Estos recibieron una sorpresa dolorosa cuando se dieron cuenta, los sábados, del vacío que había en la

---

(6)   Hechos, 18, 6.

sinagoga, sobre todo los sábados en que Pablo predicaba a la hora de las reuniones hebreas. Debieron enfurecerse y meditar la venganza y lanzar amenazas, que llegaron a tomar un tono capaz de infundir miedo, sobre todo cuando se vieron abandonados por el mismo Crispo, el cual con toda su familia, recibió el bautismo de manos de Pablo.

Este no era hombre que se dejase intimidar, pero, así y todo, siguiendo las enseñanzas de Jesús, pensó si no habría llegado ya el caso de abandonar aquella ciudad, para marchar a evangelizar otras. Se hubiese decidido por tomar este partido, si el mismo Señor no se le hubiese aparecido en una visión para mandarle que permaneciese allí.

"No tienes qué temer, prosigue predicando, y no dejes de hablar; pues yo estoy contigo: y nadie llegará a maltratarse: porque ha de ser mía mucha gente en esta ciudad"[7].

Reconfortado con tal visión, el Apóstol continuó con nuevo vigor la evangelización de los de Corinto, deteniéndose en esta ciudad otros diez y ocho meses.

También en Corinto los convertidos eran, la mayoría, de condición social humilde; entre ellos, muchos esclavos. Esto no quiere decir que no hubiese personas de alta categoría, como Crispo y su familia, el tesorero de la ciudad, Erasto, Estéfanas y su familia, llamados por Pablo las primicias de Acaya; Cayo, que alojó al Apóstol cuando Aquilas y Priscila marcharon de Corinto, Tercio, el secretario a quien Pablo dictó la carta a los romanos, y Cuarto, acaso hijo de veteranos establecidos en Corinto. Entre las mujeres, Cloe y Febe, que eran espléndidas en sus limosnas para favorecer a los hermanos pobres, y de cuya generosidad se benefició también el Apóstol.

---

(7)   Hechos, 18, 9-10.

En aquellos diez y ocho meses no consagró sus fatigas tan sólo a la iglesia de Corinto, sino que salió a los lugares más importantes de sus cercanías y acaso llegó hasta Iliria. Como quiera que ello sea, lo cierto es que, aun cuando en Corinto, se ocupaba de las demás iglesias, enviando a ellas a sus colaboradores y escribiéndoles cartas. Precisamente a este período pertenecen las dos que envió a Tesalónica, y de las que ya hicimos mérito al hablar de dicha ciudad, y que son las primeras que se conservan del Apóstol, en orden cronológico.

★

Tampoco le faltó en Corinto al Apóstol la ya acostumbrada persecución judaica, pero esta vez, como ya se lo había revelado el Señor, tal persecución se convirtió en ventaja para él y en afrenta para sus enemigos. Estos, no habiéndose atrevido a acusarle a los tribunales donde se sentaba un juez hostil o juzgado incorruptible, por su dinero, renovaron su furor cuando llegó de Italia un nuevo procónsul, Lucio Junio Anneo Galión, el hermano de Séneca, el moralista.

Pero aun con éste no les salió bien la conjura. En efecto, apenas el procónsul se vio delante de Pablo con sus acusadores y el acostumbrado alboroto del pueblo, en cuanto oyó la acusación, antes de que Pablo se defendiese, lo absolvió diciendo a los judíos:

"Si se tratase verdaderamente de alguna injusticia o delito, o de algún enorme crimen, sería razón, ¡oh judíos!, que yo admitiese vuestra delación; mas si estas son cuestiones de palabras y de nombres, y cosas de vuestra Ley, allá os la hayáis; que yo no quiero meterme a juez de estas cosas"[8].

---

(8) Hechos, 18, 14-15.

Acaso los judíos quisieron replicar; pero Galión se sostuvo fuerte, y para terminar el incidente mandó a los soldados hiciesen desalojar la sala.

Los medios de los soldados son siempre expeditivos y más de aquellos soldados romanos, los cuales arrojaron violentamente a la muchedumbre judaica.

Cuando el pueblo, que parece tiene una aversión instintiva a los hebreos, se dio cuenta de que éstos habían llevado la peor parte, cambió en seguida de opinión. Comenzó a lanzar chistes e injurias y a levantar las manos, como para coadyuvar con los soldados romanos. Entonces, acometiendo todo a Sóstenes, jefe de la sinagoga que había sucedido a Crispo, le maltrataron a golpes delante del tribunal, sin que Galión hiciese caso de nada de esto.

Galión contemplaba aquella que hoy podríamos llamar historia de los que fueron por lana y volvieron trasquilados. No obstante, después de un rato, mandó a los soldados defendiesen al mal aconsejado archisinagogo. Acaso para sus adentros diría:—Esta lección le ayudará a trabajar para que sus subordinados sean menos turbulentos y más tolerantes.

Pablo se aprovechó de esta victoria legal y moral para continuar trabajando en Corinto; después, como quería ir a Jerusalén y a Antioquía, marchó, embarcándose en el puerto oriental de Corinto, en Cencrea, acompañado de sus queridos amigos Aquilas y Priscila, y acaso Timoteo y Erasto, Cayo y Aristarco de Macedonia. Los primeros dos fueron sus compañeros de viaje hasta Efeso, en donde se establecieron por una temporada. Pablo, por el contrario, después de una breve estancia continuó hacia Siria, desembarcando en Cesarea; de aquí partió para Jerusalén, en donde estuvo muy poco tiempo por el glacial recibimiento que tuvo y porque debía estar unos días en Antioquía, antes de comenzar la tercera misión.

En Cencrea, antes de embarcarse, se cortó el cabello que se había dejado crecer en cumplimiento de un voto que había hecho en alguna de las contingencias difíciles de su apostolado en Corinto. Era el voto del nazareato, o sea una especie de consagración que se hacía a Dios y con la cual los hebreos se obligaban a abtenerse por un tiempo determinado del vino, de la uva y de toda substancia que pueda producir la embriaguez, y también de no participar en ciertos actos, entre los que se encontraban los funerales.

Había nazarenos con voto perpetuo, pero en general el voto era ad tempus, y cuando se había cumplido el tiempo, el que se había consagrado podía cortarse el cabello, que no podía ser tocado mientras durase el voto. Una vez cumplido, éste se presentaba al sacerdote el cual le conducía delante de la puerta del Tabernáculo y allí hacía las ofrendas determinadas, y los cabellos del nazareno se quemaban a la vez que se quemaba también parte de las ofertas.

Si al expirar el plazo el nazareno no se podía encontrar en Jerusalén, se cortaba el cabello donde quiera que se encontrase, procurando que otro, en su nombre, hiciese las ofrendas en el Templo, o bien dejando la ofrenda para cuando pudiese él mismo ir a Jerusalén. Pablo debió hacer en persona su oferta. En efecto una vez que llegó a Efeso desembarcó con Aquilas y Priscila y comenzó a frecuentar la sinagoga y discutir en ella con los judíos. Estos quisieron detenerle más tiempo, pero Pablo les respondió: —Si Dios quiere, volveré otra vez para estar con vosotros.

El cumplimiento de un voto es para un alma timorata algo de mucha importancia aun en los detalles. Por eso parece que una de las razones que movieron a Pablo para alejarse de Efeso tan de repente debió de ser el deseo de hacer la oferta personalmente. Bien pronto le veremos volver a esta ciudad.

Al terminar la tercera misión Pablo hará nuevamente ofertas de nazareno, en el Templo, pero esta vez por otros, no por él. En efecto, las personas que disponían de abundantes medios económicos solían ofrecer por aquellos hermanos que, habiendo hecho el voto y habiéndolo cumplido, no tenían medios para hacer ofertas a la puerta del Tabernáculo.

Hemos querido indicar esto para que no se confundan los dos actos de Pablo. En el primero cumple su propio voto, mientras en el segundo hace ofertas por hebreos pobres, demostrando en las dos ocasiones que él no era enemigo a priori de la Ley, sino sólo de los que querían imponérsela al que la gracia de Cristo le había librado de ella.

Examinaremos ahora las cartas que Pablo escribió a los fieles de Corinto, tres o cuatro años después, hacia el año 57. La primera la escribió desde Efeso, la segunda acaso desde Filipos. Son de las más importantes, pues aunque no fueron escritas para defender una tesis, como la de los romanos, sino para responder a preguntas que se le habían hecho, nos permiten conocer la constitución de las primeras comunidades cristianas.

Conviene, antes de entrar en materia, decir algo de Apolo. Era éste un alejandrino culto y muy versado en las Sgdas. Escrituras. Habiendo vivido en Jerusalén algún tiempo durante la predicación de Juan Bautista, había quedado persuadido de sus enseñanzas y propagaba sus ideas. Después había llegado a saber algo de la manifestación, muerte y resurrección del Cordero de Dios, y con la autoridad del Bautista que le había señalado, se profesaba su discípulo y había comenzado a predicar a Jesús. No obstante, el conocimiento de sus doctrinas debía de ser muy rudimentario, porque en Efeso, a los discípulos que consiguió hacer, ni siquiera les había administrado el santo Bautismo. Aquilas y Priscila le encontraron precisamente en esta ciudad cuando se preparaba a salir para Corinto. Le adiestraron en lo que se refería al Bautismo y a otras cosas, que debía saber e ignoraba, y le dieron cartas de recomendación para aquella iglesia. En cuanto a los fieles de Efeso quedaron con las nociones rudimentarias que Apolo les había transmitido, después de haberles administrado el bautismo de penitencia, que había predicado el Bautista.

En Corinto, por el contrario, encontrándose Apolo perfectamente informado de la doctrina apostólica, se dio a la predicación con gran fruto. Su palabra fácil, noble, correcta, el entusiasmo que sabía producir en el auditorio, las aplicaciones alegóricas, en las que sobresalía la escuela alejandrina, le crearon un aura popular extraordinaria. Muchos se vanagloriaban de haber sido instruidos y bautizados por tan docto maestro. Los fieles a Pablo replicaban que éste era inconmensurablemente superior a Apolo, aunque no tuviese tanta elegancia en el decir, de tal suerte que se llegaron a formar dos partidos, a los que pronto se sumó un tercero: el de aquellos que creían evitar uno y otro escollo, diciéndose simplemente discípulos de Cristo. Verdaderamente decían lo justo, pero acaso estaban invadidos por un sutil espíritu de soberbia, porque el Apóstol encuentra motivo de reprensión también en éstos.

Surgidas las facciones, naturalmente se desarrollaron desórdenes que bien pronto se hicieron visibles por la mutua detracción. Además, con buena o mala fe, se habían interpretado mal algunos consejos de

Pablo, como aquel que les había dado referente a la comunicación con los hermanos escandalosos, como si el Apóstol hubiese intentado con esto prohibir toda comunicación con los paganos, que no eran ciertamente mejores que aquellos hermanos. Cuando él supo todas estas cosas escribió desde Efeso su carta primera a los corintios.

Después de darles las gracias y elogiarles por su religiosidad, afronta la primera cuestión, derivada de la predicación de Apolo:

"Os ruego encarecidamente, hermanos míos, por el nombre de nuestro Señor Jesucristo, que todos tengáis un mismo lenguaje, y que no haya entre vosotros cismas ni partidos, antes bien viváis perfectamente unidos en un mismo pensar y en mismo sentir. Porque con relación a vosotros, hermanos míos, he sabido por los de la familia de Cloe, que hay entre vosotros contiendas, quiero decir, que cada uno de vosotros toma partido diciendo: "Yo soy de Pablo; yo, de Apolo; yo, de Cefas; yo, de Cristo. Pues qué, ¿acaso Cristo se ha dividido? ¿Y por ventura Pablo ha sido crucificado por vosotros? ¿O habéis sido bautizados en el nombre de Pablo? Ahora que sé esto doy gracias a Dios de que a ninguno de vosotros he bautizado por mí mismo, sino a Crispo y a Cayo; para que no pueda decir nadie que habéis sido bautizados en mi nombre. Verdad es que bauticé también a la familia de Estéfanas: por lo demás no me acuerdo haber bautizado a ningún otro, que yo sepa. Porque no me envió Cristo a bautizar, sino a predicar el Evangelio; y a predicarlo, sin valerme para eso de la elocuencia de sabiduría humana, para que no se haga inútil la cruz de Jesucristo. A la verdad que la predicación de la cruz parece una necedad a los ojos de los que se pierden; mas para los que se salvan, esto es, para nosotros, es la virtud y poder de Dios"[9].

En Corinto el Apóstol había hecho pocas manifestaciones de sus dotes naturales de orador. Acaso, aleccionado por la falta de éxito de Atenas, había prescindido de tales dotes de propósito. Ahora, en parte, les dice el porqué, manifestándoles que entre los sabios también él sabe hablar con sabiduría, aunque no con la sabiduría de este mundo.

"Yo, pues, hermanos míos, cuando fui a vosotros a predicaros el testimonio o Evangelio de Cristo, no fui con sublimes discursos, puesto que no me he preciado de saber otra cosa, entre vosotros, sino a Jesucristo, y éste crucificado. Y mientras estuve ahí, estuve siempre con pusilanimidad y humillación, con temor y en continuo susto; y mi modo de hablar, no fue con palabras persuasivas de humano saber, pero sí con los efectos sensibles del espíritu y virtud de Dios, para que vuestra fe no estribe en saber de hombres, sino en el poder de Dios. Esto no obstante, enseñamos sabiduría entre los perfectos o verdaderos cristianos; mas una sabiduría no de este siglo, ni de los príncipes de este siglo, los cuales son destruidos con la cruz; sino que predicamos la sabiduría de Dios en el misterio de la Encarnación, sabiduría recóndita, la cual preparó Dios antes de los siglos para gloria nuestra; sabiduría que ninguno de los príncipes de este siglo ha entendido; que si la hubiesen entendido, nunca hubieran crucificado al Señor de la gloria.

"Y yo, hermanos, no he podido hablaros como a hombres espirituales, sino como a personas aun carnales. Y por eso, como a niños en Jesucristo, os he alimentado con leche y no con manjares sólidos: porque no erais todavía capaces de ellos, y ni aun ahora

(9) 1 Cor. 1, 10-18.

lo sois todavía carnales. En efecto, habiendo entre vosotros celos y discordias, ¿no es claro que sois carnales y procedéis como hombres? Y cuando llegáis a decir, uno: Yo soy de Pablo; el otro, yo soy de Apolo, ¿no sois acaso hombres? ¿Quién es Apolo? ¿O quién es Pablo? Unos ministros y no más de Aquel, en quien habéis creído, y eso según el don que a cada uno ha concedido el Señor. Yo planté entre vosotros el Evangelio, regó Apolo; pero Dios es quien ha dado el crecer y hacer fruto. Y así ni el que planta es algo, ni el que riega: sino Dios, que es el que hace crecer y fructificar. Tanto el que planta como el que riega vienen a ser una misma cosa, instrumentos de Dios; por eso cada uno recibirá su propio salario a medida de su trabajo. Porque nosotros somos unos coadjutores de Dios: vosotros sois el campo que Dios cultiva, sois el edificio que Dios fabrica por nuestras manos. Yo según la gracia que Dios me ha dado, eché en vosotros, cual perito arquitecto, el cimiento del espiritual edificio: otro edifica sobre él. Nadie puede poner otro fundamento que el que ya ha sido puesto, el cual es Cristo"[10].

Por lo demás, Pablo, esbozada su defensa, manifiesta claramente su indiferencia, acerca de los juicios humanos que podían serle contrarios, cómo era indiferente a las humillaciones que en el tiempo en que escribía esta carta estaba sufriendo y que tenían semejanza con las que había sufrido en Corinto:

"Por lo que a mí toca, muy poco se me da el ser juzgado por vosotros, o en cualquier juicio humano; pues ni aun yo me atrevo a juzgar de mí mismo. Porque, si bien no me remuerde la conciencia de cosa alguna, no por eso me tengo por justificado, pues el que me juzga es el Señor. Por tanto, no queráis sentenciar antes de tiempo, suspended vuestro juicio

---

(10)   1 Cor. 2, 1-8; 3, 1-12.

hasta tanto que venga el Señor; el cual sacará a plena luz lo que está en los escondrijos de las tinieblas, y descubrirá en aquel día las intenciones de los corazones, y entonces cada cual será de Dios alabado según merezca.

"Pues yo para mí tengo que Dios a nosotros, los Apóstoles, nos trata como a los últimos o más viles hombres, como a los condenados a muerte, haciéndonos servir de espectáculo al mundo, a los ángeles y a los hombres. Nosotros, reputados como necios por amor de Cristo; vosotros, prudentes en Cristo; nosotros, flacos; vosotros, fuertes; vosotros sois honrados; nosotros, viles y despreciados.

"No os escribo estas cosas porque quiera sonrojaros, sino que os amonesto como a hijos míos muy queridos; porque aunque tengáis millares de ayos o maestros en Jesucristo, no tenéis muchos padres. Pues yo soy el que os he engendrado en Jesucristo por medio del Evangelio"[11].

De esta solemne afirmación de paternidad Pablo deduce los derechos que tiene:

"Algunos sé que están tan engreídos como si yo nunca hubiese de volver a vosotros, mas pronto pasaré a veros, si Dios quiere; y examinaré no las palabras de los que andan así hinchados, sino su virtud. Que no consiste el reino de Dios o nuestra religión en palabras, sino en la virtud o buenas obras. ¿Qué queréis más: que vaya a vosotros con la vara o castigo, o con amor y espíritu de mansedumbre?"[12].

Otros inconvenientes graves de la iglesia de Corinto eran el concubinato de un hermano que convivía con persona con la cual no habría podido contraer matrimonio, y los litigios frecuentes entre cristianos, con las consiguientes citaciones ante los jue-

_____

(11) 1 Cor., 4, 3-5; 9-10; 14-15.
(12) Id., ib., 18-21.

ces paganos, cosa que era contraria a la caridad fraterna y a las costumbres hebraicas, reconocidas por las autoridades romanas que con frecuencia sancionaban veredictos dados por los tribunales hebreos, sobre todo cuando se trataba de cosas que hacían relación a la religión o a costumbres nacionales.

Para el primero Pablo sentencia y le condena a una grave pena: la separación de la comunión de los hermanos; la excomunión, que le levantará más tarde cuando el escandaloso se habrá arrepentido. Para lo segundo, les exhorta a que formen tribunales eclesiásticos, diciéndoles irónicamente que escojan por jueces a los menos considerados entre ellos, como para hacerles comprender el poco valor e importancia que tienen los litigios por cosas y bienes terrenos.

Después trata de los deberes de los esposos, de las vírgenes, de los padres, de las viudas; vuelve a hablar de la licitud condicionada de comer la carne ofrecida a los ídolos; después afronta otra acusación que se le había hecho por su modo de vivir con su propio trabajo, no queriendo aceptar servicios ni ayudas económicas, como si esto lo hubiese hecho por no tener derecho a exigir esas cosas. En efecto, Pedro y los demás Apóstoles llevan consigo algunas mujeres para los quehaceres domésticos. ¿Por qué Pablo no hacía algo semejante? Sus detractores, en vez de alabarle por esto, sacaban de ello motivo de descrédito, pero el Apóstol rebate la acusación con energía:

"¿No tengo libertad? ¿No soy Apóstol? ¿No he visto a Jesucristo Señor nuestro? ¿No sois vosotros obra mía en el Señor? Lo cierto es que aun cuando para los otros no fuera Apóstol, a lo menos lo sería para vosotros; siendo como sois el sello o la patente de mi apostolado en el Señor. Ved ahí mi respuesta a aquellos que se meten a examinar y sindicar mi conducta.

171

"¿Acaso no tenemos derecho a ser alimentados a expensas vuestras? ¿Por ventura no tenemos facultad de llevar en los viajes alguna mujer, hermana en Jesucristo, para que nos asista, como hacen los demás Apóstoles y los hermanos o parientes del Señor, y el mismo Cefas o Pedro? ¿Quién milita sólo a sus expensas? ¿Quién planta una viña, y no come de su fruto? ¿Quién apacienta un rebaño, y no se alimenta de la leche del ganado? ¿Y por ventura esto que digo es solamente un raciocinio humano? ¿O no dice la Ley esto mismo? Pues en la Ley de Moisés está escrito: —No pongas bozal al buey que trilla—. ¿Será que Dios se cuida de los bueyes? ¿Acaso no dice esto principalmente por nosotros? Sí, ciertamente, por nosotros se han escrito estas cosas: porque la esperanza hace arar al que ara; y el que trilla lo hace con la esperanza de percibir el fruto.

"Si nosotros, pues, hemos sembrado entre vosotros bienes espirituales, ¿será gran cosa que recojamos un poco de vuestros bienes temporales? Si otros participan de este derecho a lo vuestro, ¿por qué no también nosotros? Pero con todo, no hemos hecho uso de esa facultad: antes bien todo lo sufrimos y padecemos por no poner estorbo alguno al Evangelio de Cristo. ¿No sabéis que los que sirven en el templo se mantienen de lo que es del templo, y los que sirven al altar participan de las ofrendas? Así también dejó el Señor ordenado que los que predican el Evangelio, vivan del Evangelio.

"Mas yo de ninguna de estas cosas me he valido. Ni ahora escribo esto para que así se haga conmigo; porque tengo por mejor el morir, que el que alguno me haga perder esta gloria. Como quiera que por predicar el Evangelio no tengo gloria, puesto estoy por necesidad obligado a ello, y desventurado de mí si no lo predicare. Por lo cual si lo hago de buena voluntad, premio aguardo; pero si por fuerza, entonces no hago más que cumplir con el cargo que tengo. Según esto, pues, ¿dónde está mi galardón? Está en predicar gratuitamente el Evangelio, sin ocasionar ningún gasto, para no abusar del derecho que tengo por la predicación del Evangelio"[13].

¡Es singular esta afirmación de Pablo!

Predica el Evangelio porque ha recibido el mandamiento expreso de hacerlo, pero al cumplimiento de esta orden él quiere añadir, para dar satisfacción a su fervor, el predicar el Evangelio con grandes sacrificios, en busca de los cuales va constantemente el Apóstol por su voluntad.

Dos abusos particulares, que reprende también el Apóstol, eran el derecho que se arrogaban algunas mujeres de hablar y predicar en las reuniones litúrgicas, y ciertos abusos que precedían al solemne acto de la Fracción del Pan, esto es, la celebración de la Misa y la Comunión de los fieles.

Es conveniente indicar algunas nociones acerca de la constitución y de las costumbres de las iglesias en el período apóstolico, para mejor comprender las enseñanzas de Pablo acerca de este particular.

Los Apóstoles que fundaban las iglesias, no permanecían en ellas más que el tiempo preciso. El espíritu de Dios les empujaba para que fuesen a sembrar el evangelio en nuevos campos; así que las iglesias fundadas quedaban bajo la dirección de los profetas, de los doctores, de los obispos, del colegio de los presbíteros.

Aunque los obispos y los presbíteros hubiesen recibido la imposición de manos de los Apóstoles, y por

_____
(13)   1 Cor., 9, 1-18.

lo tanto el carácter sacerdotal, no eran ellos solos los encargados de dirigir las asambleas, sino que en ellas tomaban gran parte los profetas y los doctores. Algunas veces eran éstos los que habían sido elevados al sacerdocio, mas podían no serlo sin que viniese a sufrir menoscabo el ejercicio de su misión, que para los profetas consistía en la exhortación y predicación, lo cual también solían hacer los doctores. Los profetas lo hacían mas habitualmente. Su autoridad en este respecto era semejante a la de los sacerdotes, que más tarde les sustituyeron totalmente con los diáconos.

Los obispos, sacerdotes y diáconos, eran hermanos escogidos por los Apóstoles entre los más fervorosos y dignos. Los profetas y doctores en cierto modo eran designados por Dios, que les confería dones particulares, con frecuencia concedidos a los que tenían dotes naturales o adquiridas, propicias a tales dones. Pero los dones del Espíritu no se limitaban al don de profecía y al de ciencia. Había algunos que recibían el de hacer milagros y conferir la salud a los enfermos, y otros el de interpretar las Escrituras y las palabras de los que tenían el don de lenguas.

El último don no se ha de confundir con el que tenían los Apóstoles, de hablar lenguas que les eran desconocidas y hacerse entender por hombres que no hablaban la lengua en que ellos predicaban.

Este don de lenguas consistía en que aquel que lo tenía, mientras oraba, arrebatado como éxtasis, emitía expresiones sublimes, que eran oraciones, y que el mismo que las pronunciaba aunque confusamente comprendía su significación en cuanto a lo substancial, no llegaba a comprenderlo totalmente. El intérprete explicaba a veces lo que el parlador de lenguas había dicho.

Nosotros no comprendemos propiamente en qué consistía este don, ni su utilidad; pero lo cierto es que al Espíritu Santo con mucha frecuencia daba este don a los nuevos bautizados, después de recibir el santo sacramento de la Confirmación por la imposición de manos. Esto basta para que creamos que debía ser muy útil no sólo para la propagación de la fe, sino también para conservar el fervor en los que recibían el sacramento del Bautismo. Acaso era la elevación de éstos a un estado de contemplación, al que más tarde sólo pudieron llegar algunos santos, y no siempre con la abundancia de manifestaciones externas que entonces tenían lugar.

Pues bien, en las reuniones de los cristianos sucedía que alguno de los que tenían este don de lenguas era arrebatado y puesto en oración, comenzando a alabar a Dios con lenguaje incomprensible. A veces eran dos o tres los que querían manifestar la exuberancia de sus afectos. En tal caso uno o dos intérpretes debían explicar lo que aquellos habían dicho.

También sucedía que un profeta, o un doctor, se sentían inspirados y pedían la palabra y obtenían permiso, para hacer sus manifestaciones, del obispo o del colegio de los cristianos; o los cuales, aunque daban este permiso, no parece que tenían exclusivamente la dirección de estas reuniones.

La abundancia de estos dones y carismas a veces producía alguna confusión. Pero había aún más: de estos dones participaban también las mujeres. Y había quién tenía el don de lenguas y quien el de profeeisa.

En Corinto, en donde la mayoría de los fieles eran de clase pobre, sucedía que a veces, en las asambleas, algunas mujeres de alta condición social, por su fervor, fácilmente se sentían obligadas a decir alguna cosa de edificación. Alguna acaso sobrepasaba los límites, arrogándose la dirección de las reuniones. San Pablo se verá obligado a intervenir para restablecer el orden.

★

Cuando se reunían los cristianos es cuando se asistía a la manifestación de estos diversos dones espirituales, pero la reunión tenía otro fin: la Fracción del Pan, esto es, la celebración de la Misa y la Comunión de los fieles. Este acto litúrgico solía desenvolverse de la siguiente manera:

Se leían algunas partes de la Sagrada Escritura, según la costumbre que había en las sinagogas; escogíase los puntos mesiánicos, que los profetas y los doctores solían indicar, y sobre los cuales hacían una explicación o exhortación. A medida que se fueron propagando los escritos apostólicos, se introdujeron también éstos como lecturas sagradas. Se intercalaban exhortaciones, oraciones y todas las diversas manifestaciones crismáticas de que hablamos en el párrafo anterior. Después se hacía una cena en común, como recuerdo de la última cena que hizo el Señor con los Apóstoles.

En Jerusalén, como prácticamente estaba abolida la propiedad entre aquellos hermanos, se preparaba una cena igual para todos. En las otras iglesias, donde cada uno permanecía con lo suyo, los mismos fieles llevaban lo necesario para preparar las mesas, y ciertamente los más ricos pensaban en los pobres. Debía ser así, ya que la cena se llamaba ágape, esto es, amor.

Después de la cena, los que tenían conciencia de pecado lo confesaban; luego se decían algunas oraciones en común, que tenían por fin aumentar la unidad y la caridad; después de estas oraciones los obispos y los presbíteros pronunciaban las palabras de la consagración sobre el pan y el vino. Entonces el Cuerpo y la Sangre del Cordero sin mancha eran distribuídos a todos los presentes.

A la Comunión siempre seguía la acción de gracias, con una oración en común, a la cual los profetas solían unir alguna manifestación, según la inspiración que recibían del Espíritu Santo.

He aquí una de las más antiguas acciones de gracias:

"Padre Santo, te damos gracias por tu santo nombre que has hecho habitar en nuestros corazones. Te damos gracias por la ciencia, la fe y la inmortalidad que nos has revelado por medio de tu divino Hijo Jesús. A ti sea dada gloria por los siglos de los siglos. Oh Padre Omnipotente, Tú has creado todas las cosas para la gloria de tu nombre. Tú has dado a los hombres la comida y la bebida para que usen de ellas y te den gracias; pero a nosotros nos has dado aún más, nos has dado una bebida y un alimento espiritual, y la vida eterna por medio de tu siervo. Te damos gracias, antes de todo, porque eres Poderoso. A Ti sea la gloria por los siglos de los siglos. Oh Señor, acuérdate de tu Iglesia, y líbrala de todo mal; dale la perfección de tu amor. Esta Iglesia que has hecho santa por el reino que le has preparado, únela, porque tuya es la gloria y el poder por los siglos de los siglos. Venga, pues, tu gracia y pase este mundo. ¡Hosana al Hijo de David! El que es santo santifíquese más: el que no es santo que se arrepienta de sus pecados y se santifique. *Maranatha*. El Señor viene. Así sea".

Esta última expresión se repetía con frecuencia en su forma original, en las oraciones. Era como un saludo propio de los cristianos.

La noche del sábado solía ser el tiempo en que se acostumbraba celebrar esta cena. La lectura y las manifestaciones del Espíritu Santo hacían que el banquete se terminase a la media noche o ya de madrugada. Por eso la mañana del día siguiente fue prevaleciendo por su importancia al día del sábado, hasta que prevaleció totalmente constituyendo el día del Señor, el domingo.

Por lo demás todo inclinaba a los cristianos a la celebración de este día: la Comunión que seguía a la celebración del sábado, el deseo de diferenciarse de la sinagoga, una vez que la separación fue completa, y más que todo la resurrección de Jesús, que ocurrió en las primeras horas de este día, de ahí el nombre *dies Domini*, el día del Señor.

✳

En Corinto los ágapes degeneraron muy pronto en banquetes, en los cuales los ricos comían las cosas más escogidas y en abundancia, mientras que los más pobres apenas podían apagar su hambre. Las esciciones, de que antes hemos hablado, influyeron indudablemente para que las cosas llegasen a este extremo tan lamentable.

Apenas se enteró de ello, Pablo tuvo un gran sentimiento y les escribió con vigor, para cortar tales abusos:

"Por lo que toca a vuestras asambleas, yo os declaro que no puedo alabaros: primeramente oigo que, al juntaros en la iglesia, hay entre vosotros parcialidades o desuniones, y en parte lo creo porque es forzoso, dada la malicia de los hombres, que haya herejías, para que se descubran entre vosotros los que son de una virtud probada. Ahora pues, cuando vosotros os juntáis para los ágapes ya no es para celebrar la cena del Señor. Porque cada uno come allí lo que ha llevado para cenar sin atender a los demás. Y así sucede que unos no tienen nada que comer mientras otros comen con exceso. ¿No tenéis vuestras casas para comer allí y beber? ¿O venís a profanar la iglesia de

Dios y avergonzar a los pobres que no tienen nada? ¿Qué os diré sobre eso? ¿Os alabaré? En eso no puedo alabaros. Porque yo aprendí del Señor lo que os tengo ya enseñado, y es que el Señor Jesús, la noche misma que había de ser traidoramente entregado, tomó el pan y dando gracias lo partió, y dijo a sus discípulos: —Tomad y comed; este es mi cuerpo, que por vosotros será entregado a la muerte; haced esto en memoria mía— Y de la misma manera el cáliz, después de haber cenado, diciendo: —Este cáliz es el nuevo testamento en mi sangre; haced esto cuantas veces lo bebiereis en memoria mía. Puesto todas las veces que comiereis este pan y bebiereis este cáliz, anunciaréis o representaréis la muerte del Señor hasta que venga—. De manera que cualquiera que comiere este pan, o bebiere el cáliz del Señor indignamente, reo será del cuerpo y de la sangre del Señor. Por lo tanto, examínese a sí mismo el hombre, y de esta suerte (hallando pura su conciencia) coma de aquel pan, y beba de aquel cáliz; porque quien lo come y bebe indignamente, se traga y bebe su propia condenación, no haciendo el debido discernimiento del cuerpo del Señor. De aquí es que hay entre vosotros muchos enfermos y sin fuerzas y muchos que mueren. Que si nosotros entrásemos en cuentas con nosotros mismos, ciertamente no seríamos así juzgados por Dios. Si bien cuando lo somos, el Señor nos castiga como hijos, con el fin de que seamos condenados juntamente con el mundo. Por lo cual, hermanos míos, cuando os reunís para esas comidas de caridad, esperaos unos a otros; si alguno tiene hambre, coma en casa, a fin de que el juntaros no sea para condenación vuestra"[14]

Con relación a los dones del Espíritu Santo quiere el Apóstol que durante las asambleas sean ordenadas sus manifestaciones; con relación a las mujeres

_____

(14) 1 Cor., 11. 18-34.

dice que no osen tomar la palabra. A continuación, después de haber hablado de los diversos dones, dice que todos son útiles a la Iglesia, lo mismo los que son nobles que aquellos que parecen de menor importancia, a semejanza de lo que ocurre en el cuerpo humano al que le son necesarios los diversos miembros. Termina exhortando a todos al ejercicio de la caridad, a la que canta un himno y a la que subordina todos los demás dones:

"Aun cuando yo hablara todas las lenguas de los hombres y el lenguaje de los mismos Angeles, si no tuviere caridad vengo a ser como un metal que suena, o campana que retiñe. Y cuando tuviera el don de profecía, y penetrase todos los misterios, y poseyese todas las ciencias; cuando tuviera toda la fe posible, de manera que trasladase de una a otra parte los montes, no teniendo caridad soy un nada. Cuando yo distribuyese todos mis bienes para sustento de los pobres, y cuando entregara mi cuerpo a las llamas, si la caridad me falta, todo lo dicho no me sirve de nada.

"La caridad es sufrida, es dulce y bienhechora; la caridad no tiene envidia, no obra precipitada ni temerariamente, no se ensoberbece, no es ambiciosa, no busca sus intereses, no se irrita, no piensa mal, no se huelga de la injusticia, complácese en la verdad. A todo se acomoda, cree todo el bien del prójimo, todo lo espera, y lo soporta todo. La caridad nunca fenece"[15].

Se cierra la carta con un elevado discurso acerca de la importancia de la resurrección de Jesucristo, arra y señal de nuestra salvación y de la resurrección de nuestros cuerpos; con una invitación para que recojan las limosnas para la iglesia madre, y con los saludos acostumbrados.

_____

(15) 1 Cor., 13, 1-8.

Esta carta del Apóstol, robusta y afectuosa al mismo tiempo, produjo grande impresión a los fieles de Corinto, y muchos, por no decir todos, de los abusos que en ella se fustigaban se corrigieron, aunque no faltaron algunos enemigos que intentasen el desquite.

Pablo, enterado de ello, escribió a los pocos meses su segunda carta a los Corintios, en la cual, después de haber defendido su manera de obrar, con la demostración de que él no fue ligero, ni inconstante, ni arrogante, ni soberbio, después de haber recomendado nuevamente, de modo particular y con muchos argumentos, la colecta para los hermanos de Jerusalén, pasa a reivindicar de lleno su dignidad de Apóstol, demostrando que no sólo no es inferior a sus adversarios sino muy superior, y que ha trabajado en el apostolado mucho más que ellos, y que él es Apóstol igual a los Doce.

Con sólo reproducir dos fragmentos de ella se hace la historia de Pablo, porque en ciertos puntos la carta es una verdadera autobiografía:

"Mas yo nada pienso haber hecho menos que los más grandes Apóstoles. ¿Acaso habré cometido una falta cuando, por ensalzaros a vosotros, me he humillado yo mismo, predicándoos gratuitamente el Evangelio de Dios? He despojado, por decirlo así, a otras iglesias, recibiendo de ellas las asistencias de que necesitaba para serviros a vosotros. Y estando yo en vuestra patria y necesitado, a nadie fui gravoso, proveyéndome de lo que me faltaba los hermanos venidos de Macedonia; y en todas ocasiones me guardé de serviros de carga y me guardaré en adelante. Os aseguro por la verdad de Cristo que está en mí, que no tendrá mengua en mí esta gloria en las regiones de Acaya. ¿Y por qué? ¿Será porque no os amo? Dios lo sabe. Pero yo hago esto, y lo haré todavía, a fin de cortar enteramente una ocasión de gloriarse a aquellos que la buscan con hacer alarde de parecer en todo semejantes a nosotros, para encontrar en esto un motivo de gloriarse, pues los tales falsos apóstoles son operarios engañosos, que se disfrazan de apóstoles de Cristo. Y no es de extrañar; pues el mismo Satanás se transforma en ángel de luz.

"Mas ya que muchos se glorían según la carne, dejad que yo también me gloríe. En cualquier cosa de que alguno presumiere, no menos presumo yo. ¿Son hebreos? Yo también lo soy. ¿Son israelitas? También yo. ¿Son del linaje de Abrahán? También soy yo. ¿Son ministros de Cristo? Aunque me expongo a pasar por imprudente, diré que yo lo soy más que ellos; pues me he visto en muchísimos más trabajos, más en las cárceles, en azotes sin medida, en riesgos de muerte frecuentemente. Cinco veces recibí de los judíos treinta y nueve azotes, tres veces fui azotado con varas (por los romanos), una vez apedreado, tres veces naufragué, estuve una noche y un día como hundido en alta mar a punto de sumergirme, me he hallado en penosos viajes muchas veces, en peligros de ríos, peligros de ladrones, peligros de los de mi nación, peligros de los gentiles, peligros en poblado, peligros en despoblado, peligros en el mar, peligros entre falsos hermanos; en toda suerte de trabajos y miserias, en muchas vigilias y desvelos, en hambre y sed, en muchos ayunos, en frío y desnudez: fuera de estos males exteriores, cargan sobre mí las ocurrencias de cada día, por la solicitud y cuidado de todas las iglesias. ¿Quién enferma, que no enferme yo con él? ¿Quien es escandalizado, que yo no me requeme?

"Si es preciso gloriarse de alguna cosa, me gloriaré de aquellas que son propias de mi flaqueza. Dios, que

182

es el Padre de nuestro Señor Jesucristo, sabe que no miento. En Damasco el gobernador de la provincia por el rey Aretas tenía puestas guardias a la ciudad para prenderme; mas por una ventana fui descolgado del muro abajo en un serón, y así escapé de sus manos.

"Si es necesario gloriarse (aunque nada se gana en hacerlo), yo haré mención de las visiones y revelaciones del Señor. Yo conozco a un hombre que cree en Cristo, que catorce años ha (si en cuerpo o fuera del cuerpo no lo sé, sábelo Dios) fue arrebatado hasta el tercer cielo. Y sé que el mismo hombre (si en cuerpo o fuera del cuerpo no lo sé, Dios lo sabe) fue arrebatado al Paraíso, donde oyó palabras inefables, que no es lícito a un hombre el proferirlas. Hablando de semejante hombre podré gloriarme; mas en cuanto a mí de nada me gloriaré, sino de mis flaquezas y penas. Verdad es que si quisiese gloriarme, podría hacerlo sin ser imprudente, porque diría verdad; pero me contengo, a fin de que nadie forme de mi persona un concepto superior a aquello que en mí ve, de mí oye. Y para que la grandeza de las revelaciones no me desvanezca, se me ha dado el estímulo de mi carne que es como un ángel de Satanás, para que me abofetee. Sobre lo cual tres veces pedí al Señor que lo apartase de mí, y respondiéndome: —Bástate mi gracia; porque el poder mío brilla y consigue su fin por medio de la flaqueza—. Así que, con gusto me gloriaré de mis flaquezas, para que haga morada en mí el poder de Cristo. Por cuya causa yo siento satisfacción en mis enfermedades, en los ultrajes, en las necesidades, en las persecuciones, en las angustias en que me veo por amor de Cristo; pues cuando estoy débil, entonces con la gracia soy más fuerte.

"Casi estoy hecho un mentecato con tanto alabarme; mas vosotros me habéis forzado a serlo. Porque a vosotros os tocaba el volver por mí: puesto que en ninguna cosa he sido inferior a los más aventajados Apóstoles; aunque por mí nada soy. Os he dado claras señales de mi apostolado con manifestar una paciencia a toda prueba, con milagros, con prodigios y con efectos extraordinarios del poder divino. Y en verdad, ¿qué habéis tenido vosotros de menos que las otras iglesias, sino es que yo os he sido gravoso? Perdonadme ese agravio que os he hecho"[16].

Para obligar a Pablo a hablar de tal manera, las arrogancias de sus detractores debieron ser muy grandes; pero él las deshizo con la verdad.

La iglesia de Corinto es una de las más hermosas glorias de Pablo, y las cartas dirigidas a esta iglesia son de tal importancia, que dan ganas de bendecir a sus detractores por haberle dado motivo para que las escribiese.

_____

(16) 2 Cor., 11, 7-15; 18-33; 12, 1-13.

184

EL EVANGELIO DE SAN PABLO

La doctrina del Apóstol San Pablo, que encontramos expuesta en sus cartas, completa de modo tan perfecto la manifestada en los otros libros del Nuevo Testamento, y al mismo tiempo tiene tal originalidad en su esposición, que algunos autores han querido entrever en ella algo así como una antítesis de la Revelación que se encuentra en los demás libros neotestamentarios.

Que esto sea un error colosal, que sólo puede tener cabida en aquellos espíritus que no tienen completa la luz de la Fe, no es necesario decirlo. Es cierto que la misión particular de Pablo con relación a los gentiles, y la revelación especialísima que tuvo a este fin, le han dado modo y ocasión de manifestar verdades nuevas y aspectos particulares de ella, a lo que él mismo hace referencia varias veces en sus escritos, hablando "de mi Evangelio".

Hemos visto y examinado brevemente algunos de sus escritos: las cartas a los fieles de Galacia, de Tesalónica y de Corinto. Antes de continuar la narración de este período de su vida, durante el cual escribirá a diversas iglesias, examinemos su doctrina, para así poder proceder sin dificultad alguna a la narración de sus hechos.

Algunos se maravillan de que en las cartas de Pablo se encuentren tan pocos datos de la vida del Redentor, no dándose cuenta de que una carta no es un tratado histórico o dogmático. Ciertamente tanto él como los demás Apóstoles se referían en sus predicaciones a Jesús, —como nos lo dice con toda claridad en sus cartas a los gálatas y a los corintios— porque conocía muy bien la vida, las parábolas, y todas las doctrinas que había predicado el Maestro divino. Basta pensar en que tanto Lucas como Marcos, ambos evangelistas, fueron sus colaboradores en sus más o menos largas peregrinaciones a Jerusalén y a Antioquía, en donde vivían muchos que habían sido discípulos de Jesús; basta pensar en las conversaciones y trato frecuente con los demás Apóstoles, en la grande utilidad que para una perfecta catequesis tenían las narraciones de las doctrinas predicadas por Jesús y los milagros obrados para confirmarlas, para comprender sin dificultad alguna, que si todas estas cosas no eran referidas al detalle en sus cartas era porque ya habían sido ampliamente ilustradas en la predicación oral de viva voz. Si así no fuese, las cartas hubieran sido inexplicables, y bien poco habrían entendido de ellas aquellos a quienes iban dirigidas.

El Evangelio oral, que tanto él como los destinatarios conocían muy bien, no era necesario repetirlo en las cartas. No lo fue ni para él ni para los demás escritores que usaron el mismo género epistolar.

Aun más, digámoslo en seguida, el Evangelio de Pablo es siempre y sólo el Evangelio de Cristo, al igual que el de los demás Apóstoles. Lo creeríamos aun cuando él no nos lo hubiese dicho. Afortunadamente, para quitar hasta la sombra de duda, él mismo nos lo dice en su primera carta a los de Corinto cuando, después de haberse comparado con los demás Apóstoles, añade: "Pero tanto yo como ellos, esto hemos predicado y esto habéis creído vosotros". Y aun más claramente a los gálatas: "Me maravillo que tan pronto me hayáis abandonado, para seguir otro Evangelio. No es que haya otro Evangelio, sino solamente hay algunos que intentan destruir el Evangelio de Cristo"[1].

Algunas veces Pablo habla de su Evangelio, para indicar aquellas verdades que por encargo especial de Jesús tenía que manifestar, como es entre otras la verdad importantísima de la universalidad del reino de Jesús, en cuanto todos los hombres, por los méritos de Jesús, tienen derecho a participar de él.

El hebraísmo restringía el beneficio de la redención al solo pueblo de Israel. Pablo recibió la orden de llevarla directamente a todos los gentiles. De aquí surgió la lucha con el hebraísmo en sus dos aspectos, el externo o la sinogoga, y el interno o con los cristianos judaizantes. Pero Pablo es fiel a su misión y proclama su Evangelio. A los de Efeso les dirá: "Porque sin duda habéis entendido de qué manera me confirió Dios el ministerio de su gracia entre vosotros, después de haberme manifestado por revelación este misterio de vuestra vocación sobre el cual acabo de hablar en esta carta, aunque brevemente; por cuya lectura podéis conocer la inteligencia mía en el misterio de Cristo, misterio que en otras edades no fue conocido de los hijos de los hombres en la manera que ahora ha sido revelado a sus santos Apóstoles y Profetas por el Espíritu Santo. Esto es, que los gentiles son llamados a la misma herencia que los judíos, miembros de un mismo cuerpo o iglesia, y partícipes de la promesa divina en Jesucristo mediante el Evangelio, del cual yo he sido constituido ministro, por el don de la gracia de Dios, que se me ha dado conforme a la eficacia de su poder.

---

(1) Gál., 1, 6-7.

"A mí, el más inferior de todos los santos o fieles, se me dio esta gracia, de anunciar en las naciones las riquezas investigables de Jesucristo, y de ilustrar a todos los hombres, descubriéndoles la dispensación del misterio que después de tantos siglos había estado en en el secreto de Dios, creador de todas las cosas"[2].

De aquí nace todo el raciocinio de Pablo contra la circuncisión, para que no se la considerase como un mérito; de aquí todo su estudio para poner en evidencia la fe de Abrahán, para apoyar sobre esta fe las promesas y bendiciones de Dios. La exaltación que él hace de la fe de Abrahán, pone la base de la que será su doctrina y la doctrina cristiana: el hombre caído por el pecado original vuelve a adquirir su primera justicia por la fe en Jesucristo; la fe viva, se entiende, esto es, la fe acompañada de obras. Sólo esta fe, con los Sacramentos, es la que nos hace entrar en la Iglesia, esto es, pertenecer al Cristo que nos salva.

¿Acaso de esta doctrina puede deducirse que los demás Apóstoles no conociesen ni predicasen también este misterio?

Esta es una hipótesis que no tiene consistencia alguna. La visión de Jope, el bautismo del Centurión, el decreto del Concilio de Jerusalén, los trabajos de Pedro y de los demás Apóstoles, son argumentos más que suficientes para quitar toda duda sobre este particular. Esto no obsta para que Pablo sea el principal asertor aun cuando tenga Pedro la prioridad cronológica. Las fatigas apostólicas de Pablo y sus catorce cartas le dan pleno derecho a ello.

---

(2) Efesios, 3, 2-9.

188

★

El centro alrededor del cual se desarrolla toda la doctrina de Pablo es la resurrección de Jesús, muerto por nosotros y resucitado también por nuestro bien, a fin de que nosotros resucitemos del pecado a la filiación de Dios, por la virtud de la muerte y de la resurrección de Cristo, que es prenda de la resurrección de nuestros mismos cuerpos. Todo esto supone naturalmente el pecado original, la imposibilidad de una satisfacción condigna por parte del hombre, y la necesidad de un Mediador entre el hombre y Dios.

Reproduciremos la bella página escrita a los fieles de Corinto, sobre la resurrección del Señor:

"Quiero ahora, hermanos míos, renovaros la memoria del Evangelio que os he predicado, que vosotros recibisteis y en el cual estáis firmes, y por el cual sois salvados; a fin de que veáis si los conserváis de la manera que os lo prediqué, porque de otra suerte en vano habríais abrazado la fe. En primer lugar, pues, os he enseñado lo mismo que yo aprendí del Señor: es a saber, que Cristo murió por nuestros pecados conforme a las Escrituras; que fue sepultado, y que resucitó al tercer día según las mismas Escrituras; que se apareció a Cefas, y después a los once Apóstoles; posteriormente se dejó ver de más de quinientos hermanos juntos, de los cuales, aunque han muerto algunos, la mayor parte viven todavía; se apareció también a Santiago, y después a los Apóstoles todos. Y a mí como abortivo, se me apareció después que a todos. Porque yo soy el mínimo de los Apóstoles, y ni merezco ser llamado Apóstol, pues que perseguí la Iglesia de Dios. Mas por la gracia de Dios soy lo que soy, y su gracia no ha sido estéril en mí; antes he trabajado más copiosamente que todos: pero no yo, sino más bien la gracia de Dios que está conmigo"[3].

---

(3)   1 Cor., 15, 1-10.

"Ahora bien, si se predica a Cristo como resucitado de entre los muertos, ¿cómo es que algunos de vosotros andan diciendo, que no hay resurrección de muertos? Pues si no hay resurrección de muertos, como dicen ellos, tampoco resucitó Cristo; mas si Cristo no resucitó, luego vana es nuestra predicación, y vana es también vuestra fe. A más de eso somos convencidos de testigos falsos respecto a Dios, por cuanto hemos testificado contra Dios, diciendo que El resucitó a Cristo, al que no ha resucitado si los muertos no resucitan. Porque en verdad que si los muertos no resucitan, tampoco Cristo resucitó. Y si Cristo no resucitó vana es vuestra fe pues todavía estáis en vuestros pecados: por consiguiente, aun los que murieron creyendo en Cristo, son perdidos sin remedio. Si nosotros sólo tenemos esperanza en Cristo mientras dura nuestra vida, somos los más desdichados de de todos los hombres. Pero Cristo ha resucitado de entre los muertos y ha venido a ser como la primicia de los difuntos; porque así como por un hombre vino la muerte al mundo, por un hombre debe venir también la resurrección de los muertos. Que así como en Adán mueren todos, así en Cristo todos serán vivificados, cada uno empero por su orden, Cristo el primero; después los que son de Cristo y que han creído en su venida"[4].

"Ved aquí un misterio que voy a declararos: todos, a la verdad, resucitaremos; mas no todos seremos mudados en hombres celestiales. En un momento, en un abrir y cerrar de ojos, al son de la última trompeta, porque sonará la trompeta y los muertos resucitarán en un estado incorruptible; y entonces nosotros seremos inmutados. Porque es necesario que este cuerpo corruptible sea revestido de incorruptibilidad: y

---

(4)   1 Cor. 15, 12-23.

que este cuerpo mortal sea revestido de inmortalidad. Mas cuando este cuerpo mortal haya sido revestido de inmortalidad, entonces se cumplirá la palabra escrita: —La muerte ha sido absorbida por la victoria—. ¿Dónde está, oh muerte, tu victoria? ¿Dónde está, ¡oh, muerte!, tu aguijón? El aguijón de la muerte es el pecado, y lo que da fuerza al pecado es la ley. Pero demos gracias a Dios, que nos ha dado victoria contra la muerte y el pecado por la virtud de Nuestro Señor Jesucristo. Así que, amados hermanos míos, estad firmes y constantes, trabajando más y más en la obra del Señor, pues que sabéis que vuestro trabajo no quedará sin recompensa delante del Señor"[5].

Cristo forma parte de la Iglesia, de la que nosotros somos miembros.

El Cristo místico, esta idea tan sublime, es para Pablo una realidad que le hace exclamar: ¡Vosotros sois el templo de Dios vivo!

Como en el cuerpo humano hay diversos miembros, y cada uno tiene su función propia, así todos nosotros, los que hemos sido bautizados en Cristo, formamos un solo cuerpo con El.

"Nosotros somos como ramas injertadas", dice en otro lugar hablando de la reprobación de los judíos y de la vocación de los gentiles.

"Si es santa la raíz, también las ramas. Que si algunas de las ramas han sido cortadas, y si tú, ¡oh pueblo gentil! que no eres más que un acebuche, has sido injertado en lugar de ellas, y hecho participante de la savia que sube de la raíz del olivo, no tienes de qué gloriarte contra las ramas naturales. Y si te glorias, sábete que no sustentas tú a la raíz, sino la raíz a ti. Pero las ramas, dirás tú, han sido cortadas para ser yo injertado en su lugar. Bien está, por su increduli-

(5)   1 Cor. 11, 51-58.

dad, fueron cortadas. Tú, empero, estás ahora firme en el árbol, por medio de la fe; mas no te engrías, antes bien vive con temor. Porque si Dios no perdonó a las ramas naturales o a los judíos, debes temer que ni a ti tampoco te perdonará. Considera, pues, la bondad y la severidad de Dios: la severidad para con aquellos que cayeron, y la bondad de Dios para contigo, si perseverares en el estado en que su bondad te ha puesto; de lo contrario tú también serás cortado. Y todavía ellos mismos, si no permanecieren en la incredulidad, serán otra vez unidos a su tranco"[6].

"Así que ya no sois extraños, ni advenedizos, sino conciudadanos de los santos y domésticos o familiares de la casa de Dios; pues estáis edificados sobre el fundamento de los Apóstoles y Profetas, y unidos en Jesucristo, el cual es la principal piedra angular de la nueva Jerusalén, sobre quien trabado todo el espiritual edificio se levanta para ser un templo santo del Señor. Por él entráis también vosotros, gentiles, a ser parte de la estructura de este edificio, para llegar a ser morada de Dios por medio del Espíritu Santo"[7].

Por esto el Apóstol llama sin ningún otro adjetivo "santos" a los cristianos. "Saludad en mi nombre a todos los santos de esa iglesia", suele ser el modo ordinario de terminar sus cartas.

Esta es la razón en que se apoya para afirmar que las buenas obras de uno pueden ayudar y ser útiles a otro, y así se alegra de los sufrimientos que padeció en el tiempo de su prisión, por los cuales completa en su propia carne lo que falta a la tribulación del Cristo para su cuerpo.

Es la solidaridad, la reversibilidad de los méritos, la comunicación de ellos, que se afirman por S. Pa-

---

(6) Rom. 11, 16-24.
(7) Efesios, 2, 19-22.

blo, sin que ello quiera decir que se ponga en duda el valor infinito del rescate que obró Jesucristo. Es una comunión que se extiende no sólo a esta vida sino a la futura, por eso ruega Pablo para que se conceda a un difunto (Onesíforo) que encuentre misericordia delante del Señor.

A la luz de esta doctrina del Cristo místico, esto es, de Cristo resucitado y glorioso, cabeza de la Iglesia, y del cual todos somos miembros, ¡qué fuerza y qué vitalidad adquieren tantos y tantos preceptos morales, y tantos consejos como da el Apóstol a sus hijos espirituales, y que se compendian en la carta a los Colosenses!

"Ahora bien, si habéis resucitado con Cristo, buscad las cosas que son de arriba, donde Cristo está sentado a la diestra de Dios Padre; saboreaos en las cosas del cielo, no en las de la tierra. Porque muertos estáis ya, y vuestra nueva vida está escondida con Cristo en Dios. Cuando empero aparezca Jesucristo, que es vuestra vida, entonces apareceréis también vosotros gloriosos con El.

"Haced morir, pues, los miembros del hombre terreno, que hay en vosotros: la fornicación, la impureza, las pasiones deshonestas, la concupiscencia desordenada y la avaricia, que todo viene a ser una idolatría; por las cuales cosas descarga la ira de Dios sobre los incrédulos; y en las cuales anduvisteis también vosotros en otro tiempo pasando en aquellos desórdenes vuestra vida. Mas ahora dad ya de mano a todas esas cosas: a la cólera, al enojo, a la malicia, a la maledicencia, y esté lejos de vuestra boca toda palabra deshonesta. No mintáis los unos a los otros, en suma, desnudaos del hombre viejo con sus acciones, y vestíos del hombre nuevo de aquel que por el conocimiento de la fe se renueva según la imagen del Señor que le creó.

"Revestíos, pues, como escogidos que sois de Dios, santos y amados, revestíos de entrañas de compasión, de benignidad, de humildad, de modestia, de paciencia: sufriéndoos los unos a los otros, y perdonándoos mutuamente, si alguno tiene queja contra otro; así como el Señor os ha perdonado, así lo habéis de hacer también vosotros.

"Pero sobre todo mantened la caridad, la cual es el vínculo de la perfección. Y la paz de Cristo triunfe en vuestros corazones; paz divina a la cual fuisteis llamados para formar todos un solo cuerpo; y sed agradecidos a Dios. La palabra de Cristo en su plenitud tenga su morada entre vosotros, con toda sabiduría, enseñándoos y animándoos unos a otros, con salmos, con himnos y cánticos espirituales, cantando de corazón con gracia y edificación las alabanzas a Dios. Todo cuanto hacéis, sea de palabra o de obra, hacedlo todo en nombre de nuestro Señor Jesucristo y a Gloria suya, dando por medio de El gracias a Dios Padre.

"Mujeres, estad sujetas a los maridos, como es debido, en lo que es según el Señor; vosotros maridos, amad a vuestras mujeres, y no las tratéis con aspereza.

"Hijos, obedeced a vuestros padres en todo, porque esto es agradable al Señor.

"Padres, no irritéis a vuestros hijos, para que no se hagan pusilánimes o apocados.

"Siervos, obedeced en todo a vuestros amos temporales, no sirviéndolos sólo mientras tienen la vista sobre vosotros o solamente cuando os miran, como si no deseaseis más que complacer a los hombres, sino con sencillez de corazón y temor de Dios. Todo lo que hagáis, hacedlo de buena gana, como quien sirve a Dios y no a los hombres, sabiendo que recibiréis del Señor la herencia del cielo por galardón o salario; pues a Cristo nuestro Señor es a quien servís en la persona de vuestros amos. Mas el que obra mal o injustamente, llevará el pago de su injusticia; porque en Dios no hay acepción de personas.

"Amos, tratad a los siervos según lo que dictan la justicia y la equidad, sabiendo que también vosotros tenéis un amo en el cielo.

"Perseverad en la oración, velando en ella y acompañándola con acciones de gracias, orando juntamente por nosotros, para que Dios nos abra la puerta de la predicación a fin de anunciar el misterio de la redención de los hombres por Cristo (por cuya causa estoy todavía preso), y para que lo manifieste de la manera firme con que debo hablar de El.

"Portaos sabiamente y con prudencia con aquellos que están fuera de la Iglesia, resarciendo el tiempo perdido. Vuestra conversación sea siempre con agrado, razonada con la sal de la discreción, de suerte que acertéis a responder a cada uno como conviene"[8]

★

Después de manifestarles los deberes que tienen entre sí los cristianos, Pablo no se olvida tampoco de decirles los que tienen para la sociedad. Les manda en primer lugar la obediencia a la autoridad, una autoridad que en aquel tiempo estaba representada por Nerón. A los romanos les dice:

"Toda persona esté sujeta a las potestades superiores, porque no hay potestad que no provenga de Dios, y Dios es el que ha establecido las que hay en el mundo. Por lo cual el que desobedece a las potestades, a la ordenación de Dios desobedece. De consiguiente los que tal hacen, ellos mismos se acarrean

_____

(8)   Colos., cap. 3 y 4.

la condenación. Mas los príncipes o magistrados no son de temer por las buenas obras que se hagan, sino por las malas. ¿Quieres tú no tener que temer nada de aquel que tiene el poder? Pues obra bien y merecerás de él alabanza, siendo el príncipe un ministro de Dios, puesto para tu bien. Pero si obras mal, tiembla; porque no en vano se ciñe la espada, siendo como es ministro de Dios, para ejercer su justicia castigando al que obra mal. Por tanto es necesario que le estéis sujetos, no sólo por temor del castigo, sino también por obligación de conciencia. Por esta misma razón les pagáis los tributos, porque son ministros de Dios, a quien en esto mismo sirven. Pagad, pues, a todos lo que se les debe; al que se debe tributo, el tributo; al que impuesto, el impuesto; al que temor, temor; al que honra, honra"[9].

Más adelante, mandará el Apóstol a Timoteo que se ruegue por los reyes y por todos aquellos que ejercen autoridad, y a Tito que inculque la sumisión y obediencia a los poderes constituidos.

Cierto, los cristianos también sabían que en algunas ocasiones no se ha de obedecer a la autoridad, cuando ésta manda cosas que están en contra de la ley de Dios; sabían que necesariamente debían disentir interiormente de todas las hipocresías y fealdades que a veces hacían las autoridades; pero la orden clara y terminante del Apóstol es el respeto y obediencia a la autoridad.

Hay algo que en nuestra actual manera de ver las cosas parece difícil explicar, y es que, San Pablo hablando de la existencia de dos clases de hombres, los hombres libres y los esclavos, no diga una palabra de condenación de tal estado de cosas.

---

(9) Rom., 13, 1-7.

Pero si nos fijamos en las circunstancias de tiempo y de lugar en que el Apóstol vivía, vemos que tal palabra de condenación no podía pronunciarla.

Cuando los esclavos, en el imperio romano, eran diez veces más numerosos de los que formaban la población libre, aquella palabra hubiera producido una revolución, y lo que es aún peor, una revolución de seguro fracaso. Habría tenido como epílogo una matanza general que hubiera sido una hecatombe, y acaso un endurecimiento en las leyes, ya brutales, que regulaban la esclavitud.

Cuando los filósofos discutían si los esclavos tenían o no tenían alma; cuando era un axioma de derecho que los esclavos no tenían ningún derecho, los tiempos no eran, ni mucho menos, a propósito para un cambio rápido en la constitución ideológica y social del estado de cosas.

Esto no obstante, Pablo señalará aquellos principios que por evolución natural llevarán a la abolición de la esclavitud, sin represalias y sin contrarrevoluciones, ya que se les dirá a los esclavos: Obedeced a vuestros señores sin hipocresía y sin ficción, sino con sencillez y corazón "para que en todo sea honrada la doctrina de Dios"; pero también se les dirá a los señores que obren aquello que sea justo en relación con sus siervos, y se les invitará a que reflexionen que también ellos tienen un Señor en el cielo.

De ahora en adelante, aquellos a quienes no se les reconocía derecho alguno, tendrán un tribunal al que apelar y en el que serán condenados los señores que falten no sólo a la justicia, sino también los que falten a la caridad. Saben que aquellos de sus señores que han sido llamados a la gracia, también lo han sido a la paz, a la paciencia, a la benignidad, a la mansedumbre, a la modestia, a la continencia y a la castidad. Señores y esclavos cristianos saben "que todos son igualmente hijos de Dios por la fe en Jesucristo, porque todos aquellos que han sido bautizados en Cristo, se han revestido de El. No habiendo ya distinción entre judío y griego, esclavo y libre, hombre y mujer, porque todos son una persona en Cristo Jesús"[10].

Dado el punto sobrenatural desde el que considera los diversos estados, Pablo puede con toda tranquilidad decir: "Cada uno permanezca en la condición en que se encontraba cuando fue llamado al servicio de Dios. ¿Tú fuiste llamado siendo siervo? No te preocupes, porque el que siendo siervo ha sido llamado por el Señor, es liberto del mismo Señor, cuando el que ha sido llamado siendo libre, se ha hecho siervo de Cristo"[11].

La moral que ha de observarse en la doctrina cristiana es la misma para el esclavo que para el señor, con lo cual el esclavo queda rehabilitado; lo demás lo hará el espíritu cristiano infiltrado en la sociedad.

Bien pronto veremos actuar este espíritu en el Apóstol con relación a un esclavo, más aún, hacia un esclavo culpable: Onésimo. Pero no conviene anticipar los sucesos. La carta escrita por Pablo a Filemón nos dará ocasión para ello.

★

Apenas nemos gustado algunos puntos de la doctrina de S. Pablo, y hemos procurado hacer que se saboree. Por ello hemos transcrito varios fragmentos de sus cartas. El insistir sobre éstos y el proponer otros nuevos, sería algo muy fácil, ya que la mies es

_____

(10) Gál., 3, 26-28.
(11) 1 Cor., 7, 20-22.

abundante. Pero nos parece que ello nos apartaría del fin que nos hemos prefijado. Lo que hemos hecho creemos ser suficiente para aficionar al lector a que él directamente se enfrasque en la lectura de las cartas del Apóstol.

Por desgracia podría hoy repetirse el lamento del Crisóstomo, el cual daba fe, con sentimiento, que era tal el olvido, que muchos hasta ignoraban el número de sus cartas.

Ciertamente esta lectura, sin preparación alguna, puede ser difícil. Lo reconocía S. Pedro, en su segunda carta, deplorando que algunos hombres indoctos depravasen el sentido de ellas para su daño.

La misma densidad y profundidad de pensamientos, y el solicitarse y perseguirse los conceptos, hace que muchas veces sea difícil seguir el argumento que el escritor desenvuelve. Pero basta haber comenzado a entenderle para hacer el propósito de no dejarlo jamás.

Aquella misma densidad de pensamientos que al principio nos embaraza algo, termina por ser un nuevo aliciente, por cuanto que al repetir la lectura siempre encontramos cosas nuevas que se nos habían escapado en las lecturas anteriores; por eso dice muy bien un autor, que el mejor comentario que puede hacerse a las cartas de S. Pablo es la lectura repetida de las mismas, constantemente renovada.

Por lo demás ahora abundan ediciones con breves comentarios, que hacen su lectura fácil y provechosa para todos, siendo alimento y gozo del espíritu.

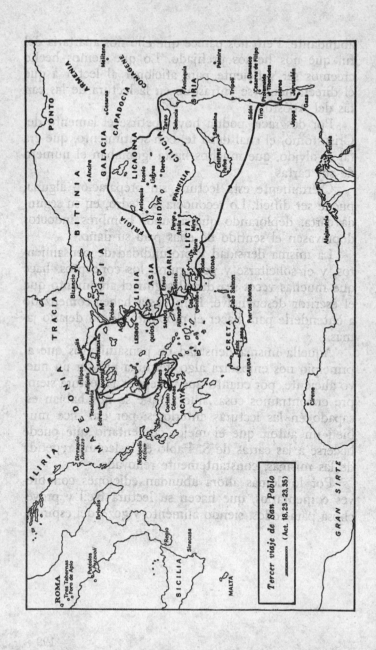

Tercer viaje de San Pablo (Act. 18, 23 - 23, 35)

LA TERCERA MISION

Después de haber estado una temporada en Antioquía de Siria, donde aquellos cristianos con su afecto le harían olvidar la frialdad con que había sido recibido por los de Jerusalén, Pablo pensó poner por obra la promesa que les había hecho a los judíos de Efeso, de visitarles e instruírles.

Por mar hubiera llegado en seguida a aquella ciudad, pero el viaje por tierra le hacía posible volver a ver las cristiandades de Galacia y de Frigia. No se detuvo mucho a pensarlo y se decidió a ir por tierra, a pesar de la incomodidades y molestias que estos viajes tenían.

Sus compañeros eran Timoteo, Erasto, Cayo, Aristarco, y acaso Tito.

Traspasó con ellos las ásperas montañas del Tauro, atravesó "las puertas de Cilicia", después de haber visitado su patria, Tarso, y después de ciudad en ciudad, de pueblo en pueblo, procediendo por orden de este a oeste, volvió a ver a todos los hermanos de aquellas regiones, confirmándoles en la fe.

Siempre bueno y amoroso como una madre con aquellas gentes de sencillas costumbres, tuvo algunas veces que hablar con dureza a causa de las amenazas de los judaizantes, que también en aquellas regiones habían comenzado a sembrar la cizaña de la disensión. Previendo los malos frutos que esta semilla traería, hubiese permanecido con mucho gusto con los suyos para defenderlos, pero la atracción que sobre él ejercía Efeso era muy grande.

En los pocos días que permaneció en aquella ciudad conoció toda su importancia. Vio que era una ciudad rica, populosa, y centro de comercio del oriente al occidente, punto de reunión de gentes de todas las naciones. Evangelizando a Efeso la buena nueva, por medio de los efesios, habría penetrado en muchos lugares de Jonia, Caria y la Lidia, que eran las regiones más pobladas del Asia Menor. Se contaban cerca de quinientos entre ciudad y pueblos. Magnesia, Sardis, Esmirna y Mileto, centros importantísimos, reconocían a Efeso como capital, sobre todo desde que el gobernador romano la había escogido para fijar en ella su sede.

En Efeso había otra cosa que constituía, en cierta manera, a esta ciudad en el centro de Asia Menor: era el famoso templo de Diana, cuya construcción y adorno había durado siglos, por lo que era considerado entonces como una de las maravillas del mundo. A su edificación habían concurrido reyes y pueblos; los primeros, encargándose de pagar los gastos de alguna de las partes de aquel vasto edificio, una columna o un pórtico (en conjunto tenía el templo 8 columnas de frente y un pórtico a cada lado, resultando un total de 128 columnas de 20 metros, todas ofrecidas por reyes); los otros, ofreciendo sus pequeños ahorros. Las mujeres de Asia habían concurrido ofreciendo sus adornos de oro y plata. Apeles, Fidias, Praxiteles y otros célebres artistas griegos habían trabajado en su construccin y adorno.

La estatua de Diana era un tronco informe, recubierto de vestiduras de seda. Tenía aspecto de una momia egipcia. Aparecía metida, a partir de la cintura, en una especie de vaina o envoltura que no dejaba ver más que los pies... No se veía de la estatua más que la cabeza con una corona mural, los brazos y numerosas mamas cubriendo su seno, que eran símbolo de su fecundidad, por lo que era considerada como madre de todos los vivientes.

Los griegos, habituados a la belleza de las formas, que reconocían a Diana en la ágil joven dedicada al entretenimiento de la caza y la representaban con su arco a la espalda persiguiendo a las fieras del bosque, habrían seguramente despreciado este ídolo informe, pero los asiáticos le profesaban una devoción y le daban un culto verdaderamente extraordinario y entusiasta. Todo un mundo de sacerdotes, sacerdotisas, eunucos, heraldos sagrados, cantores, sacrificadores, etc., etc., toda clase de mansionarios, vivían en el templo a su servicio y a su costa, celebrando sus alabanzas y llevándola en largas procesiones por las calles de la ciudad, sobre todo en el mes de mayo, que le estaba consagrado y que del nombre griego del ídolo, "Artemisa", se le llamaba artemiso.

★

Pabló llegó muy pronto a Efeso, porque las visitas que hizo a las iglesias de Galasia y Frigia, aunque fueron muchas, fueron de corta duración. Apenas llegó a Efeso se unió a sus fieles Aquilas y Priscila. Estos después de haberle acogido con toda cordialidad, le enteraron de un hecho curioso. Había estado algunos días en Efeso el alejandrino Apolo, el cual había convertido a una docena de efesios que se decían cristianos, pero que ni siquiera habían recibido el bautismo de Cristo. No obstante el fervor con que observaban las prescripciones que les había dado, no tenían ninguno de los dones carismáticos que todos los cristianos de entonces solían habitualmente tener. Aquilas y Priscila habían informado a Apolo de lo deficiente de la iniciación que les había hecho, pero éste hubo de partir en seguida para Corinto, y Aquilas y Priscila creyeron conveniente esperar la anunciada llegada de Pablo para que él decidiese lo que debía hacerse.

El Apóstol mandó que los llamasen, y les preguntó si habían recibido el Espíritu Santo.

Mas ellos le respondieron: "Ni siquiera hemos oído si hay Espíritu Santo"[1].

Del resto del interrogatorio se puso en claro que ellos se creían cristianos porque habían recibido un bautismo; pero este bautismo no era otro sino el bautismo de penitencia, predicado y administrado por el Bautista para preparar al mundo a la venida del Mesías, pero que naturalmente debía desaparecer en cuanto instituyó el sacramento del Bautismo Aquel que señalaba San Juan como el Cordero de Dios.

Entonces San Pablo les instruyó acerca del bautismo recibido y de lo que era el que aún debían recibir. Apenas hubo terminado la instrucción les hizo bautizar por sus colaboradores, según su costumbre, para no quitar tiempo a la predicación, y después por sí mismo confirió el sacramento de la Confirmación, que solía darse, tratándose de adultos, después del Bautismo.

Inmediatamente tomó posesión de aquellas almas el Espíritu Santo confiriéndoles, además de la santificación interna, los dones con que se había manifestado en las demás iglesias. Los doce nuevos cristianos comenzaron a profetizar, pronunciar discursos

---

(1) Hechos, 19, 2.

de edificación, a tener aquellas especies de éxtasis en los que se manifestaba el don de las lenguas. Con este grupo y los de la casa de Aquilas se formó el primer núcleo de la iglesia efesina. Pablo pensó que convenía aumentarle en seguida, aprovechando las buenas disposiciones que le habían manifestado los judíos de aquella ciudad, cuando pocos meses antes había pasado por ella. Pablo fue a la sinagoga y allí predicó libremente por espacio de tres meses, disputando con los judíos y procurando convencerles en lo tocante al reino de Dios, y consiguió hacer entre ellos algunos secuaces. La mayoría, no obstante las esperanzadas previsiones de Pablo, se opuso a su doctrina; más aún, endureciéndose en sus errores comenzó a hablar mal de Pablo y de su doctrina y, lo que es peor, a perseguirle rabiosamente. El comprendió que tampoco en Efeso tenía ya nada que hacer entre sus connacionales, y se separó de ellos.

Pero los hebreos no le dejaron en paz; siempre que tuvieron ocasión de hacerle mal la aprovecharon, convirtiéndose en algunas circunstancias en enemigos tan furiosos como fieras, y es probable que aluda a ellos el Apóstol, cuando dice que en Efeso ha tenido que luchar con las fieras. Por lo demás la estancia en Efeso del Apóstol fue de continuo padecer. Nos lo indica él mismo en aquel período de la primera carta a los Corintios que escribió en Efeso: "Hasta la hora presente andamos sufriendo el hambre, la sed, la desnudez, los malos tratamientos, y no tenemos donde fijar nuestro domicilio. Y nos afanamos trabajando con nuestras propias manos. Nos maldicen, y bendecimos; padecemos persecución y la sufrimos con paciencia; nos ultrajan, y retornamos súplicas; somos, en fin, tratados, hasta el presente, como la basura y las heces del mundo, cuando la escoria de todos"[2].

---

(2)   1 Cor., 4, 11-13.

¡Qué terribles y bajas persecuciones debieron desatar contra él los judíos, para hacerle prorrumpir en un lamento tan doloroso!

Pero el ser perseguido es una gloria para los justos, la gloria más grande, según la palabra de David: "Se han multiplicado los que me atormentan; pero tú, oh Señor, eres mi sostén y mi gloria"[3]

★

Abandonada la amplia sala que ofrecía una sinagoga, Pablo pensó en buscar un lugar que pudiese ser tan capaz como el que había dejado. Veía muy bien el numeroso auditorio que le ofrecía la ciudad. Las pequeñas habitaciones de Aquilas y Priscila eran insuficientes para contener a la multitud que con gusto iba a escuchar las enseñanzas de Pablo. Esta vez quiso éste hacer la predicación extrahebraica a gran estilo; puso los ojos en una espaciosa aula que servía para dar clases de filosofía y de gramática al maestro llamado Tiranno. Le hizo a éste la proposición y se pusieron de acuerdo. Tiranno, lo mismo que todos sus colegas de aquel tiempo, daba las lecciones por la mañana: desde el amanecer hasta las once, o a lo sumo hasta el mediodía. La tarde se destinaba al paseo, a la conversación, a los ejercicios físicos y al baño.

También para Pablo el horario era muy cómodo. La mañana la dedicaba al trabajo en el taller de Aquilas. A las cuatro o a las cinco de la mañana solían comenzar entonces los operarios el trabajo, y cuando llegaban, Pablo estaba ya en el taller, y más de un hilo se había añadido a la trama de sus tejidos.

---

(3) Salm., 37, 20; 61, 8.

Cuando el maestro había terminado las lecciones, Pablo se ponía en su puesto y predicaba. La hora era propicia. Los operarios, que como él salían del trabajo, se le acercaban en derredor. Más tarde, apenas terminado el almuerzo que se tomaba al mediodía, venían los comerciantes, los forasteros, los curiosos, toda aquella clase de gentes que preferían pasar la tarde instruyéndose, mejor que en los ejercicios físicos y en los juegos: entretenimientos a los que solían entregarse por las tardes la mayoría.

La entrada de la escuela era amplia y estaba separada de la calle por una balaustrada, con las puertas abiertas, de tal suerte que el que pasaba podía con toda comodidad de una ojeada ver todo el local. Más aún, la voz del orador se oía no sólo del interior sino también desde el exterior, por la amplitud de la puerta.

¡Cuántos forasteros, cuántos curiosos, al pasar por delante de la escuela de Tiranno, y ver, en vez del acostumbrado grupo de muchachos, aquella multitud de obreros y oír aquella voz nueva, entraron y quedaron prendados de aquella doctrina!

Veían que Pablo estaba pobremente vestido como los otros, y veían sus manos de trabajador, callosas, pero, después de haberle oído, no podían contener un sentimiento de simpatía hacia él. Algunos volvían al día siguiente; otros, apenas quedaban libres de sus ocupaciones; muchos se convertían en oyentes asiduos, y así la iglesia de Efeso crecía y se agigantaba. El tomar la escuela de Tiranno fue un acierto de resultados muy felices.

Pablo atendía muy particularmente a los forasteros. Cuando los veía entrar en la escuela se dirigía particularmente a ellos y algunas veces hablaba también con ellos aparte. A sus ojos eran aquéllos el vehículo del Evangelio. Epafras, el apóstol de Colosas y acaso obispo de aquélla y de las ciudades vecinas; Ninfa de Laodicea, Filemón y Arquipo debieron ser ganados para Cristo en la escuela de Tiranno, y con ellos otros muchos de Mileto, de Sardis, de Esmirna y de Gerápoli y en general de todas aquellas ricas localidades del Asia Menor. En dos años la buena nueva se había propagado ampliamente.

Todos los que hubiesen querido, hubieran podido oírla, o bien directamente de los labios de Pablo o de aquellos que habían sido convertidos por él, y a los que el Apóstol mandaba con más o menos amplios poderes a que presidiesen las comunidades que se iban formando.

Tanta abundancia de fruto no provenía exclusivamente de la sola predicación de Pablo. Lo que sacudía a aquellos pueblos, en parte frívolos y en parte llenos de preocupaciones, eran los prodigios que obraba el Apóstol. Pablo era un taumaturgo. No sólo por voluntad suya se cambiaban las leyes de la naturaleza y cesaban las enfermedades, sino que bastaba para producir estos prodigios utilizar cualquiera de las cosas que habían pertenecido al Apóstol. Los familiares le sustraían con excusas algunos de los objetos que usaba, bien el pañuelo con que se limpiaba el sudor, bien alguno de los delantales de lienzo o de piel que usaba para el trabajo, y los distribuían como preciosas reliquias. Sólo al tocar aquellos objetos santificados por el contacto del Apóstol, desaparecían las enfermedades más graves, y hasta los mismos posesos quedaban libres de los espíritus malignos que les atormentaban.

Tales maravillas fueron conocidas por todas partes y producían gran impresión, sobre todo en Efeso, que era una ciudad que podía llamarse la cucaña de las brujas, magos y adivinos.

Entre éstos había algunos que poseían el secreto de ciertas palabras mágicas, trasmitidas de padres a hijos, con las cuales, dándoselas a beber a los patanes, en parte haciendo intervenir al demonio, se procuraban grandes fortunas. Los secretos de Efeso tenían mucha fama en la antigüedad. Se trataba de palabras incomprensibles que, o se repetían como fórmulas sagradas, o bien se llevaban escritas en pequeños papeles, como amuletos, atribuyéndoles poder maravilloso.

Tampoco los judíos se desdeñaban de ejercitar la magia; sobre todo tenían fama de poderosos exorcistas.

Siete hermanos, hijos de un judío llamado Escevas, perteneciente a la familia sacerdotal, eran célebres por sus exorcismos: ellos vieron que decrecía su influencia y, lo que es peor, sus ingresos, desde el momento que fueron conociéndose los prodigios del Apóstol. Para levantar el nivel de sus acciones en baja, pensaron usar el nombre de Pablo y el nombre de Jesús, que siempre tenía Pablo en los labios y en el corazón. No sabemos si con ello obtuvieron al principio algún éxito; lo que sí sabemos es que al fin tuvieron un ruidoso fracaso.

Un día dos de ellos estaban exorcizando un poseso, y diciéndole al espíritu malo: —Yo te conjuro para que salgas de ese cuerpo por aquel Jesús, a quien Pablo predica—, el maligno espíritu respondió: —Conozco a Jesús, y sé quién es Pablo; mas vosotros ¿quién sois?[4] (que tenéis el atrevimiento de pronunciar tales nombres).

Y al instante el hombre que estaba poseído de un pésimo demonio, se echó sobre ellos y los maltrató de tal suerte que los hizo huir de aquella casa desnudos y heridos.

Esto fue conocido con gran rapidez en Efeso, tan-

_____

(4) Hechos, 19, 15.

to entre los judíos como entre los gentiles, produciendo gran terror, sobre todo a los que se dedicaban a las artes mágicas, y el nombre del Señor Jesús era engrandecido. Pablo debió tener por este motivo una instrucción a los cristianos, a fin de que no se dejasen engañar por las apariencias, ni quisiesen hacerse siervos de Satanás, sino que sólo en Jesús pusiesen su confianza.

El éxito demostró que la instrucción había sido oportuna, ya que muchos, aún de los cristianos, habían permanecido con ciertas supersticiones, a las que habían tenido cariño cuando eran paganos; especialmente se tenían en gran estima los libritos de ciencias ocultas y magia, que eran comunísimos en Efeso, y que últimamente habían sido propagados por un cierto Apolonio de Tiana, mago o brujo.

Cuando Pablo les hizo ver el gran mal que era esto, cuando los aterrorizó con la explicación de lo que les había ocurrido a los hijos de Escevas, vinieron muchos a él y llenos de temor confesaron su culpa. También ellos tenían libros de magia.

Pablo entonces aplicó el remedio que jamás ha dejado de aplicar la Iglesia contra los malos libros. Los libros que le llevaron los cristianos fueron muchos y tenían un cierto valor, ya que Lucas calculó que podrían valer cincuenta mil denarios o siclos de plata, poco más o menos diez mil pesos. Vendiéndolos podría haberse aliviado la necesidad de muchos pobres. Pero, cuando se trata de males pestilentes no hay remedio que sea demasiado radical. El Apóstol, aun a trueque de pasar por intolerante y de incurrir en alguna crítica, mandó que se les fuesen llevados y con ellos, a la presencia de todos, se hiciese una gran hoguera.

Verdaderamente era extraordinario el poder de la palabra de Dios, produciendo frutos prodigiosos entre los fieles.

¡Oh, si los cristianos de hoy imitasen el ejemplo de sus antiguos hermanos efesios! ¿Por qué se han de ver en las casas de tantos que se llaman católicos, y con frecuencia en exhibición aparatosa, libros prohibidos por la Iglesia, novelas, que en sus efectos no son menos peligrosas que los libros de magia de aquel tiempo? Estos son la peste de la casa. Acaso mañana un hijo, una hija inocente, por ellos conocerán la culpa y encontrarán la primera piedra en que tropiecen y caigan. Por ahí puede comenzar la ruina. Fuera, por lo tanto, la apatía y la incoherencia.

He visto, reproducido en un cuadro, el episodio de Efeso.

Sobre las gradas de un pórtico predica Pablo la santa cruzada contra los malos libros. Delante de él, en la parte inferior, hombres y mujeres que llevan libros y los arrojan sobre el fuego que arde al pie de la escalinata, sobre el cual está soplando con todas sus fuerzas un jovencito. A los lados de Pablo están dos colaboradores, dos colegas en esta tercera misión. Uno indica con el índice extendido la hoguera a aquellos que llegan por las diversas calles; el otro tiene en la mano una tablita y el estilo, y escribe los nombres de aquellos que traen a quemar los libros.

Los nombres de los que cooperan a la santa cruzada no serán olvidados por el ángel de Dios. El los escribirá en el libro de la vida.

★

Hemos visto buena parte del trabajo de Pablo en Efeso.

Por la mañana, trabajo manual sin descanso; después del medio día, predicación y discusión en la escuela de Tiranno. Las últimas horas de la tarde tampoco las tenía libres. Debía instruir de un modo particular a los que había designado para presidir las numerosas iglesias que se iban formando en toda la región.

¡Oh, el fervor de aquellas tardes, pasadas con uno o varios cristianos, a los que había conferido las órdenes sagradas, el episcopado o el presbiterado!

¡Cuántos consejos, cuántos recuerdos, cuántos preceptos, a fin de que por medio de ellos fructificara con abundancia la semilla evangélica!

¡Cuántos estímulos a los tímidos, cuántas exhortaciones a los apáticos, cuántas reflexiones a los más emprendedores!

Después se celebraba la liturgia, precedida del modesto banquete. En la oración y en las manifestaciones de los dones del Espíritu y en la mutua edificación se ocupaba, varias veces al mes, buena parte de la noche. Pero al alba, muchas veces antes de amanecer, el Apóstol estaba en su puesto del telar para el trabajo manual. De esta manera el día estaba por completo ocupado, y bien ocupado para el servicio de Dios. Todo esto con una salud enfermiza, con un cuerpo quebrantado por la enfermedad, pero no domado; con frecuencia con los escalofríos y la calentura de la fiebre, que le dejaba algunas veces con aspecto tan decaído como si fuese un cadáver ambulante.

Los frutos fueron copiosos. La misión de Efeso produjo, en verdad, el ciento por uno.

Bien pronto se dieron cuenta de ello los que especulaban y vivían a costa de la idolatría; por ello trabajaron con ahinco para detener su ruina, pero en vano.

Cuando el Apóstol Juan vino a Efeso y sucedió, en cierta manera, a Pablo, encontró un campo que

___

(5) Hechos, 20. 17-38.

amarilleaba con las mieses maduras: el cristianismo se había difundido por todas partes. El no tendrá que hacer otra cosa sino dar consejos a los obispos de Jonia y de Lidia. Al de Efeso, fiel y paciente, para que robustezca su caridad; al de Esmirna, pobre y angustiado, para que se prepare a sobrellevar las tribulaciones; al de Pérgamo, para quitar toda su responsabilidad en ciertos escándalos, combatiéndolos enérgicamente y sin tregua; al de Tiatira, caritativo y paciente, para que se oponga y haga desaparecer algunos abusos producidos por una mujer que se decía profetisa; al de Sardis, que sea vigilante; al de Filadelfia le anunciará la ayuda de Dios en la tentación; y al de Laodicea le animará para que salga de la tibieza.

Con esto no quiere decirse que estas iglesias de Asia no sean también una gloria del Apóstol Juan, que las ampliará y más tarde las gobernará con tanta santidad que su nombre quedará unido a ellas y se hará célebre en el Asia Menor, sino solamente reconocer el mérito de Pablo.

Hacia el fin del siglo primero de la Era vulgar el cristianismo estará tan sólidamente establecido en el Asia Menor, que Plinio el joven, desde Bitinia, hubo de escribir la tan conocida carta a Trajano, en la que le manifestaba la imposibilidad de perseguir a los cristianos, dado su gran número.

★

Como si no fuesen suficientes las fatigas de la misión efesina, otras preocupaciones embargaban al Apóstol de las gentes. La solicitud por las diversas iglesias fundadas le tenía seriamente preocupado. Pensaba en los Gálatas, tentados por los judaizantes; en los fieles de Filipos, Berea y Tesalónica, a los que no había visto hacía bastante tiempo; pero los que más le ponían en cuidado eran los de Corinto, de donde cada día recibía noticias más alarmantes.

Las nuevas de Corinto llegaban con cierta celeridad a Efeso, por las muchas naves que iban y venían entre los dos puertos.

Pablo supo que las costumbres de algunos que él había convertido dejaban mucho que desear, y les escribió una carta reprendiéndoles y exhortándoles, una carta que no conocemos por haberse perdido. Esta carta no produjo el efecto deseado; antes por el contrario a los malos les dio motivo para hacer malignas y exageradas interpretaciones. Cuando Pablo supo esto y otras noticias peores que le dieron directamente los de la familia de Cloe, que vinieron a Efeso y le informaron de viva voz, tuvo un dolor muy grande. No pudo salir sino de un alma grandemente afligida la segunda carta que escribió a estos fieles y que conocemos como la primera carta a los Corintios y que ya hemos examinado, al hablar de esta iglesia.

Antes de expedir esta carta, había enviado a la iglesia de Corinto a su querido Timoteo acompañado de otros hermanos; pero como éstos hubieron de dar una vuelta muy grande por pasar por Macedonia, después de su partida la carta fue consignada a los corintios Esteban, Fortunato y Acaico, que le habían traído noticias menos inquietantes que las recibidas de la familia de Cloe.

Una vez que mandó esta carta, crecieron sus preocupaciones. ¿Quién sabe si sería bien recibida? ¿Y si sus malas disposiciones le obligarían a tomar remedios más enérgicos? ¿Y si éstos harían más perjuicios que beneficios? Estaba casi decidido a ir él a Corinto y de esta manera poner término a sus dudas y ansiedadcs, pero le detenía el pensar que su ida podría acaso ser perjudicial. Esperaría a ver el efecto de la carta llevada por Esteban, mientras tanto permanecería en Efeso, para pasar la Pascua de Pentecostés con sus queridos efesios; después iría a Tróade y de allí a Macedonia. Para aquella solemnidad aún faltaban cincuenta días. Durante este tiempo se vio obligado a separarse de otro de sus queridos colaboradores. Temiendo que Timoteo, joven de carácter tímido, tuviese que sufrir inútilmente en Corinto, ignorando si había llegado aún, dado lo largo de la vuelta que tenía que dar por Macedonia, rogó a Tito que fuese directamente desde Efeso por mar. El celo de este discípulo y su tacto obtendrían más fruto.

Aunque con desgana por la dificultad de esta misión, Tito aceptó y en seguida salió hacia Corinto. Se volverían a encontrar en Tróade, a donde pensaba ir Pablo después de la fiesta de Pentecostés. Una voz interna le advertía que pronto habría apagado los deseos que tenía de ir a Roma. No obstante, antes tenía que ir a Jerusalén. El deseo de ver la primera le hacía acelerar su peregrinación a la segunda y su visita a los macedonios y a los corintios.

—Es necesario que yo vaya a Roma —decía con frecuencia a sus amigos. Aquilas y Priscila ya le habían precedido.

★

Estábamos en Mayo, el artemiso consagrado a Diana. Acaso faltaban pocos días para Pentecostés, cuando un suceso inesperado obligó a Pablo a anticipar un poco la proyectada salida de Asia.

Durante todo el mes se desarrollaban grandes fiestas en Efeso. Eran días de francachelas y diversiones, dispuestas a propósito para aumentar el número de peregrinos que de todas partes, en este mes, venían a honrar a la diosa.

Al volver a sus países solían llevar los peregrinos recuerdos del santuario efesino, reproducciones de la diosa o del templo, en madera o más frecuentemente en plata, oro u otros metales. Muchos plateros obtenían de este comercio de artículos religiosos grandes ganancias. Parece que aquel año había disminuído de manera alarmante la venta, y del hecho se creía era la cuasa en gran parte la predicación y actividad del Apóstol.

Es cierto que Pablo por ser judío aborrecía toda imagen, pero como Apóstol no tenía más remedio que predicar contra las falsas supersticiones que intentaban hacer pasar por dioses las obras de la mano del hombre, y más aún contra las impurezas que se hacían en aquel mes, como homenaje a la diosa.

Un rico platero llamado Demetrio que daba trabajo a muchos operarios, los cuales por su cuenta fabricaban templitos y estatuitas metálicas, vista la disminución del negocio y temiendo que al siguiente año fuese peor, si no se preocupaban de quitar las causas, convocó a todos los artistas interesados y les pronunció un discurso en el cual, haciéndoles ver la cesación en la ganancia y simulando celo de religión y patria, logró inflamarles y disponerles a tomar venganza contra el causante de aquel estado de cosas.

"Vosotros sabéis, oh colegas, —les dijo— la ganancia que nos resulta de esta maestría; y estáis viendo y oyendo que no tan solamente en Efeso, mas por toda Asia, Pablo retrae con sus persuaciones y ha hecho mudar de creencia a mucha gente, diciendo que no son dioses los que se hacen con las manos del hombre. Por donde no sólo esta profesión nuestra correrá peligro de ser desacreditada sino, lo que es peor, el templo de la gran diosa Diana perderá toda su estimación, y la majestad de aquella, a quièn toda el Asia y el mundo entero adora, caerá por tierra"[6].

Dice un proverbio: "Si quieres ganarte un enemigo toca a un hombre en el portamonedas". Todos estos hombres, que oyeron el discurso de Demetrio, se convirtieron en enemigos declarados de Pablo; pero dándose cuenta que no habían hecho buen papel manifestando el verdadero motivo de la enemistad, con estudiada malicia se declararon paladines del honor de Diana.

¡Viva la gran Diana de los efesios!, —comenzaron a gritar, deslizándose por las calles en dirección de la casa de Pablo.

La multitud de peregrinos, la plebe que en aquellos días de fiesta llenaba de dinero a todos aquellos que vivían completamente o en parte al menos a la sombra del santuario, oyendo que se trataba de la diosa, se unieron en tropel a la manifestación, cantando himnos a Diana y repitiendo hasta desgañitarse: —¡Viva Diana Efesina!

Llenóse la ciudad de confusión, y mientras tanto el núcleo central de la manifestación, del que formaban parte los artistas a los que había arengado Demetrio, se dirigieron a la casa en donde se alojaba el Apóstol, mas no encontrándole, cogieron a sus compañeros, los macedonios Cayo y Aristarco, y después se dirigieron todos al teatro, llevando como víctimas expiatorias a los dos, a los que intentaban condenar por juicio sumarísimo.

El teatro de Efeso era muy grande. Construido sobre la cuesta de una colina, tenía una gradería imponente que se extendía hasta la cumbre de la montaña, pudiéndose sentar en él más de 20,000 espectadores; no obstante se había llenado hasta lo invero-

_____

(6)   Hechos, 19, 25-27.

símil. La confusión y el vocerío estaban en relación con el número; no se oían más que gritos de vivas y abajo, y sobre todo grandes vítores a Diana.

Cuando Pablo se enteró de lo ocurrido y del peligro que corrían Cayo y Aristarco, quería ir al teatro a toda costa para hablar al pueblo y demostrar su inocencia y así librar de cualquier modo a sus compañeros que sufrían el peligro por él. Pero los discípulos, que habían visto la riada de gente de aquel pueblo en delirio por su diosa, hicieron lo posible por impedírselo. Hasta algunos nobles ciudadanos, amigos de Pablo, y que hacían el oficio de asiarcas, uno de los empleos más honoríficos, le enviaron recados, rogándole se ocultase y no se dejase ver en modo alguno, anunciándole que ante aquella manifestación no había autoridad y todo se hallaba en manos de la plebe, siendo imposible hacerse entender y dar explicaciones, por lo que su presencia constituiría un sacrificio completamente inútil y peligrosísimo. Pablo hubo de plegarse a los ruegos de los discípulos.

Que los enviados de los asiarcas habían dicho la verdad, lo probó el hecho de que muchos judíos que estaban en el teatro y que oyeron se hablaba de ellos, pues muchos los confundían con los secuaces de Pablo, quisieron hablar para descargar su responsabilidad y decir que nada tenían que ver con un hebreo renegado, como con injusticia llamaban a Pablo, pero no lo consiguieron.

Por lo demás unos gritaban una cosa y otros otra, porque todo el concurso era un tumulto y la mayor parte de ellos no sabían a qué se habían juntado. Entre tanto un tal Alejandro, hombre elocuente, habiendo podido salir de entre el tropel, ayudado por los judíos, los que le rogaron hiciese su defensa y acusase a Pablo, pedía con la mano que guardasen silencio, pues quería informar al pueblo. Mas luego que conocieron era judío, todos a una voz se pusieron a gritar por espacio de casi dos horas: —¡Viva la gran Diana de los efesios!

Por fin apareció uno de los magistrados, también él muy temeroso de que aquella sedición desembocase en un grave desorden del cual tendría que dar cuenta al procurador romano, y después de gran trabajo logró sosegar el tumulto.

El secretario o síndico (tal era poco más o menos el oficio de magistrado) conseguido un poco de silencio habló a la multitud diciéndole: "Efesios, ¿quién hay entre los hombres que ignore que la ciudad de Efeso está dedicada toda al culto de la gran Diana, hija de Júpiter? Siendo, pues, esto tan cierto que nadie lo puede contradecir, es preciso que os soseguéis, y no procedáis inconsideradamente. Estos hombres que habéis traído aquí, ni son sacrílegos, ni blasfemadores de vuestra diosa. Mas si Demetrio y los artífices que le acompañan tienen queja contra alguno, audiencia pública hay, y procónsules acúsenle y demanden contra él. Y si tenéis alguna otra pretensión, podrá ésta decidirse en legítimo ayuntamiento. De lo contrario estamos a riesgo de que se nos acuse de sediciosos por lo de este día, no pudiendo alegar ninguna causa para justificar esta reunión"[7]. Dicho esto, hizo retirar a todo el concurso.

La masa del pueblo quedó convencida, habiendo comprendido que había sido reunida con engaño. Demetrio y sus colegas tuvieron que poner buena cara a su mala fortuna, viendo que el tumulto no había dado el fruto que ellos esperaban.

Después de este suceso comprendió Pablo que su presencia en Efeso podía traer nuevos desórdenes, no tanto por parte de los paganos y de los plateros fra-

---

(7) **Hechos, 19,** 35-40.

casados en esta intentona, como de los judíos, que habiéndose visto en peligro de ser comprometidos a causa de él, no habrían dejado de causarle molestias, y perseguirle con más furor aún que en el pasado. Reunió a los discípulos, les predicó las últimas exhortaciones y los más preciosos consejos, les saludó como despidiéndose de ellos y se dirigió hacia Tróade, probablemente por vía marítima.

Cuando la nave se alejó del puerto y Efeso apareció espléndida a la vista, y buena parte de las riberas de Jonia, con las ciudades adonde había enviado sus representantes y donde florecían tantas y tantas comunidades cristianas, el corazón de Pablo, lleno de pena por la precipitada salida, debió palpitar con vehemencia por la alegría.

¡Cuánto bien se había hecho, en poco más de dos años, en aquella parte de Asia!

EL PRESAGIO DE LAS CADENAS

En Tróade Pablo estuvo poco tiempo, pero el tiempo que estuvo procuró aprovecharlo. No sabemos si en Tróade había ya un núcleo de cristianos, o si esta iglesia comenzó entonces con la predicación de Pablo. Sea lo uno o lo otro, lo cierto es que el fruto en esta estancia fue abundante, ya que el Apóstol confiesa que tuvo mucho trabajo y grandes esperanzas, si se hubiese podido detener algo más. Pero la preocupación por no haber encontrado a Tito, que le debía traer noticias de Corinto, y el no llegar éste en los días que estuvo en Tróade le quitaban la calma y el arrojo de que tenía necesidad para trabajar solo, o casi solo, como se encontraba entonces.

No sabiendo nada de Tito y conociendo por otra parte que éste tenía que pasar por Macedonia, según el itinerario trazado con anticipación, abandonó a Tróade con dirección a Macedonia, probablemente a Filipos. Aquí se consoló viendo el estado floreciente de su cristiandad no obstante tuvo tanto que sufrir que no encontró reposo. Los judíos y judaizantes no le perdonaban y por otra parte la frialdad de algunos cristianos le hacía llorar de dolor.

Al fin llegó Tito y trajo buenas noticias. El Apóstol se sintió aliviado, readquirió la energía que le era habitual y escribió otra carta a los corintios, que conocemos como la segunda a esta iglesia, y teniendo presente el viaje a Jerusalén que pensaba hacer pronto, se dio con todo interés a la tarea de recoger limosnas que intentaba llevar a la iglesia madre. También estimuló a los suyos con ese mismo fin para que incrementasen las limosnas. Quería vencer la prevención de aquellos hermanos que tan fríamente le habían recibido la última vez que estuvo en Jerusalén, haciéndoles en cierto modo tocar con sus manos el grande amor que les tenía y mostrándoles cómo pensaba en ellos, aun cuando estuviese muy lejos.

Basta reproducir un solo fragmento de la carta que entonces escribió a los corintios, para ver el interés que ponía en que la limosna que llevase a Jerusalén adquiriese un volumen importante.

"Los macedonios —escribe—, se han mostrado espontáneamente generosos, según su posibilidad y aun más de lo que podían, rogándonos con muchas instancias que aceptásemos sus limosnas y permitiésemos que contribuyesen por su parte al socorro que se da a los santos de Jerusalén. Y en esto no solamente han hecho lo que ya de ellos esperábamos, sino que se han entregado a sí mismos primeramente al Señor, y después a nosotros mediante la voluntad de Dios; y esto es lo que nos ha hecho rogar a Tito que, conforme ha comenzado, acabe también de conduciros al cumplimiento de esta buena obra, a fin de que, siendo, como sois, ricos en todas cosas, en fe, en palabra, en ciencia, en toda solicitud, y además de eso en el amor que me tenéis lo seáis también en esta especie de gracia. No lo digo como quien os impone una ley, sino para excitaros con el ejemplo de la solicitud de los otros, a dar pruebas de vuetsra sincera caridad. Porque bien sabéis cuál haya sido la liberalidad de nuestro Señor Jesucristo, el cual, siendo rico, se hizo pobre por vosotros a fin de que vosotros fueseis ricos por medio de su pobreza.

"Porque en orden a la asistencia que se dispone a favor de los fieles de Jerusalén, para mí es por demás el escribiros. Pues sé bien la prontitud de vuestro ánimo; de la cual yo me glorío entre los macedonios, diciéndoles que la provincia de Acaya está ya pronta desde el año pasado a hacer esa limosna, y que vuestro ejemplo ha provocado la santa emulación de muchos. Sin embargo, he enviado ahí a esos hermanos a fin de que no en vano me haya gloriado de vosotros en esta parte, y para que estéis prevenidos, como yo he dicho que estabais; no sea que cuando vinieren los de Macedonia conmigo, hallasen que no tenéis recogido nada, y tuviésemos nosotros (por no decir vosotros), que avergonzarnos por esta causa. Por tanto, he juzgado necesario rogar a dichos hermanos, que se adelanten y den orden de que esa limosna, de antemano prometida, esté a punto, de modo que sea ese un don ofrecido por la caridad, y no como arrancado a la avaricia.

"Lo que digo es: que quien escasamente siembra, cogerá escasamente, y quien siembra a manos llenas, a manos llenas cogerá. Haga cada cual la oferta conforme lo ha resuelto en su corazón, no de mala gana, o como por fuerza: porque Dios ama al que da con alegría"[1].

Además, ¡qué delicadeza en la administración de estas colectas!

Pablo manda a otros para que las recojan y, cuando haya que llevarlas, hermanos pertenecientes a diversas iglesias le acompañarán y deberán ser testigos de la entrega de aquellas limosnas a los fieles a quienes iban destinadas.

(1)   2 Cor., 8, 1-9; 9, 1 7.

Desde Macedonia el Apóstol fue a Grecia, yendo a Corinto.

Después de todas las borrascas y malas inteligencias que le habían hecho temblar por el bienestar de aquella cristiandad, ¡cuánto debió confortarle la estancia de tres meses entre ellos!

Desde allí escribió una carta a los fieles de Galacia y otra a los romanos; ésta fue llevada por Febe de Cencreas, la que hospedó al Apóstol, cuando éste desembarcó en el puerto oriental de Corinto.

Ahora Roma estaba sobre todos sus pensamientos y como para preparar el terreno de su apostolado, sintió la necesidad de ponerse en comunicación con los cristianos de la Urbe; por esto escribió la célebre carta a los romanos, en la cual, después de manifestarles el afecto que les tiene y que siempre se acuerda de ellos en la oración, les dice que quiere verlos para mutua edificación. Trata luego en ella la tesis de la posición de los gentiles y judíos con relación a la vocación a la fe; toma partido contra los judaizantes, habla de la Ley y de las promesas hechas a Abrahán, y demuestra que la justificación solamente nos viene por la fe en Jesucristo. Después siguen varios preceptos morales y termina con los saludos para todos y para muchos en particular, entre los que se encuentran Aquilas y Priscila. Vamos a reproducir el fragmento de la carta, en que se excusa de haber escrito a una iglesia que no ha cuidado él. El Apóstol se ve precisado a hablar de sí mismo, aumentando de este modo de los testimonios en su favor:

"Por lo que hace a mí, estoy bien persuadido, hermanos míos, de que estáis llenos de caridad y de que tenéis todas las luces necesarias para instruiros los unos a los otros. Con todo, os he escrito esto, oh hermanos, y quizá con algún atrevimiento, sólo para recordaros lo mismo que ya sabéis; según la gracia que me ha hecho Dios, de ser ministro de Jesucristo entre las naciones, para ejercer el sacerdocio del Evangelio de Dios, a fin de que la población de los gentiles le sea grata, estando santificada por el Espíritu Santo. Con razón, pues, me puedo gloriar en Jesucristo del suceso que ha tenido la obra de Dios. Porque no me atreveré a tomar en boca sino lo que Jesucristo ha hecho por medio de mí para reducir a su obediencia a los gentiles, con la palabra y con las obras, con la eficacia de los milagros y prodigios, y con la virtud del Espíritu Santo; de manera que desde Jerusalén, girando a todas partes hasta el Ilírico, lo ha llenado todo el Evangelio de Cristo; por lo demás, al cumplir con mi ministerio, he tenido cuidado de no predicar el Evangelio en los lugares en que era ya conocido el nombre de Cristo, por no edificar sobre fundamento de otro; verificándose de esta manera lo que dice la Escritura: —Aquellos que no tuvieron nuevas de él, le verán; y los que no le han oído, le entenderán o conocerán.

"Esta es la causa que me ha impedido muchas veces el ir visitaros y que hasta aquí me ha detenido. Pero ahora, no teniendo ya motivo para detenerme más en estos países, y deseando muchos años hace, ir a veros, cuando emprenda mi viaje para España espero al pasar visitaros y ser encaminado por vosotros a aquella tierra, después de haber gozado algún tanto de vuestra compañía.

"Ahora estoy de partida para Jerusalén en servicio de los santos, porque la Macedonia y la Acaya han tenido a bien hacer una colecta para socorrer a los pobres de entre los santos de Jerusalén"[2]

---

2) Rom., 15, 14-26.

Había pasado ya casi un año desde que salió de Efeso, y la primavera del año 59 de la Era vulgar estaba avanzada.

Pablo pensó que, embarcándose en alguna nave que se dirigiese a Siria, habría podido llegar a Jerusalén antes de Pascua y así podría celebrar la gran solemnidad con los "santos" de la iglesia madre.

Estaba ya para embarcarse, cuando recibió aviso de que los judíos habían urdido un complot contra él. Estos debían saber que llevaba dinero y sobornando a algún capitán sin escrúpulo, mejor dicho sin conciencia, le habían inducido a que se deshiciese del Apóstol cuando hubiesen estado en alta mar.

Los judíos, por fin, habrían logrado hacer desaparecer a su enemigo, y el capitán y los marineros cómplices habría obtenido un buen provecho económico de su delito. La Providencia deshizo los proyectos criminales de aquellos malvados.

Decidió entonces embarcarse ocultamente con dirección a Macedonia, acaso a Tesalónica, adonde llegaron felizmente Pablo y sus muchos compañeros, los que iban con él como representantes de las diversas iglesias que habían contribuido en la colecta para la iglesia de Jerusalén. Eran éstos Sosipatro de Berea, Aristarco y Segundo por Tesalónica, Gayo y Timoteo de Derbe, Títico y Trófimo de Asia Menor, y Lucas y Tito que habían recogido las limosnas en Corinto.

No habiendo podido celebrar Pablo la Pascua en Jerusalén, por las insidias judaicas, quiso celebrarla con sus fieles de Filipos. Por ello se fue a Filipos con Lucas, que había sido el jefe de aquella iglesia, y a los demás les mandó que continuasen el viaje hasta Tróade, en donde volverían otra vez a unirse.

Acaso en casa de Epafrodito, obispo de aquella ciudad, o en casa de Lidia, fervorosa y generosa, fue celebrada con júbilo espiritual aquella Pascua de la que Pablo se acordará con nostalgia, en las cuatro Pascuas que tendrá que pasar en cadenas.

Pasados los ocho días, Pablo y Lucas fueron a Neápolis, acompañados por algunos hermanos que pusieron gran cuidado en buscarles una nave para la travesía. Por entonces no encontraron barco alguno que les fuese propicio, y alquilaron una barca grande, que empleó cinco días para llegar a Tróade. mientras otra vez en dos días habían hecho la travesía en sentido contrario.

En Tróade encontraron a sus compañeros y allí pasaron todos juntos una semana, durante la cual el Apóstol procuró completar el trabajo de evangelización interrumpido por ir en busca de Tito.

La víspera de la marcha de Tróade, un sábado por la tarde, se reunió toda la cristiandad para hacer lo que podríamos llamar una comunión general, *cum convenissemus ad frangendum panem*, y para oír otra vez la palabra de Pablo. Era media noche, y él continuaba hablando a aquella fervorosa reunión, que se había congregado en una de las habitaciones del tercer piso de la casa de un hermano.

En la sala de la reunión había gran copia de luces, y los reunidos eran muchos. Por eso se habían abierto las ventanas a fin de que entrase un poco de fresco; sobre el vuelo o alféizar de una ventana se había sentado un mancebo llamado Eutico. También él escuchaba con atención la palabra del Apóstol, pero al pasar el tiempo le venció el sueño y, perdido el equilibrio, cayó desde el tercer piso al suelo y le levantaron muerto.

La emoción fue muy grande y mientras unos prorrumpian en lamentaciones, otros muchos bajaron rápidamente la escalera para recogerle. También Pablo bajó y echándose sobre él como lo hicieron en otro tiempo 'Elías y Eliseo para obrar una resurrección, abrazó el cadáver, y luego dirigiéndose a los que se entregaban al desconsuelo, les dijo: —No os asustéis, pues está vivo—. Y sin cuidarse más del asunto, como para quitar importancia al gran milagro que acababa de hacer, volvió a subir Pablo, para la fracción del pan, y comió, continuando su discurso hasta la aurora. Después se marchó. Mientras tanto reapareció en la asamblea Eutico sano y salvo, testigo viviente de la santidad del Apóstol. Pablo se despidió en seguida de la reunión, y mandó a sus compañeros que se embarcasen para Aso, mientras él, a pie, encaminábase al mismo punto de destino. Quizas Pablo abrigaba miras apostólicas sobre los pueblos del trayecto. Llegado que hubo a Aso se unió al resto de la comitiva, en la nave que se dirigía a Mitilene.

No sabemos el porqué de este viaje solitario. Acaso para estar unas horas más en Tróade, que distaba unos cuarenta kilómetros de Aso, o más probablemente para ver algún hermano que habitaba en un pueblo del trayecto.

Desde Mitilene en un día llegaron a Quío y en otros a Samos.

Navegando desde Samos hacia Mileto, apareció Efeso a la caravana apóstolica en su mágica belleza a los ojos del cuerpo y en su belleza espiritual a los de la mente. La tentación de descender del barco y saludar otra vez a aquellos fieles fue grande para el Apóstol. Pero si hubiese descendido, ¿quién podía garantizarle que los efesios no hubiesen hecho dulce violencia, para que permaneciese una temporada con ellos?

¿Y habría él tenido fuerza de voluntad para resistir aquellas afectuosas presiones? Faltaban sólo veinticinco días para Pentecostés y había decidido celebrar esta solemnidad en Jerusalén. Por ello no atracaron en Efeso, pero apenas llegaron al otro día a Mileto, envió Pablo a Efeso a llamar a los ancianos o presbíteros de la iglesia, para saludarles y darles los consejos que juzgaba necesarios.

El discurso que les dirigió, y que Lucas ha conservado en sus líneas maestras, es una cosa solemne. Pablo les anuncia su pasión que se acerca, pero con una calma y grandeza de ánimo, que nos graba en la mente cómo debía estar el Apóstol en aquella triste hora: como un padre que se separa de sus hijos y que va de cara hacia la venganza judaica, aún incierta para él en sus circunstancias, pero cierta en sus puntos más trágicos.

Hablaba a los jefes de la iglesia por eso no era el caso de hablar con veladuras y medias palabras; debía decirse toda la verdad, desnuda, que debe saberse afrontar por aquellos que por vocación han de ser grandes.

Acaso estaban reunidos en alguna rústica taberna, o acaso en la playa al aire libre, a poca distancia de la nave, lo suficiente para librarse de la mirada indiscreta de los marineros.

El discurso no necesitaba preámbulos. Pablo les dijo:

"Vosotros sabéis de qué manera me he portado todo el tiempo que he estado con vosotros, desde el primer día que entré en el Asia, sirviendo al Señor con toda humildad y entre lágrimas, en medio de las adversidades que me han sobrevenido por la conspiración de los judíos contra mí; cómo nada de cuanto os era provechoso he omitido de anunciaroslo en público y por las casas, exhortando o los judíos y a los gentiles a convertirse a Dios y a creer sinceramente en nuestro Señor Jesucristo.

"Al presente, constreñido del Espíritu Santo, yo voy a Jerusalén, sin saber las cosas que me han de acontecer allí. Solamente puedo deciros que el Espíritu Santo en todas las ciudades me asegura y avisa que en Jerusalén me aguardan cadenas y tribulaciones. Pero yo ninguna de estas cosas temo; ni aprecio más mi vida que mi alma, siempre que de esta suerte concluya felizmente mi carrera, y cumpla el ministerio que he recibido del Señor Jesús, para predicar el Evangelio de la gracia de Dios.

"Ahora bien, yo sé que ninguno de todos vosotros, por cuyas tierras he discurrido predicando el reino de Dios, me volverá a ver. Por tanto os protesto en este día, que yo no tengo la culpa de la perdición de ninguno, pues que no he dejado de intimaros todos los designios de Dios.

"Velad sobre vosotros y sobre toda la grey, en la cual el Espíritu Santo ha instituido obispos, para gobernar la Iglesia de Dios, que ha ganado él con su propia sangre. Porque sé que después de mi partida os han de asaltar lobos voraces que destrocen el rebaño, y de entre vosotros mismos se levantarán hombres que sembrarán doctrinas perversas con el fin de atraer a sí discípulos. Por tanto estad alerta, teniendo en la memoria, que por espacio de tres años no he cesado de día ni de noche de amonestar con lágrimas a cada uno de vosotros.

"Y ahora, por último, os encomiendo a Dios, y a la palabra o promesa de su gracia, a Aquel que puede acabar el edificio de vuestra salud, y haceros participar de su herencia con todos los santos. Yo no he codiciado ni recibido de nadie plata, ni oro, ni vestido, como vosotros mismos lo sabéis; porque cuanto ha sido menester para mí y para mis compañeros, todo me lo han suministrado estas manos con su trabajo. Yo os he hecho ver en toda mi conducta, que trabajando de esta suerte es como se debe sobrellevar los flacos, y tener presente las palabras del Señor Jesús cuando dijo: 'Mucho mayor dicha es el dar, que el recibir'."[3].

Todos se conmovieron, y cualquier palabra para responderle era superflua. Cada uno lo comprobaba dentro de su corazón. Pablo se arrodilló para encomendar a Dios a aquellos obispos en cuyas manos dejaba los hijos que espiritualmente había engendrado en el Señor. También los obispos rezaban, y la oración era interrumpida por los gemidos y los sollozos del padre y de los hijos.

Cuando se levantó Pablo, éstos se acercaron a él uno después de otro para abrazarle y besarle, como se besa a un padre que da el último adios. Aquella palabra suya: —Vosotros no volveréis a ver mi cara—, se había clavado como una espada en el corazón de todos. Conocían suficientemente su santidad: y no tenían más remedio que inclinar tristemente la cabeza ante una realidad que no puede evitarse.

Pablo volvió hacia el mar con sus compañeros, acompañado de todos los presbíteros presentes, los que no se movieron de la playa hasta que no se perdió en el horizonte la silueta de la pequeña nave que llevaba al Apóstol.

El navío encaminóse directamente a Coos y al siguiente día llegaron a Rodas, la isla de las rosas, de clima y panoramas encantadores; por eso debió aparecer ésta a la pequeña caravana como una maravilla en aquella primavera ya muy adelantada. De aquí en un día llegaron a Pátara, que sirve de puerto, en la costa de Licia, a Xanto, capital de la provincia.

_____

(3) Hechos, 20, 18-35.

Aquí encontraron varias naves, entre ellas una que estaba para zarpar con dirección a Fenicia. Pablo juzgó conveniente despedirse de la nave alquilada en Neápolis por los filipenses y embarcarse en la nave fenicia, cuya marcha sería mucho más rápida.

En efecto se dirigieron directamente hacia Tiro, no teniendo necesidad de hacer escalas. Hacia la mitad del viaje vieron a su izquierda la isla de Chipre. Para los compañeros de Pablo no tenía importancia alguna. Tampoco él la consideraba como su campo de acción, pero seguramente que se la indicaría a ellos diciéndoles: —Allí Bernabé ha trabajado con fruto por la gloria de Dios—. Acaso les habló de la ceguera temporal de Barjesús y de la conversión de Sergio Pablo.

El Apóstol había llegado para este tiempo a tal altura espiritual, y comprendía tan perfectamente los prodigios de la gracia, que podía hablar sin la sombra de vanidad que suele atacar a los hombres de espíritu pequeño.

En Tiro la nave debía descargar sus mercancías y cargar otras nuevas, lo que la detuvo una semana. Pablo y los suyos emplearon aquellos días en conversaciones con aquella cristiandad, con la que tenía ya unión de afectos. Era una de aquellas comunidades formadas por hebreos helenitas a la muerte de Esteban, cuando Saulo perseguía a la Iglesia de Dios. Acaso alguno de aquellos cristianos le había visto en el furor de su rabia llevar al Sanedrín los cristianos cargados de cadenas; acaso alguno hubiera tenido que salir de Jerusalén para esquivar su persecución. Pero después le habían recibido como Apóstol, le habían acogido con la alegría, al dirigirse a la asamblea de Jerusalén, cuando tuvo ocasión de detenerse unos días con ellos y contarles las conquistas que había hecho para Jesús en el centro de Asia.

En esta segunda visita, durante las reuniones, más de uno de aquellos cristianos conoció por revelación del Espíritu Santo los males que esperaban a Pablo en Jerusalén. Por eso le rogaban permaneciese con ellos para Pentecostés y procuraban disuadirle de su viaje, pero él sabía que iría a Roma y conocía que antes debía ir a Jerusalén. Por eso apenas la nave estuvo pronta se embarcó.

Todos quisieron acompañarle hasta la nave, hombres, mujeres y niños. Cuando llegaron a la playa, se arrodillaron todos para orar en común, y después de cambiar entre sí los más afectuosos saludos, se separaron.

Sólo siete días bastaron para consolidar profundamente los vínculos de mutua simpatía y caridad, que les obligaron a aquella demostración, en la que ninguno quiso quedar ausente.

De Tiro a Tolemaida, hoy San Juan de Acre, es breve la navegación. Apenas se echaron las anclas, la caravana apostólica descendió a tierra y estuvieron un día con aquella comunidad, continuando después el viaje para Cesarea, adonde podrían cómodamente haber ido por mar. Acaso la nave tenía necesidad de estar más días en Tolemaida, y Pablo prefirió el ir a pie.

Como le fue posible aún entretenerse algunos días, dada la ventaja obtenida por la mayor celeridad de la nave fenicia, prefirió estar en Cesarea mejor que en Tolemaida.

★

Cesarea era entonces una ciudad importante en la que había una cristiandad muy numerosa y ferviente que simpatizaba con Pablo. A la cabeza de ella estaba uno de aquellos diáconos, que se habían elegido por tener una ecuánime distribución de lo necesario para la vida, y consolidar los vínculos de hermandad entre los hierosolimitanos y helenistas.

El diácono Felipe pronto se había entregado al apostolado fuera de Jerusalén. Tuvo, puede decirse, el espíritu de Pablo antes de la conversión de él. De hecho, inmediatamente después de la muerte de Esteban predicó con gran fruto en Samaría, y el Señor le reservó, entre otras, la gloria de una conversión célebre, la del ministro de la reina Candace[4].

Después se retiró a Cesarea, sede importantísima, porque abundaban los extranjeros y residía el representante de los romanos, con jurisdicción en toda la Palestina. Las cuatro hijas de Felipe, solteras, se habían consagrado a aquella parte del apostolado que es consentido a una mujer: las obras de caridad y de piedad. El Espíritu Santo les había dado aquellos dones que les disponían a la mayor edificación de los fieles. Lucas dice que eran profetisas.

Pablo se hospedó en casa de Felipe y allí pasó unos pocos días de calma y paz familiar, que Dios concedió al vaso de elección, antes de exponerle a las venganzas judaicas. Pero también aquí el Espíritu hizo conocer lo que le esperaba, más aún, la profecía fue más precisa y solemne. Fué manifestada esta profecía por Agabo, el que había predicho la carestía de Jerusalén y dado ocasión a la segunda visita de Pablo convertido a aquella ciudad.

Agabo, llegado que fue a Cesarea, entró en casa de Felipe y, acercándose a Pablo, cogió su ceñidor y atandose con él las manos, dijo: —Esto dice el Espíritu Santo: atarán los judíos en Jerusalén al hombre, cuyo es este ceñidor, y han de entregarle en manos de los gentiles.[5]

---

(4) Hechos, 8, 26-40.
(5) Hechos, 21, 11.

La autoridad de Agabo confirmaba de manera impresionante los presagios del Espíritu manifestados en varias iglesias por los hermanos.

Los fieles de Cesarea rogaban a Pablo que interrumpiese su viaje ante una amenaza tan clara. Los mismos compañeros se unían a estos ruegos. Los fidelísimos Timoteo, Lucas, Tito y demás, con lágrimas en los ojos imploraban que cambiase de itinerario, pero Pablo no cedió. Una voz interna le decía que iría a Roma, y que ahora debía subir a Jerusalén.

"¿Por qué lloráis?, les dijo. Con ello no hacéis más que afligir mi corazón. Porque yo estoy pronto, no sólo a ser aprisionado, sino también a morir en Jerusalén por el nombre del Señor Jesús".[6]

Al oír estas palabras, dichas con firmeza, cesaron las insistencias de los hermanos y se manifestó la dulzura de la dolorosa renunciación y de la conformidad a la voluntad de Dios con la invocación verdaderamente cristiana: —Hágase la voluntad de Dios.

Los compañeros de Pablo estaban ahora preparados, y él, pasados unos días, subió a Jerusalén con ellos, como lo hizo Jesús con sus Apóstoles.

Entre los fieles de Cesarea se encontraba un antiguo discípulo llamado Mnasón, oriundo de Chipre, que se unió a ellos con algunos otros hermanos. Era éste de los primeros que se convirtieron a la fe, y probablemente tuvo que marchar de Jerusalén por la persecución de Saulo. Aun tenía abierta casa en Jerusalén y la puso a disposición del Apóstol, que aceptó la oferta, aunque tenía allí una hermana y sobrinos.

Cuando Pablo y los suyos vieron la ciudad santa, no podrían menos de recordar las palabras del Divino Maestro y su llanto sobre la ciudad ingrata.

_____

(6) **Hechos, 21, 13.**

ANTE LOS TRIBUNALES

La caravana apostólica tuvo una acogida afectuo-sa, la tarde que llegaron, por parte de los cristianos helenitas, que si bien en corto número, aún se conservaban en Jerusalén. A la mañana siguiente fueron todos a casa de Santiago el Menor, obispo de la ciudad.

La noticia de la llegada de Pablo se difundió rapidísimamente en el ambiente cristiano, y los presbíteros venían ante el primo del Señor para informarle y consultar con él. Aunque éstos tenían ideas más amplias que la masa de los fieles, había también entre ellos alguno, que si bien no era enemigo de Pablo, ciertamente le miraba como algo sospechoso. En cierto modo la asamblea presedida por Santiago, ante la cual estaba Pablo, representaba el primer tribunal entre los muchos antes los que deberá comparecer en este período.

Pablo manifestó todo lo que había hecho, las maravillas que el Señor había obrado por su medio, catalogó las numerosas iglesias que habían surgido desde la Palestina hasta Iliria, el fervor y los dones del Espíritu Santo que en ellas se manifestaban. Sus colaboradores, que representaban el Asia Menor, Grecia y Macedonia, confirmaron cuanto expuso el Apóstol. Como prueba de la caridad que a todos unían con la iglesia madre, fueron depositadas en manos de los ancianos las revelantes sumas obtenidas en las varias colectas hechas.

Pablo había hablado con verdadera inspiración, y de todo lo dicho aportó pruebas irrefragables. Los ancianos dieron gracias a Dios por los triunfos de la Iglesia de Cristo; pero ellos también sabían el mal humor que invadía a los cristianos de Jerusalén contra el Apóstol de las gentes y conocían también el odio que le tenían los hebreos. Pos eso, de los hebreos tenía que guardarse con prudencia. Con relación a los cristianos convenía darles una cierta satisfacción, para hacerles ver cómo la mayoría de las cosas que decían de él eran calumnias.

"Ya ves, hermano —le dijeron—, cuántos millares de judíos hay que han creído, y que todos son celosos de la Ley. Ahora, pues, éstos han oído decir que tú enseñas a los judíos que viven entre los gentiles, a abandonar a Moises, diciéndoles que no deben circuncidar a sus hijos, ni seguir las antiguas costumbres. ¿Qué es, pues, lo que han de hacer? Sin duda se reunirá toda esta multitud de gente, porque luego ha de saber que has venido. Por tanto haz esto que vamos a proponerte: aquí tenemos cuatro hombres con obligación de cumplir un voto. Unidos a éstos purifícate con ellos, y hazles el gasto en la ceremonia, a fin de que se hagan la rasura de la cabeza; con eso sabrán todos que lo que han oído de ti es falso, antes bien, que aún tú mismo continúas en observar la Ley"

Pablo aceptó.

¿Por qué no aceptar? ¿Acaso el voto de nazarea-

_____

(1) Hechos, 21, 20-24.

237

to era algo que hiriese sus convicciones? ¿No lo había emitido él y cumplido cuatro años antes? ¿Engañaba a los de Jerusalén acerca de sus ideas y convicciones? No. El lo confesaba con toda claridad siempre que tenía ocasión; estaba dispuesto a hacerse judío con los judíos, y gentil con los gentiles, para ganarlos a todos para Cristo. Había afirmado que estaba dispuesto a no volver a probar carne en toda su vida, si el comerla pudiese escandalizar a alguno. Y no obstante también había dicho que toda clase de comidas era indiferente para él. Con mayor motivo podía ahora cumplir una obra de piedad en el Templo del verdadero Dios y al mismo tiempo hacer un acto de caridad con cuatro cristianos necesitados.

Tomó consigo los cuatro nazarenos y al siguiente día se presentó en el Templo, purificándose con ellos y después, como la terminación del voto era diferente para cada uno de ellos, se puso de acuerdo con los sacerdotes acerca de los días diversos, en los que se presentaría con cada uno de ellos para ofrecer o el cordero, o la oveja, o el carnero, y los panes y las hogazas. La última oferta se haría a los siete días.

Mientras tanto Pablo vivía con los suyos en casa de Mnasón. Un día salió por la ciudad con uno de ellos: Trófimo de Efeso. Algunos judíos efesinos, que habían venido a Jerusalén para celebrar la Pentecostés, les reconocieron a los dos. Puede darse que estuviesen entonces en los alrededores del Templo, acaso en el atrio reservado a los gentiles, pero no puede saberse por lo que dicen los *Hechos*. Estos debieron decir para sí: —¡Sería capaz de introducir a sus secuaces hasta el atrio del Templo, reservado a los judíos!

Jamás se le habría ocurrido a Pablo tal cosa, pero la confusión de las ideas era fácil, sobre todo si la malignidad metía mano. Los gentiles que iban con él se unían en las asambleas de las hebreo-cristianos y se sentaban a la par que ellos. ¿Quién sabe si no sacarían consecuencias presuntuosas?

★

El ecceso al Templo estaba dividido en tres recintos. En el primero, muy amplio, podían entrar todos, aun los gentiles. En el segundo, una terraza superior, sólo podían entrar los hebreos, y en éste se encontraban las purificaciones, al terminar el voto. En el tercero, aun más alto, se levantaba el Templo.

En los pasos entre el primer y segundo recinto se encontraban varias inscripciones que indicaban aquella especie de clausura para los gentiles. La pena para el que violase aquella ley se manifestaba también con toda claridad.

"Ningún extranjero —decían las inscripciones— tenga el atrevimiento de penetrar dentro de la balaustrada que rodea el lugar santo. Si alguno es sorprendido en él, será castigado con pena de muerte".

Era el séptimo día, y Pablo estaba en el atrio de los hebreos para cumplir las purificaciones juntamente con el último de sus nazarenos, cuando fue visto por aquellos judíos de Efeso, que ya le habían reconocido antes en compañía de Trófimo.

Bien fuese por pura malicia, o bien porque habían confundido con Trófimo, alguno de los que estaban cercanos al Apóstol, lo cierto es que se asomaron a la balaustrada, que daba sobre el atrio de los gentiles, y dieron la voz de alarma con palabras capaces de poner en revolución toda ciudad.

"Hombres de Israel, favor: éste es aquel hombre, que, además andar enseñando a todos en todas partes contra la nación, contra la Ley, y contra este santo

239

lugar, ha introducido también a los gentiles en el Templo y profanado este lugar santo".[2]

Todos los hebreos que estaban en el atrio de los gentiles subieron a toda prisa al de los hebreos, donde los asiáticos habían rodeado ya a Pablo y le amenazaban. Se acercaron también ellos y comenzaron a darle empellones y hacerle bajar al primer atrio. Entre tanto la noticia de la violación del Templo se extendía repidísimamente fuera del mismo, y de todas partes llegaba gente para tomar parte en la venganza por el ultraje sacrílego cometido. Pablo intentó protestar y demostrar su inocencia, ¿pero quién le escuchaba? Una granizada de bofetadas, empellones y toda clase de vejámenes descargaba sobre él de aquella ingente y anónima multitud. Los sacerdotes, temiendo que intentase escapar de manos de sus perseguidores para volver a entrar en el Templo, donde hubiera podido pedir el derecho de asilo, cerraron las puertas apenas la multitud había salido fuera. Ahora podían apedrearle a su gusto.

Y verdaderamente, éste hubiese sido el fin del Apóstol, si desde lo alto de la torre Antonia, donde residía la guardia romana, y que estaba en comunicación con el atrio de los gentiles, los centinelas no hubiesen dado la voz de alarma.

—Toda la ciudad está alborotada— dijeron al tribuno. Al punto éste marchó con los soldados y centuriones, y corrió al lugar donde estaba Pablo.

Los judíos, apenas vieron aparecer al tribuno y la tropa, cesaron de maltratar al Apóstol. Entonces el tribuno le prendió y mandóle asegurar con dos cadenas; y preguntaba quién era y qué había hecho. Mas en aquel tropel de gente quién gritaba una cosa, quién

_____

(2) Hechos, 21, 28.

240

otra. Y no pudiendo averiguar lo cierto a causa del alboroto, mandó que lo condujesen a la fortaleza.

Algunos días antes se había producido un alboroto por algunos de los llamados Celosos de Palestina, engañados por un judío egipcio que se hacía pasar por el Mesías, asegurando a sus secuaces que él arrojaría a los romanos de Jerusalén, restituyendo a ésta la libertad, y que los muros de la ciudad caerían a una señal suya, como al sonido de las trompetas habían caído los de Jericó. El procurador romano había dispersado aquel ejército irregular muy fácilmente, pero el jefe se le había escapado y continuaba molestando y trastornado las masas.

El tribuno, al encontrarse delante de esta improvisada manifestación creyó que Pablo fuese el egipcio que se le había escapado días antes; por eso había mandado los soldados que le condujesen a la fortaleza.

Cuando la multitud se dió cuenta de que el que ellos creían sacrílego se les escapaba de las manos, se abalanzó imponente sobre los soldados que se disponían a subir la escalinata de la Torre Antonia. Estos tuvieron que luchar a brazo partido para no dejarse arrancar de las manos el prisionero. Llegados a las gradas, tuvieron precisión los soldados de llevarle en volandas a causa del furor popular, bajo la vigilancia directa del tribuno Lisias que estaba detrás. Mientras tanto la multitud le seguía gritando:

—¡Que muera, que muera!

Cuando llegaron a la parte superior de la escalinata, estando para entrar en la fortaleza, Pablo se volvió hacia el tribuno y le dijo: "¿No podré hablarte dos palabras?" A lo que respondió el tribuno: "¿Tú hablas en griego? Pues qué, no eres tú egipcio que los días pasados, con cuatro mil revoltosos, intentó una sublevación?" "Yo —respondió Pablo— soy judío, ciudadano de Tarso, en Cilicia, ciudad bien conocida. Suplícote, pues, que me permitas hablar al pueblo".[3]

El tribuno Lisias no supo decir que no. Se había dado cuenta de que Pablo no era un aventurero. Por lo demás, de sus palabras no podía surgir un motín mayor que el que acababa de conjurar; es más, la explicación del prisionero podía terminar de acallarle. Que hablase, pues; más tarde daría cuenta de ello.

Pablo se volvió al pueblo. Estaba recubierto de sangre y de esputos, con el vestido hecho jirones. Levantó las manos encadenadas, haciendo señal de querer hablar y la multitud calló, ahora que no podía golpear, ni arrojarle piedras.

¡Admirable presencia de ánimo, la del Apóstol! Arrancado hace unos momentos de las manos de aquella canalla, libre por un verdadero milagro de la muerte violenta con que le amenazaban, improvisa un discurso, con una lógica aplastante y una elocuencia sobria, pero vigorosa, poniendo en relieve aquello que debía hacer desaparecer el odio de sus enemigos, si no hubiesen sido tan apasionados. El había ido a predicar a los gentiles por un mandato de Dios recibido en el templo; de otra suerte no habría abandonado a los judíos.

Con una mirada se dió cuenta de la muchedumbre que tenía delante. Vió que había judíos de alto coturno mezclados con la plebe, y se dirigió a los unos y a los otros, diciendo:

"Hermanos y padres míos, oíd la razón que voy a daros ahora de mi persona". Al ver que les hablaba perfectamente su dialecto arameo, redoblaron el silencio. Acaso por la mente de Pablo pasó como un

---

(3) **Hechos**, 21, 37-40.

242

relámpago benéfico el pensamiento de que daba un testimonio verdaderamente solemne del divino Maestro, y que El podía sacar frutos provechosos para el Evangelio.

"Yo soy judío —dijo— nacido en Tarso de Cilicia, pero educado en esta ciudad, en la escuela de Gamaliel, e instruído por él conforme a la verdad de la Ley de nuestros padres, y muy celoso de la misma Ley; así como al presente lo sois todos vosotros. Yo perseguí de muerte a los de esta nueva doctrina, aprisionando y metiendo en la cárcel a hombres y mujeres, como me son testigos el sumo Sacerdote y todos los ancianos, de los cuales tomé asimismo cartas para los hermanos de Damasco, e iba allá para traer presos a Jerusalén a los cristianos que allí hubiese, a fin de que fuesen castigados. Mas sucedió que, yendo de camino y estando ya cerca de Damasco, a hora de mediodía, de repente una luz copiosa del cielo me cercó con sus rayos y cayendo en tierra, oí una voz que me decía: —Saulo, Saulo, ¿por qué me persigues?— Yo respondí: —¿Quién eres tú, Señor?— Y me dijo: —Yo soy Jesús Nazareno a quien tú persigues—. Yo dije: —¿Qué quieres que haga? Y el Señor me respondió: —Levántate, y ve a Damasco, donde se te dirá lo que debes hacer.

"Y como el resplandor de aquella luz me hizo quedar ciego, los compañeros me condujeron por la mano hasta Damasco; aquí un cierto Ananías, varón justo según la Ley, que tiene a su favor el testimonio de todos los judíos, sus conciudadanos, viniendo a mí, y poniéndose delante, me dijo: —Saulo, hermano mío, recibe la vista—; y al punto le vi ya claramente. Dijo él entonces: —El Dios de nuestros padres te ha predestinado para que conocieses su voluntad y vieses al Justo, y oyeses la voz de su boca, ya que has de ser testigo suyo delante de los hombres, de las cosas que has visto y oído. Ahora, pues, levántate, bautízate, y lava tus pecados, invocando su nombre.

"Sucedió después que, volviendo yo a Jerusalén, y estando en oración en el Templo, fui arrebatado en éxtasis y vi al que se me había aparecido en el camino de Damasco y me decía: —Sal luego de Jerusalén, porque éstos no recibirán el testimonio que les dieres de mí—. Señor, —respondí—, ellos saben que yo era el que andaba por las sinagogas, metiendo en la cárcel y maltratando a los que creían en ti, porque saben que yo estaba presente, consintiendo en la muerte de Esteban, guardando la ropa de los que le mataban. Pero el Señor me dijo: —Anda, que yo te quiero enviar lejos de aquí, hacia los gentiles"[4].

Pablo probablemente hubiese continuado su discurso, haciéndoles ver, que no obstante su apostolado entre los gentiles por orden expresa de Dios, él continuaba amando a los judíos, y se gloriaba de serlo, y además había llevado donativos para subvenir a las necesidades de los hermanos hebreos pobres, pero la multitud no le dejó continuar. En cuanto oyó nombrar a los gentiles, estalló un grito de reprobación de aquella multitud enloquecida, y muchos comenzaron a gritar: —¡Condénale a muerte! ¡Condénale a muerte! ¡Quita del mundo a un tal hombre, que no es justo que viva!

Los más exaltados, se rasgaban las vestiduras y llenos de furor, arrojaban puñados de polvo al aire, hacia el Apóstol.

El tribuno que, no conociendo el arameo, había visto con satisfacción cómo la elocuencia de Pablo dominaba a la multitud, poco antes tan exasperada, al ver esta nueva manifestación de indignación, creyó que hubiese ofendido a los judíos y ordenó a uno de

_____

(4) Hechos, 22, 3-21.

los oficiales que metiesen al prisionero en la fortaleza, y con la aplicación de la tortura le hiciesen confesar su culpa y manifestase por qué había provocado tal tumulto.

La tortura en este caso consistía en una flagelación dolorosísima, dada con flagelos armados de pedacitos de plomo con las terminaciones afiladas.

Pablo fue despojado de sus vestiduras y atado con las manos a una alta columna, lo cual obligaba al paciente a tener el cuerpo derecho y ofrecerlo sin impedimentos a los golpes de los flagelantes, aun en los momentos del más acerbo dolor.

Si aquel tormento hubiese ayudado a obtener la salvación de sus hermanos hebreos, seguramente lo hubiese aceptado Pablo con aquella fortaleza de ánimo con la que otras veces había sufrido los azotes de los representantes de Roma, y otras cinco veces los treinta y nueve golpes de la flagelación hebraica. Pero veía que no era aquella la hora, en la que debía ofrecer su cuerpo a los azotes; por eso se volvió al centurión y le dijo: —¿Os es lícito a vosotros azotar a un ciudadano romano, y eso sin formarle causa?

No era lícito; lo vimos cuando se trató de la flagelación a que fue condenado en Filipos. Por eso el centurión en vez de dar la orden para que le azotasen, fue al tribuno y le dijo: —Mira lo que haces, pues este hombre es ciudadano romano.

El tribuno se llegó entonces al lugar de la flagelación para cerciorarse. El ser ciudadano romano no era un privilegio de poca importancia; él había pagado una suma considerable al emperador Claudio para conseguirlo; esto no obstante, creyó haber hecho un buen negocio, porque añadió, como para demostrar su agradecimiento, el nombre de Claudio al suyo propio. Ahora se hacía llamar Claudio Lisias.

Acercándose a Pablo, le preguntó: —¿Eres tú romano? —Sí, —respondió el Apóstol, y adujo los motivos y títulos.

A lo que replicó el tribuno: —A mí me costó una gran suma de dinero este privilegio.

—Pues yo no he pagado nada: lo soy de nacimiento —replicó Pablo.

Al punto los que le iban a dar el tormento fueron despedidos por el tribuno, el cual se dio cuenta, por las respuestas de Pablo, que tenía que habérselas con una persona que conocía sus derechos, y además era culta y autorizada.

Pero él necesitaba conocer por qué aquel hombre había suscitado un movimiento tan potente de odio popular contra sí. Creyó poder llegar a este conocimiento mediante un careo entre Pablo y sus enemigos, y como entre la muchedumbre había reconocido a algunos miembros del Sanedrín, y éste además representaba a todo el pueblo, convocó al Sanedrín para el día siguiente, y una vez reunido presentó ante él a Pablo, a quien había librado de las cadenas; por lo tanto éste se presentó como libre ciudadano.

Parece que en un momento dado se despertó un sentimiento de simpatía en Lisias hacia el prisionero. Ciertamente le tuvo por una inteligencia superior y una conciencia recta.

★

El Sanedrín era el supremo tribunal judaico en los tiempos de Pablo. Había tenido origen en tiempo de los Macabeos, si bien estaba modelado según el antiguo senado mosaico. Sus miembros eran setenta y uno, elegidos entre las personas más doctas,

246

en las diversas categorías de sacerdotes, escribas, ancianos y doctores de la Ley, y estaban presididos por un presidente elegido por ellos.

Pero ordinariamente sucedía que, formando parte del referido tribunal el Sumo Sacerdote, éste solía casi siempre ser el presidente. Así cuando se presentó Pablo ante el tribunal, acompañado de varios soldados a las órdenes directas del tribuno, presidía el Sumo Sacerdote Ananías, que era pariente de aquel Anás que permitió se abofetease al Señor por haber dado la más justa de las respuestas. La prepotencia debía ser hereditaria en aquella raza de víboras. Pertenecía éste a la secta de los saduceos, incrédulos en todo lo que se refería a la vida futura y epicúreos en lo que hacía respecto a la presente. Era sensual y avaro, y los mismos sacerdotes le odiaban, pues hasta les lesionaba en los derechos que tenían en las décimas de los sacrificios que a ellos les correspondían. Digno de ser enemigo de Pablo, como su pariente Anás, de Jesús.

De los demás miembros del tribunal, que se habían reunido en su mayor parte, la mitad poco más o menos eran saduceos como él; los otros eran fariseos, de la secta a que habían pertenecido y en cierta manera pertenecía Pablo y casi todos los cristianos de la iglesia madre. La rectitud en las creencias y la piedad en la vida eran sus características, si bien algunas veces superficiales y llenas de soberbia, y por lo tanto merecedoras de que las desenmascarase el Divino Maestro.

Pablo echó una ojeada a aquel alto tribunal, que estaba sentado en semicírculo alrededor de él. No le impresionó; más aún, comenzó su defensa con gran confianza, llamándoles hermanos, y afirmando que había vivido hasta aquel día conforme a lo que manda la ley de Dios, manifestada por la conciencia.

"Hermanos, —dijo Pablo—: yo hasta el día presen-

247

te he observado tal conducta, que en la presencia de Dios nada me remuerde la conciencia"[5].

Ananías, o bien por sentirse ofendido por la palabra "hermanos", o por fingido celo por el nombre de Dios, que Pablo había tomado, según él, como testimonio de una cosa falsa, mandó a uno de sus ministros que le hiriese en la boca.

Entonces le dijo Pablo: "Herirte ha Dios a ti, pared blanqueada. ¿Tú estás sentado para juzgarme según la Ley, y contra la Ley mandas herirme? "

La tajante respuesta de Pablo fue una profecía, pues Ananías morirá estrangulado por los sicarios que le encontrarán escondido y lleno de miedo en un acueducto.

Mientras tanto los miembros del Sanedrín se miraron unos a otros, sorprendidos de encontrar tanto atrevimiento en el acusado.

"¿Cómo —le dijeron algunos— tú maldices al Sumo Sacerdote de Dios?"

"Hermanos —respondió Pablo— no sabía que fuese el príncipe de los Sacerdotes el que había dado tal orden; de haberlo sabido no hubiera hablado, porque escrito está: No maldecirás al príncipe de tu pueblo".

También el Sanedrín se dio cuenta con quién tenía que habérselas. La discusión debió proceder con más respeto para el imputado, pero no se llegó a ninguna conclusión.

Pablo, entonces, conociendo el carácter de aquella asamblea, dijo una frase aguda: "Hermanos, yo soy fariseo, hijo de fariseos, y por causa de mi esperanza en la resurrección de los muertos es por lo que voy a ser condenado".

Fueron suficientes estas palabras para que suscita-

_____

(5) Por ésta y siguientes citas, cfr.: Hechos, 23, 1-11.

se una viva discusión entre saduceos y fariseos. La manzana de la discordia había sido arrojada con mucha perspicacia entre aquellos jueces. Algunos de los fariseos llegaron hasta ponerse de parte de Pablo: de jueces se habían transformado en abogados que le defendían.

Puestos en pie, algunos fariseos decían: "¿Qué mal ha hecho este hombre? ¿Qué sabemos nosotros, si realmente le habló algún espíritu o un ángel?"

Lisias con esto se persuadió de la inocencia de Pablo. La manera de desarrollarse la discusión era la mejor prueba. Se trataba de discusiones doctrinales internas de la asamblea, pero no de un delito de su prisionero. Que ellos resolviesen sus cuestiones como pudieran; él tenía que poner a salvo a Pablo, que estaba bajo su custodia como prisionero y que además era digno de toda consideración como ciudadano romano.

En algún momento tuvo el tribuno la impresión de que algunos saduceos se lanzasen contra Pablo, que había estado, después de todo, mucho más astuto que ellos.

Entonces ordenó a los soldados que entrasen en el Sanedrín, para quitarle de aquella situación peligrosa y le condujesen a la prisión.

Ante el supremo tribunal hebraico Pablo había obtenido victoria.

Los soldados le volvieron a llevar a la Torre Antonia. El, no obstante aquella que podía llamar victoria, había quedado desanimado. La maldad y obstinación de los que se habían constituído sus jueces le pareció un mal irremediable. Por otra parte continuaba prisionero, y sus enemigos, poderosos y capaces de cualquier delito. El desaliento le asaltó.

La misma noche se le apareció el Señor y le confortó: "Pablo, buen ánimo —le dijo Jesús—. Así como has dado testimonio de mí en Jerusalén, así conviene también que lo des en Roma".

Pablo se rehizo del desaliento. Recibió además una nueva confirmación de su viaje a Roma. ¿Le quedaba, por lo tanto, que trabajar y sufrir por el nombre de Jesús? La seguridad de esto le bastaba para hacerle feliz.

★

El chasco que sufrió el Sanedrín y todos los fanáticos, al verse arrebatar por segunda vez de sus manos al Apóstol, les había enfurecido.

Acaso los jefes meditaban ya pedir a Lisias que les fuese entregado totalmente a su poder, habiendo sido cometido el delito en el Templo y por lo tanto dentro de su competencia, cuando se presentaron algunos fanáticos de los Celosos. Venían en nombre propio y en el de sus compañeros, en total cuarenta, y habían jurado no probar ni comida ni bebida, hasta que no matasen a Pablo. El Sanedrín quedaría libre de toda responsabilidad; su única exigencia era que éste pidiese al tribuno que hiciera comparecer a Pablo ante el tribunal, necesitándose ciertos esclarecimientos de él. "Nosotros, —añadieron—, estaremos preparados, y antes de que llegue al tribunal le mataremos". Asumían ellos toda la responsabilidad.

El plano estaba trazado con astuta ferocidad. Lisias caería en la trampa y Pablo a los golpes de sus puñales. Pero, como suele decirse, el diablo enseña a hacer los pucheros, pero no las coberteras. Un sobrino de Pablo fue, en manos de la Providencia, el medio para librarle de esta asechanza.

Debía de ser de unos doce o catorce años y muy despejado. Apenas tuvo conocimiento del complot y de sus particularidades: número de conjurados y modo de cometer el crimen, etc., sin perder tiempo se fue a la fortaleza, y puso al corriente a su tío de todo. Pablo llamó a uno de los centuriones y le rogó condujese aquel joven a presencia del tribuno, pues tenía cosas importantes que revelarle. El centurión atendió el ruego de Pablo y, conduciendo al joven ante el tribuno, le dijo: —El prisionero Pablo me ha rogado que introduzca este joven, pues tiene revelaciones interesantes que hacerte.

El Tribuno se retiró con él a solas y le preguntó: —¿Qué es lo que tienes que comunicarme?

—Algunos judíos —respondió el sobrino de Pablo— han jurado matar a mi tío, y pronto vendrán algunos del Sanedrín para pedirte que mañana le conduzcas a su tribunal, como para indagar alguna cosa referente a él. Pero tú no les creas. Has de saber que son más de cuarenta los conjurados, los que han hecho voto de no probar ni comida ni bebida, hasta que le hayan quitado de en medio. Y están ya preparados, y solamente esperan que tú prometas conducirle al tribunal.

El tribuno despidió al muchacho, mandándole que a nadie dijese que había hecho aquella delación. Después, reflexionado que hubo un instante, tomó el partido de salvar a Pablo a toda costa.

En esta decisión no influyó sólo la estima que había concebido de él y la simpatía que le había inspirado, después de reconocer su inocencia. Influía también su propio interés. Se trataba de un ciudadano romano, cuya defensa podía tomar cualquiera de los suyos, aun después de muerto. ¿Quién sabe si ante el gobernador no le habrían acusado de haberse dejado corromper por el oro judaico?

Llamó a dos centuriones y les ordenó que para las nueve de la noche tuviesen prevenidos doscientos soldados de infantería para ir a Cesarea, sesenta de caballería, doscientos alabarderos o lanceros, y que prepararasen bagajes para llevar a Pablo y conducirle sin peligro de su vida al gobernador Félix. Entretanto preparaba él una carta para enviársela a su superior, en la cual, a pesar de alguna jactancia, se ve la benevolencia de Lisias; cosa que le honra, aunque admitamos que intentase hacerse un mérito ante el procurador por la defensa de un ciudadano romano.

La carta dice así: "Claudio Lisias al óptimo gobernador Félix, salud.

"A ese hombre preso por los judíos y a punto de ser muerto por ellos, acudiendo con la tropa le libré, noticioso de que era ciudadano romano y queriendo informarme del delito de que le acusaban, condújele a su Sanedrín. Allí averigüé que es acusado sobre cuestiones de la Ley de ellos, pero que no ha cometido ningún delito digno de muerte o de prisión. Y avisado después de que los judíos le tenían urdidas asechanzas, te lo envío a ti, previniendo también a sus acusados que recurran a tu tribunal. Ten salud"[6].

★

Cerca de quinientos soldados rodeaban a Pablo la noche siguiente, cuando por última vez salió de Jerusalén. Había sido necesario un pequeño ejército para librarle de las manos de sus hermanos. *De concilio malignantium*, debió decir el Apóstol con el profeta.

Viajaron toda la noche y buena parte del día siguiente, haciendo brevísimas paradas, y llegaron después del mediodía a Antípatris, hoy Kefr-Saba. Allí se detuvieron y pernoctaron.

A la mañana siguiente los cuatrocientos armados volvieron a tomar el camino de Jerusalén, no siendo

---

(6) Hechos, 23, 26-30.

de temer insidias hebraicas, ya a poca distancia de la sede del gobernador romano. Pablo, por el contrario, rodeado de los setenta soldados de caballería, continuaba su camino hacia Cesarea, en donde, apenas llegado, fue introducido a la presencia del procurador, el cual le hizo un breve interrogatorio, luego le despidió mandando fuese custodiado en el pretorio, y diciéndole que en cuanto llegasen los acusadores les daría audiencia.

Estos no se hicieron esperar mucho tiempo.

Cuando se acercaron a Lisias a pedir les enviase a Pablo al Sanedrín para esclarecer algunos puntos, y éste les contestó que debía ya estar muy cerca de Cesarea, debieron rechinar los dientes de despecho. Otra vez, aquel rebelde (ellos, naturalmente, eran los representantes de la Ley), se les escapaba de las manos.

Pero la batalla no estaba perdida. Se acercarían al gobernador. Ananías, el sumo Sacerdote, intervendría personalmente en el asunto. Su venerada autoridad podía tener influencia también con aquel esclavo liberto que gobernaba la Judea.

Félix, en efecto, había sido esclavo. Hermano de Palas, que era el favorito del emperador Claudio, obtuvo por mediación suya primero la libertad y después el gobierno de Judea, que entonces equivalía a un reino. El mismo Agripa II, que había obtenido una brizna del amplio reino de sus mayores, dependía de hecho de él, y le veremos que viene a rendir homenaje a su sucesor. Las intrigas de Palas acaso no hubieran sido suficientes para elevarle a un puesto tan alto si los mismos judíos no le hubiesen ayudado. El Sumo Sacerdote de entonces creyó que, tratándose de ex-esclavo, le habría dominado a su placer. Pero es verdad que los viles, una vez que han llegado a conseguir altos puestos, ya no quieren aparecer tales; al contrario, quieren pasar por nobles y grandes, pero muchas veces no consiguen más que ser grandes en el mal. Félix fue tal por sus delitos. Hizo matar al Sumo Saccrdote que le había ayudado a subir, robó a mansalva; se podía decir de él, con verdad, lo que se dijo de un sucesor suyo: que tenía en las cárceles sólo a aquellos que no tenían dinero para pagarse su libertad. Era corrompido y sensual, diciendo de él Suetonio que fue marido de tres reinas. Ahora vivía con Drusila, hermana de Agripa II, joven y bella hebrea, a quien había quitado con artes mágicas a su legítimo esposo, el rey de Emesa, Aziz.

No obstante tener tantos defectos y de afirmar de él Tácito que ejerció el poder real con alma de esclavo, algunas veces se mostraba celoso guardián de la justicia romana; a toda costa procuraba salvar las formas y sabía tener a raya a los revoltosos judíos.

Ananías y los ancianos llevaron consigo un abogado romano. Astutas zorras en sus concilios, no querían ser engañados o sorprendidos por una bestia mayor en otro tribunal, del que no conocían, ni las formas ni el modo de proceder. Pero esta vez habían dado un mal tropezón, porque Tértulo, el abogado que habían escogido, no cra un luminar del foro, ciertamentc. Hoy le llamaríamos un leguleyo, un pícaro, un ganapán cualquiera.

En efecto, si se quita el exordio lleno de adulaciones, el esquema de su alegato está formado por una serie de afirmaciones que podría Pablo desmentir fácilmente, y por una toma de posición en contra de Lisias, y por lo tanto, en cierta manera, contra el mismo juez Félix y la autoridad romana.

Los judíos confirmaron por su parte lo dicho por su abogado Tértulo y atestiguaron ser todo verdad. Cuando el gobernador concedió la palabra a Pablo éste con pocas frases, pero lógicas y sensatas, supo pulverizar las acusaciones y demostrar su inocencia.

Sin rebajarse hasta la adulación, como había hecho su adversario, procuró conciliarse la simpatía de Félix, dirigiéndose al cual dijo:

"Sabiendo yo que ya hace muchos años tú gobiernas esta nación, emprendo con mucha confianza mi defensa, porque tú mismo podrás conocer la verdad de lo que afirmo, esto es, que no hace más de doce días que llegué a Jerusalén a fin de adorar a Dios, y los judíos nunca me han visto disputar con nadie en el Templo, ni amotinando las gentes en las sinagogas, o en la ciudad; ni pueden alegarte pruebas de cuantas cosas me acusan ahora.

"Es verdad, y lo confieso delante de ti, que siguiendo una doctrina, que ellos tratan de herejía, yo sirvo al Padre y Dios mío, creyendo todas las cosas que se hallan escritas en la Ley y en los Profetas, teniendo firme esperanza en Dios, como ellos también la tienen, que ha de verificarse la resurrección de los justos y de los pecadores. Por lo cual procuro conservar mi conciencia sin culpa delante de Dios y delante de los hombres.

"Ahora, después de muchos años, vine a repartir limosnas a los de mi nación, y a cumplir a Dios mis ofrendas y votos. Y estando en esto, es cuando algunos judíos de Asia me han hallado purificado en el Templo, mas no con reunión de pueblo, ni con tumulto. Estos judíos son los que habían de comparecer delante de ti y ser mis acusadores, si algo tenían que alegar contra mí.

"Pero ahora digan estos que me acusan si, congregados en el Sanedrín, han hallado en mí algún delito, a no ser que lo sea una expresión con que exclamé en medio de ellos, diciendo: —Veo que por defender yo la resurrección de los muertos me formáis hoy vosotros causa"[7].

---

(7)   Hechos, 24, 10-21.

El abogado del Sanedrín no supo qué responder. Acaso la última frase del Apóstol llegó también esta vez de manera inesperada; si es que no queremos creer que, al llegar a este punto, el presidente tenía bastantes elementos de juicio para comprender de qué se trataba y de parte de quién estaba la razón. La carta de Lisias había quedado plenamente confirmada en el debate. Félix hubiera podido y debido absolver a Pablo. No lo hizo. Se contentó con decir: "Cuando viniere de Jerusalén el tribuno Lisias, os daré audiencia otra vez".

Pablo vencía otra vez a sus hermanos los hebreos, que "le habían infamado y hecho odioso con las sangrientas calumnias que habían sembrado contra él, persiguiéndole sin causa. El Señor le había salvado de sus perseguidores"[8].

★

Después del debate judicial, Félix ordenó al centurión que estaba encargado de los prisioneros, que custodiara a Pablo, teniéndole con menos estrechez y sin prohibir a los suyos entrasen a asistirle.

Podía recibir la visita de los amigos y conocidos, atender a sus ocupaciones, reunirse alguna vez con la cristiandad de Cesarea en casa de Felipe, y allí, con la presencia de algún soldado encargado de su custodia hablar y presidir las reuniones.

Timoteo y Lucas, con los demás compañeros del Asia Menor y de Macedonia, vinieron en seguida a reunirse con él. La ciudad estaba muy bien para comunicarse con las iglesias, por el puerto y demás vías de comunicación. Pablo recibía las noticias de las iglesias y las enviaba. Probablemente mandaba algún su-

---

(8) Salmo 108.

balterno, según las necesidades, para vigilarlas y ayudarlas en el camino del bien.

Entre los que no se alejaron de todo de él en aquel tiempo está Lucas. En los dos años que duró la prisión en Cesarea escribió su Evangelio, bajo la dirección de Pablo.

El lugar era muy propicio para ello. Lucas pudo visitar aquella parte de la Palestina, cuyo conocimiento era más necesario para su trabajo.

En cuanto a Pablo, continuó su apostolado, de tal suerte que su predicación en Cesarea era oída con toda libertad por los que acudían a él. Hubo muchas conversiones. De algunas se habló mucho en la ciudad. Drusila, la tercera reina que convivía con Félix, tuvo deseos de oírle. Hebrea de raza y de religión, conocía cuanto sucedía en su pueblo desde que murió Jesús. De tendencias místicas, aunque depravada, tuvo deseos de conocer a Pablo, y Félix le llamó para que dijese algo de la religión que predicaba.

Pablo, que no tenía otro deseo que dar a conocer a todos la doctrina de su divino Maestro, les predicó la fe en Cristo. Después les explicó los preceptos de la moral evangélica, insistiendo en aquellas virtudes que más falta hacían a sus dos elevados oyentes: la justicia y la castidad. Finalmente les habló sobre el juicio futuro, en el cual habrían de dar cumplida cuenta de las acciones de toda su vida.

Estaba Pablo en análoga situación a la que se encontró años antes Juan Bautista: estaba prisionero y tenía que cumplir el mandato: clama, ne cesses. Y habló con toda fortaleza, sin temores ni respetos humanos. Tan fuertemente habló, que en un determinado momento, asustado el gobernador y no teniendo valor para continuar oyendo predicar la verdad, le despidió. Drusila no quiso volverle a ver.

Así, como Herodes tenía una alta estima del Bautista, también el gobernador Félix tenía un alto concepto de Pablo y le estimaba. Si no le puso en libertad, como era su obligación, fue por su gran avaricia. Sabía que el prisionero había traído dinero a Jerusalén, veía en derredor suyo gentes muy respetables y ricas que le tenían como maestro, y esperaba que alguno de aquellos se hubiese acercado a él ofreciéndole un buen montoncito de dinero que podría juntar a los que había acumulado con las injusticias anteriores.

Pablo, que conocía estas intenciones, no se prestó a este juego. No quiso que nadie pagase, por su libertad, cantidad alguna.

Cumplía en su prisión la voluntad de Dios. Y cuando Dios quiera, encontrará con facilidad el medio de librarle de los romanos, como le había librado de los hebreos.

Así transcurrieron dos años, hasta que los manejos judíos, que habían concurrido para elevar al alto sitial de gobernador a un esclavo, hicieron ahora que este esclavo se precipitase desde el alto puesto.

Palas, su hermano, no tuvo con Nerón el ascendiente que había tenido Claudio, y Poppea, prosélita hebrea, trabajaba para su caída. Cuando Félix recibió la orden de que se presentase a Nerón, como conocía la gran potencia de los hebreos en la corte, buscó en aquel momento el medio de atraérselos, y por eso dejó en prisión al Apóstol, a quien desde hacía dos años tenía simplemente en custodia.

★

El sucesor de Félix fue Porcio Festo, óptimo magistrado, que tres días después de haber tomado posesión de su cargo en Cesarea, fue a Jerusalén con objeto de atraerse la simpatía de los judíos y a la vez ver la ciudad, que era la más importante de las de su jurisdicción.

Los dos años que habían pasado no habían apagado totalmente ni mucho menos, el odio que tenían a Pablo los dirigentes y los príncipes de los sacerdotes. Una de las cosas que pidieron con más interés al nuevo gobernador es que hiciese conducir a Jerusalén a Pablo, con el secreto designio de hacerle asesinar en el camino. Los asesinos, después de cometido el crimen, hubieran encontrado medios de ocultarse por algún tiempo, agregándose a una de las bandas irregulares que de vez en cuando se veían ora aquí, ora allá. Luego, en tiempo oportuno, les rehabilitaría el Sanedrín.

Festo no cayó en la red. Al íntegro magistrado no le pareció bien que un acusado fuese juzgado a capricho de los acusadores. Respondió que, estando Pablo en Cesarea, allí debía ser juzgado. El volvería pronto; que fuesen también los acusadores, y el asunto se ventilaría en seguida, según justicia.

De hecho, pasados apenas diez días en Jerusalén, volvió Festo a Cesarea, adonde le siguieron los enemigos implacables de Pablo, y al día siguiente de su llegada les dió audiencia en el tribunal, mandando que fuese introducido el Apóstol.

Los judíos, apenas dió principio la audiencia, comenzaron a porfía a lanzar acusaciones sobre acusaciones, pero no consiguieron probarlas. Pablo, por sí solo, tenía a raya a todos ellos, demostrando cómo no había cometido delito ni contra la Ley, ni contra el Templo, ni contra las leyes romanas, ni contra la persona del César.

Esta indicación que hace Lucas de la defensa de tal acusación, nos indica que los judíos, abandonando su antigua táctica, habían procurado presentar al acusado como reo de lesa majestad, tergiversando como de costumbre la enseñanza cristiana de Jesús Rey, para contraponerla al rey de la tierra y por ende al emperador.

Era el medio más expedito para perder a un inocente; pero Pablo les desenmascaró también en este terreno, en el cual, por lo demás, tenía a mano retorsiones terribles contra los judíos sus acusadores.

No le quedaba más a Festo que decretar la libertad del acusado, pero temió también él que los descontentos hebreos le molestasen y buscó una conciliación.

Los acomodamientos contra la justicia son tan inicuas como el delito. En este caso el acomodamiento mismo era un delito, cosa que el gobernador había, no sin razón, descartado una vez.

"¿Quieres subir —dijo a Pablo— a Jerusalén, y ser allí juzgado ante mí?"

Pablo había ya sospechado las insidias que se le preparaban en el camino: hace pensar esto el hecho de que Lucas las da como seguras por parte de los judíos.

Había escapado por la Providencia de Dios, de sus manos, ¿y ahora ingenuamente se iba a entregar otra vez a ellos? Por eso respondió en seguida con decisión:

"Yo estoy aquí ante el tribunal de Cesar, que es donde debo ser juzgado; tú sabes muy bien que yo no he hecho el menor agravio a los judíos. Que si en algo les he ofendido, o he hecho alguna cosa por la que sea reo de muerte, no rehuso morir; pero si no hay nada de cuanto éstos me imputan, ninguno tiene derecho para entregarme a ellos. Apelo a César".[9]

Para los judíos, que al oír la pregunta de Festo se habían alegrado y creían que por fin iban a tener

_____

(9) Hechos, 25, 10-11.

al Apóstol en su poder, estas últimas palabras fueron como un rayo que hubiera caído del cielo sereno. Esto les arrancaba otra vez de las manos su presa, y esta vez para siempre.

También Festo quedó perplejo. Se retiró con sus consejeros para pensar qué procedía hacer. Las respuestas fueron unánimes, porque la ley era clara y en este caso favorecía al apelante. Vuelto a entrar en la sala, dijo a Pablo.

"¿A César has apelado? Pues a César irás".

Los judíos volvieron a Jerusalén desilusionados y derrotados, Pablo a su cárcel, pero con un gran gozo en el corazón. Acaso ni él había pensado jamás, hasta ahora, que Dios le hubiera conducido a Roma, bajo la protección de la autoridad imperial, aunque prisionero.

Aquella tarde meditó largamente las palabras que le había dicho Jesús en la torre Antonia: "Pablo, buen ánimo. Así como has dado testimonio de mí en Jerusalén, así conviene también que lo des en Roma".[10]

La meditación de estas palabras le daba, de ellas, una visión luminosa, un nuevo sabor. Entrevió otros tribunales y otras cadenas; pero también una mies copiosa. Acaso se preguntó aquella tarde, si la autoridad romana que le había arrancado del odio de sus connacionales, y ahora le realizaba el sueño dorado de su vida, le sería siempre fiel.

Por los dones del Espíritu Santo, él preveía muchas cosas. . .

¿El resplandor de una espada romana, blandida contra él, habría quizás aparecido ante sus ojos?

_____

(10) Id., 23, 11.

Mientras se esperaba una ocasión propicia para enviar a Pablo al tribunal del emperador de Roma, vino a Cesarea el rey Agripa II, para rendir pleitesía al nuevo gobernador.

Agripa había sido educado en la Urbe, entre los familiares de Claudio, del cual había recibido después un bocado del reino de los suyos y algunas prerrogativas y ciertas ingerencias en los hechos religiosos de Jerusalén. Con él estaba su hermana Berenice, digna en todo de la otra hermana Drusila, que ya conocemos y que convivía con el gobernador Félix.

Festo era hombre amable y hábil, y supo rendir homenaje a Agripa, que por dignidad era superior a él, si bien de hecho era su dependiente; el Rey y su hermana se detuvieron varios días en Cesarea, y tuvieron ocasión de hablar con Pablo.

Festo, sabiendo que Agripa estaba en comunicación con el gran sacerdote y el Sanedrín, quiso informarle directamente, antes que lo fuese por otros, y un día le habló así: "Después de haber tomado posesión de mi cargo, he encontrado en la cárcel a un prisionero que dejó Félix, sobre el cual, estando en Jerusalén, recurrieron a mí los príncipes de los sacerdotes, y los ancianos de los judíos, pidiendo que fuese condenado a muerte. Yo les respondí que los romanos no acostumbraban condenar a ningún hombre antes que el acusado tenga presentes a sus acusadores y posibilidad de defenderse de lo que le acusan. Habiendo, pues, ellos concurrido acá sin dilatación alguna, al día siguiente, sentado yo en el tribunal, mandé traer ante mí al dicho hombre. Compareciendo los acusadores, vi que no imputaban ningún crimen de los que yo sospechaba fuese culpado; solamente te-

nían con él no sé que disputas tocante a su superstición judaica, y sobre un cierto Jesús difunto, que
Pablo afirmaba estar vivo.

"Perplejo yo en una causa de esta naturaleza, le dije si quería ir a Jerusalén, para ser juzgado de estas
cosas en mi presencia. A tal invitación el prisionero no
aceptó, antes por el contrario apeló al César. Por esto
le tengo en prisión, esperando la ocasión de enviarle
a Roma."[11]

Agripa y Berenice conocían bien la historia de su
pueblo. No les eran tampoco desconocidas las cosas
más salientes de lo que se refería a Jesús, y acaso conocían también por referencias a Pablo. Por eso el
rey dijo: "Quisiera también yo conocer a ese hombre".

"Le verás mañana", contestó gentilmente Festo.
Berenice acompañaría naturalmente a su hermano.
La doctrina de Jesús le había llamado la atención, y
si no se había adherido a ella ni había sacado provecho alguno, no es de maravillarse, conociendo sus costumbres. Esto no obstante, le gustaba oír hablar de
religión.

Al día siguiente, en el tribunal de Cesarea, hubo
una sesión de gran gala. El rey y Berenice asistieron con su séquito real. También asistieron todos los
oficiales romanos y los principales ciudadanos de Cesarea. Era una reunión mundana poco conforme con
le seriedad y la austeridad de una aula judicial, en la
que compareció Pablo cargado de cadenas.

Al entrar Pablo todos los ojos se clavaron en él,
que comenzaba ya a sentir el peso de los años, de las
fatigas y de los sufrimientos; pero que tenía un no
sé qué de venerable en su cara y en aquella espaciosa frente, y una mirada dulce y suave que fascinaba.

---

(11)   Hechos, 14-21.

El gobernador abrió la sesión con estas palabras:

"Rey Agripa, y todos vosotros que os halláis aquí presentes; ya veis a este hombre contra quien todo el pueblo de los judíos ha acudido a mí en Jerusalén, representándome con grandes instancias y clamores que no debe vivir más. Pero yo he averiguado que nada ha hecho que mereciese la muerte. Mas, habiendo él mismo apelado a Augusto, he determinado remitírselo bien que como no tengo cosa cierta que escribir a César acerca de él; por esto le he hecho venir a vuestra presencia, mayormente ante ti, ¡oh rey Agripa!, para que, examinándole, tenga yo algo que escribir, pues me parece cosa fuera de razón el remitir a un hombre preso, sin exponer los delitos de que se le acusa."[12]

Agripa entonces invitó a Pablo a que hablase en su defensa, y éste, levantando las manos encadenadas, con aquel gesto habitual que indicaba el principio de sus discursos, comenzó a hablar.

Lucas, que es casi seguro estuvo en el debate, juzgó oportuno reproducirlo íntegro, no obstante haber contado anteriormente algunos episodios. Prefirió repetirse a dejar incompleta la narración. Nosotros haremos lo mismo, reproduciéndolo íntegramente.

"Tengo a gran dicha mía, ¡oh rey Agripa!, el poder justificarme ante tí en cargos de que me acusan los judíos, mayormente sabiendo tú todas las costumbres de los judíos y las cuestiones que se agitan entre ellos; por lo cual te suplico que me oigas con paciencia.

"Y en primer lugar, por lo que hace al tenor de vida, que observé en Jerusalén desde mi juventud entre los de mi nación, es bien notorio a todos los judíos. Sabedores son de antemano, (si quieren confe-

---

(12) Hechos. 25, 24-26.

sar la verdad), que yo siguiendo desde mis primeros años la secta o profesión más segura de nuestra religión, viví cual fariseo, y ahora soy acusado en juicio por la esperanza que tengo de la promesa hecha por Dios a nuestros padres, promesa cuyo cumplimiento esperan nuestras doce tribus, sirviendo a Dios noche y día.

"Por esta esperanza, ¡oh rey!, soy acusado yo por los judíos. Pues qué ¿juzgáis increíble el que Dios resucite a los muertos?

"Yo por mí —continuó diciendo Pablo—, estaba persuadido de que debía proceder hostilmente contra el nombre de Jesús Nazareno; como yo lo hiciese en Jerusalén, donde no sólo metí a muchos de los santos o fieles en las cárceles, con poderes que para ello recibí de los príncipes de los sacerdotes, sino que siendo condenados a muerte yo di también mi consentimiento. Y andando con frecuencia por todas las sinagogas, los obligaba a fuerza de castigos a blasfemar el nombre de Jesús Nazareno; como yo lo hice en Jetra ellos, los iba persiguiendo hasta en las ciudades extranjeras. En este estado, yendo un día a Damasco con poderes y comisión de los príncipes de los sacerdotes, siendo el medio día, ví, ¡oh Rey!, en el camino una luz del cielo más resplandeciente que el sol, la cual con sus rayos me rodeó a mí y a los que iban juntamente conmigo. Y habiendo todos nosotros caído en tierra, oí una voz que me decía en lengua hebrea: —Saulo, Saulo, ¿por qué me persigues? Duro empeño es para ti el dar coces contra el aguijón. Yo entonces respondí: —¿Quién eres tú, Señor? Y el Señor me dijo: —Yo soy Jesús, a quien tú persigues. Pero levántate, y ponte en pie; pues para esto me he aparecido, a fin de constituirte ministro y testigo de las cosas que has visto y de otras que te mostraré apareciéndote a ti de nuevo, y yo te libraré de las ma

265

nos de este pueblo y de los gentiles, a los cuales ahora te envío a abrirles los ojos, para que se conviertan de las tinieblas a la luz, y del poder de Satanás a Dios, y con esto reciban la remisión de sus pecados, y tengan parte en la herencia de los santos, mediante la fe en mí.

"Así que, ¡oh rey Agripa!, no fui rebelde a la visión celestial, antes bien empecé a predicar a los judíos que estaban en Damasco, y en Jerusalén, y por todo el país de Judea, y después a los gentiles, que hiciesen penitencia y se convirtiesen a Dios, haciendo dignas obras de penitencia.

"Por esta causa los judíos me prendieron, estando yo en el Templo, e intentaban matarme. Pero ayudado del auxilio de Dios, he perseverado hasta el día de hoy, testificando la verdad a grandes y pequeños; no predicando otra cosa más que lo que Moisés y los Profetas predijeron que había de suceder, es a saber, que Cristo había de padecer la muerte, y que sería el primero que resucitaría de entre los muertos, y había de mostrar la luz del Evangelio a este pueblo y a los gentiles"[13].

El discurso de Pablo era deslumbrador: el añadió a esta esquemática doctrina las razones que la hacían creible.

Festo quedó asombrado de su profundidad, pero no quiso darse por vencido. Dominando a la asamblea, con un grito muy fuerte dijo: —"Pablo, tú estás loco; las muchas letras te han trastornado el juicio".

Pablo respondió sencillamente: —"No deliro, óptimo Festo, sino que hablo palabras de verdad y de cordura". El mundo siempre es el mismo. Cuando no comprende, injuria.

Sin embargo el Apóstol no había dicho ni palabra de aquellas sublimes doctrinas de ascética que se

_____

(13) Hechos, 26, 2-23.

266

encuentran en sus cartas. ¿Qué habría pensado el gobernador, si el prisionero hubiese hablado del amor de Cristo a los hombres, de la Eucaristía, de los nuevos preceptos cristianos?

Para los hebreos presentes Pablo quiso añadir unas palabras y dijo: "Bien sabidas son del rey estas cosas, y por lo mismo hablo delante de él con tanta confianza, bien persuadido de que nada de esto ignora, puesto que ninguna de las cosas mencionadas se han ejecutado en algún rincón oculto. ¡Oh rey Agripa! ¿Crees tú en los profetas? yo sé que crees en ellos".

Agripa, interpelado sobre esta cuestión tan a quemarropa e invitado a hacer una confesión de fe, respondió con una frase galante: "Poco falta, para que me persuadas a hacerme cristiano".

Pablo apreció el modo cortés que había usado el rey en su interpretación, y le volvió a pagar en la misma moneda con una frase agradable, que presentándose como un augurio, confirmaba totalmente la verdad de su discurso. Levantó las manos atadas con las cadenas, y dijo: "Plugiera a Dios, como deseo que no solamente faltara poco, sino que no faltara nada para que tú y todos cuantos me oyen llegáseis a ser hoy tales cual soy yo, salvo estas cadenas".

El rey se levantó. Una conversación más larga con el Apóstol ¡quien sabe a dónde le hubiese llevado, y delante de un público tan numeroso!

Berenice y el gobernador y los cortesanos le siguieron. Los invitados desalojaron la sala y Pablo, rodeado de soldados, volvió a la cárcel.

Mientras se entretenía en otra sala del tribunal, Festo preguntó a Agripa su impresión acerca de aquel singular prisionero y éste, aunque no manifestó su juicio acerca del particular, dijo: "Si no hubiese ya apelado a César, bien se le pudiera poner en libertad".

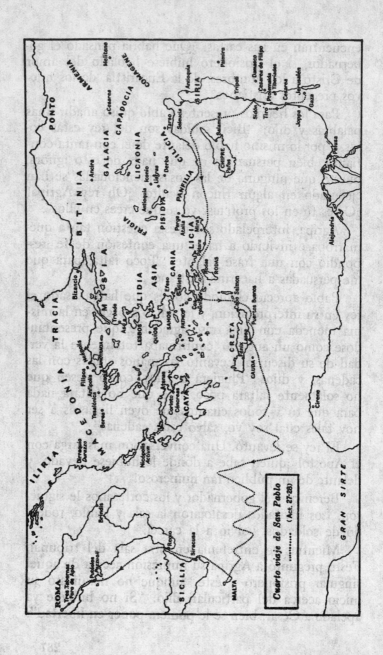

Cuarto viaje de San Pablo (Act. 27-28)

A ROMA

No se sabe cuánto tiempo pasó desde que Pablo tuvo aquel discurso con Agripa hasta su salida de Cesarea, pero no debió ser mucho; a lo más algún mes.

La ocasión se presentó al volver a Roma un centurión de la cohorte Augusta, que probablemente había venido con el séquito de Poncio Festo.

El centurión se llamaba Julio, y era un verdadero gentilhombre. Nos lo demuestra la conducta que observó con los prisioneros que le fueron confiados y en particular con el Apóstol; ya que, ni le hubiese valido la relación favorable del gobernador, no acaso sus palabras de recomendación, si éstas hubiesen caído en uno de esos egoístas, adoradores de la fuerza, a los que el ambiente militar aumenta su soberbia con detrimento de la subordinación jerárquica y con frecuencia hasta de la justicia y de la benignidad.

Julio, una vez que se hizo cargo de los prisioneros, se embarcó con ellos en una nave de Adrumeto, que zarpaba para la ciudad de Mira. El itinerario prestablecido debía ser éste: adelantarse cuanto pudiesen hacia el Egeo, y en uno de aquellos puertos tomar otra nave que hiciese velas para Italia; y si esto no fuese posible, desembarcar en uno de los puertos que lamía la Vía Egnacia, y por ella llegar a Durazzo, y de allí en una breve travesía llegar a Italia. Esto se hacía porque estaba muy adelantada la estación para los viajes largos. Debía ser a fines de Septiembre cuando se embarcaron, ya que muy pronto notará Lucas que la navegación era peligrosa, habiendo pasado ya el gran ayuno de la Expiación, que caía el diez de Tisri (séptimo mes del año judío), esto es, a principios de otoño.

La Providencia dispuso otra cosa.

El primer puerto que tocó la nave fue Sidón, donde se mostró la gentileza de Julio, concediendo al Apóstol permiso para bajar a tierra para visitar aquella iglesia en donde contaba con amigos, y proveerse de lo necesario.

Lucas y Aristarco, que estaban con Pablo o bien como pasajeros o con el permiso del centurión, descendieron con él, y el Apóstol acompañado de ellos y del soldado romano destinado a su custodia, fue recibido con grandes honores por aquella iglesia, en la que por su vecindad con Cesarea, estaban al corriente de las vicisitudes de aquel hombre grande, que habiendo hecho grandes cosas cuando gozaba de libertad, no menos grandes obras hacía ahora en su apostolado, aherrojado, en cadenas.

Cuando hubieron terminado los trabajos de carga y descarga, volvieron a subir a bordo. Reanudando la nave su viaje, intentó dirigirse hacia la Licia, dejando Chipre a la derecha, pero los vientos contrarios no se lo permitieron. Fue necesario entrar en el mar de Cicilia y de Panfilia, dejando Chipre a la izquierda; y alargando con esto el viaje algunos días, llegaron a Mira de Licia.

Afortunadamente encontraron en Mira un navío alejandrino que se dirigía a Italia con un buen cargamento de trigo. Julio se trasbordó en seguida a él con los soldados y los prisioneros. Con estos se llegó al número bastante elevado de doscientas setenta y seis personas, entre equipaje y pasajeros, cifra muy respetable para una nave de aquella época, tanto más si tenemos en cuenta la fuerte carga de trigo.

Por lo demás las naves alejandrinas llegaban con frecuencia a unos sesenta metros de largura, lo que, con sus características de ser anchas y chatas, les daba cierta estabilidad y elevado tonelaje.

El capitán dirigió la nave hacia el Cabo Gnido, dejando a la izquierda la isla de Rodas. Acaso tenía intención de dirigirse al Peloponeso e invernar en el Pireo, en Cesarea, si la estación le obligase a ello, pero los vientos contrarios no se lo permitieron. En esta navegación se perdieron días preciosos, y cuando pensó dirigirse a Creta, para navegar al resguardo de ella, ya era tarde.

Doblado el Cabo Salmón costeó hasta Talasa, en donde se refugió en la rada de Buenos-Puertos, la cual de bueno tenía sólo el nombre, porque los vientos del oeste y del suroeste soplaban en ella con gran ímpetu, de tal suerte que podían perjudiciar grandemente a las naves que allí se refugiaban. Por ello, ninguno o casi ninguno escogía este puerto para invernar en él, prefiriendo el de Fénix, que estaba más al occidente.

En Buenos-Puertos la nave se detuvo varios días. El tiempo no mejoraba, y el capitan estaba preocupado, porque no le agradaba una estancia larga en aquel punto. Decidió que levaría anclas en el primer momento propicio para dirigirse a Fénix, desde donde, una vez que llegasen y si el viento no era muy desfavorable, se dirigiría hacia cualquier puerto italiano. y si esto no fuese posible, invernarían allí.

Enterado de tal proyecto, Pablo habló con el centurión y los soldados para que disuadiesen al capitán, y en caso de obstinarse éste en su idea, que descendiesen de la nave a invernar en la isla.

"Amigos —dijo— yo conozco que la navegación comienza a ser muy peligrosa y de mucho perjuicio, no sólo para la nave y cargamento, sino también para nuestras vidas".[1]

El centurión, por la estima en que tenía a Pablo, habló realmente al capitán y al armador, que encontraba a bordo; pero a éstos no les fue difícil persuadir al centurión de la idea de que ellos tenían, contraria a la de Pablo.

¿Quién era Pablo? Un prisionero que naturalmente no tenía prisa alguna para llegar a Roma. Cuando estaba en libertad, era un literato, un orador que debía de entender tanto de mar como ellos de un arte del todo desconocido. Que no se dejase engañar por él; que siguiese, por el contrario, el consejo de viejos marineros, que le darían medio apto para que pasase el invierno entre los quehaceres, los pasatiempos y las comodidades de Roma, en vez de pasarlos en los tugurios de Talasa, en compañía del pueblo más mentiroso del mundo.

Julio se dejó persuadir y quedó decidida la continuación del viaje.

No debiera haber hecho así, sino seguir el consejo de Pablo, que había naufragado ya tres veces en aquellos mares que tan a menudo había atravesado y de los que sabía tanto como un marinero, y que además había manifestado el futuro con otros medios distintos de los que suministraba la observación de los astros y de los vientos.

Pocas horas después de haber abandonado Buenos-Puertos, se desató sobre el mar un torbellino que hi-

---

(1) **Hechos**, 27, 10.

272

zo salir a cubierta a los marineros y pronunciar una palabra capaz de producir pavor: —¡el Euro-aquilón!: el viento más tormentoso y veloz que desataba en aquellos mares terribles tempestades. De grado o por fuerza fue preciso irse al garete. La tormenta era espantosa.

Alguna de las velas fue arrancada antes de que pudiese terminarse la maniobra, pero aun sin velas la nave era arrastrada y sacudida con tal vehemencia, que la chalupa de salvamento parecía se iba a hacer pedazos contra la popa de la nave. Afortunadamente se encontraron con un poco de resguardo al pasar al abrigo del islote de Cauda, a veinticinco millas de Creta, pero fue un descanso pasajero, el cual aprovecharon para traer a bordo la chalupa. Fue izada, como se pudo, y en previsión de nuevas ráfagas, cada vez más violentas, se armó al navío de un cinto de boyas o defensas, con cables que rodeaban los costados y la quilla, y fijando vigas en ellos para amortiguar los choques y darle mayor resistencia. Fue necesario amainar, por la popa, un áncora vagante, que con su peso retardase la velocidad desenfrenada. En efecto con ello la velocidad se refrenó, pero la nave era traída y llevada a discreción del mar y en muy malas condiciones. Para aligerarla un poco fue necesario arrojar al mar el mueblaje, los elementos de madera y hierro que tenía de reserva y parte del aparejo que el viento había inutilizado. El huracán continuaba y la desolación reinaba a bordo.

Pablo sabía que había de dar testimonio de Jesús en Roma; por lo tanto se había de salvar aunque se perdiese la nave; no sabía el modo, pero su certeza era absoluta. Mas no era egoísta. Pensaba en Lucas y Aristarco, en el centurión Julio y en sus soldados que con tanta humanidad le habían tratado, pensaba también en los pobres marineros que con tanta petulancia habían rechazado su consejo en Buenos-Puertos, y ahora vagaban sin rumbo en el puente, pálidos y tristes, incapaces de poner un poco de confianza, no en los otros, sino ni siquiera en ellos mismos.

Muchos estaban tan asustados que no creían posible escapar de aquel peligro; por esto no probaban ni comida ni bebida. La prueba, además de ser terrible, era muy larga. Hacía diez días que no se veían ni el sol ni las estrellas; sólo nubes, nieblas, mar y tempestad, que jugaba caprichosamente con ellos. Ciertamente irían a terminar en las arenas africanas donde inexorablemente les sobrevendría la muerte en aquellos solitarios desiertos, puesto que alguno de ellos tuviese la suerte de sobrevivir, escapándose a la furia del mar.

Pablo cada vez rogaba con mayor fervor y confianza. La noche siguiente le consoló el Señor y por la mañana tenía una buena noticia que comunicar a todos. Como hacía ya mucho tiempo que nadie había tomado aliento, Pablo puesto en medio de ellos, dijo: "En verdad, compañeros, que hubiera sido mejor, creyéndome a mí, no haber salido de Creta y excusar este desastre y pérdida. Mas ahora os exhorto a tener buen ánimo, pues ninguno de vosotros se perderá; lo único que se perderá, será la nave. Porque esta noche se me ha aparecido un ángel del Dios de quien soy yo y a quien sirvo, diciéndome: —No temas, Pablo; tú sin falta has de comparecer ante el César; y he ahí que Dios te ha concedido la vida de todos los que navegan contigo. Por tanto, compañeros, tened buen ánimo; pues yo creo en Dios, que así será como se me ha prometido. Al fin hemos de venir a dar en cierta isla".[2]

De hecho, hacia la media noche del día décimo-

_____

(2) **Hechos**, 27, 21-26.

274

cuarto de haber abandonado Buenos-Puertos, algunos marineros tuvieron indicios de que se acercaban a tierra. Por lo que tiraron la sonda, y hallaron veinte brazas de agua y poco más adelante, quince. En tales circunstancias el avanzar de noche hubiera sido temerario. Echaron por la popa las cuatro áncoras, aguardando con impaciencia el día. La nave debía estar deshecha, al intentar los marineros ganar tierra dejándola a merced de las olas con la carga y los pasajeros. Con la disculpa de tirar las áncoras un poco más lejos por la parte de proa, echaron al mar la chalupa, en la que pensaban escapar.

Julio, el centurión, y los soldados romanos no sospecharon el engaño que querían hacerles pero a Pablo no se le escapaba nada. El que había visto otros naufragios y sabía la cara dura de ciertos marineros, les avisó: —Si estos hombres no permanecen en el navío, vosotros no podéis salvaros. Entonces los soldados se encararon con los marineros en la maniobra de echar al mar la chalupa, y después de haberlos rechazado, cortaron las amarras de aquella, que cayó al mar y se perdió entre las olas.

Ahora la suerte y riesgo era igual para todos, pero el abatimiento había llegado a lo sumo. El acto de los marineros había descubierto a todos lo crítico de la situación. Pablo, una vez más, tentó levantar la moral, repitiendo sus seguridades en la promesa de Dios. Hacia el amanecer les exhortó a que tomasen alimento, Aristarco.

"Hace hoy catorce días que aguardando el fin de la tormenta estáis sin comer ni probar casi nada, por lo cual os ruego que toméis algún alimento para vuestra conservación, seguros de que no ha de perderse ni un cabello de vuestras cabezas"[3].

---

(3) Hechos, 27, 33-34.

Dicho esto, tomando pan, dio gracias a Dios en presencia de todos, y comenzó a comer con Lucas y Aristarco.

— Aquel acto indicaba seguridad. Los demás le imitaron. Antes de que fuese de día, estaban todos refocilados, habiendo comido abundantemente.

La vuelta a la confianza, obtenida por Pablo, se demostró con un nuevo estudio para salvarse todos del naufragio. Si la nave hubiese sido·más ligera se hubiese fácilmente acercado a la tierra; para hacerla tal arrojaron al mar la carga de trigo, y apenas amaneció descubrieron una ensenada y pensaron dirigir a ella la nave. Una vez que estuviesen cerca de tierra, sería cosa fácil el salvamento de todos.

Alzadas, pues, las áncoras, se abandonaban a la corriente del mar, aflojando al mismo tiempo las cuerdas de las dos planchas del timón: y recogida la vela del artimón o de la popa para tomar el viento preciso se dirigían hacia la playa, cuando la nave encontró un banco de arena, encallando. La proa quedó fija o encallada en el fondo, mientras la popa, que estaba ya en muy malas condiciones, con el encontronazo recibido cedió a los primeros golpes del mar y se iba abriendo por la violencia de las olas, dejando entrar el agua en aquel miserable leño. No había tiempo que perder. En semejantes casos suele decírse: —¡Sálvese quien pueda!

Entonces los soldados tuvieron un pensamiento feroz: matar a los prisioneros, para que, salvándose éstos acaso antes y mejor que los soldados, no les diese la gana de escaparse. Acaso tal costumbre, si no aprobada, por lo menos era tolerada; con lo cual los prisioneros habrían escapado de una muerte para caer en otra no mejor ciertamente, si Julio, queriendo salvar a toda costa a Pablo no se hubiese opuesto enérgicamente a tan ·inhumano proyecto. Mandó que todos fuesen dejados en libertad quitándoseles las cadenas, para que pudiesen atender a su propia salvación.

Los más animosos y prácticos se arrojaron en seguida al mar y comenzaron a nadar con grandes brazadas; parte de los demás fueron llevados en tablas, y salvos a la orilla, mientras la nave se perdía hecha otros fueron ayudados de los más animosos, con lo cual lograron todas las personas salir salvas a tierra.

Según la predicción de Pablo todos llegaron sanos y salvos a la orilla, mientras la nave se perdía hecha pedazos entre las olas del mar.

✶

La isla en donde encontraron su salvación era Malta, habitada entonces por algunos colonizadores de Fenicia. Lucas, viendo que los primeros que se acercaron no comprendían ni el griego ni el latín, los llama "bárbaros". Entonces todo lo que no pertenecía a estas dos civilizaciones tomaba este nombre.

Pero los "bárbaros" era con frecuencia menos bárbaros que los que les regalaban este nombre. Aquellos trataron a los náufragos con mucha humanidad. Muchos de éstos estaban temblando de frío: agazapados en algún harapo mojado, sentían más fuertemente los rigores del invierno que comenzaba a dejar sentir sus efectos. Los maltenses encendieron una gran hoguera, para refocilarlos contra la lluvia y la mojadura que tenían por el naufragio, y en torno de ella se reunieron los pobrecitos. Pero hubieran tenido una gran faena trayendo leña bastante para que secasen los doscientos setenta y seis náufragos. Algunos de los más animosos entre éstos debieron ayudarles, y no es necesario decir que Pablo fue uno de ellos. Cuando se trataba de trabajo y de caridad siempre estaba presente. Se le veía venir cargado de leña menuda y más de una vez, hasta que, arrojando sobre el fuego un hacecillo de sarmientos, una víbora que estaba oculta y que se encontraba en los comienzos de su letargo, reanimada por el calor del fuego se echó hacia él y le mordió en una mano.

Los maltenses, que conocían los terribles efectos de aquella mordedura, se miraron horrorizados. Alguno de ellos dijo: —Este hombre es sin duda algún homicida, pues que habiéndose salvado de la mar, la venganza divina no quiere que viva. Mientras tanto Pablo había sacudido de la mano la víbora y la había arrojado al fuego, poniéndose tranquilamente con los demás a calentarse. Los maltenses creían que en un momento dado se hincharía la herida y aparecerían los demás síntomas del envenenamiento. Cuando comprobaron que no había recibido mal alguno, dieron con su juicio en otro extremo: "Debe de ser dios", dijeron.

Pablo no era Dios, sino un siervo suyo, el cual, según la palabra del Divino Maestro, no hubiera sentido mal, ni siquiera si hubiese bebido el veneno.

La leyenda dice que, desde aquel día, las víboras de Malta fueron innocuas. Puede ocurrir que alguno, al sentirse mordido por el terrible reptil, haya invocado el nombre de Pablo y por su intercesión se haya librado del envenenamiento. Hoy las víboras han desaparecido totalmente de la isla y algunos quieren ver en ello una protección del Apóstol, del que son muy devotos los maltenses. Hay una razón o causa natural para esta desaparición: la densidad de la población y la lucha instintiva y tenaz con que fueron perseguidas.

★

El gobierno de la isla había sido confiado por los romanos a un tal Publio que tenía el título de príncipe. Cuando éste tuvo noticias de que una nave romana había naufragado en las aguas de su pequeño dominio, y de los que náufragos se habían recogido en la playa, personalmente vino él y les invitó a todos a que pasasen a sus posesiones, obsequiándoles a sus expensas por tres días con gran humanidad. Acaso había llegado a sus oídos la noticia de la mordedura de la víbora y de su innocuidad, y el centurión Julio le informaría de las virtudes de su prisionero; lo cierto es que Publio, que tenía a su padre enfermo de fiebres y disentería, rogó a Pablo que le visitase.

Pablo entró a la habitación en donde estaba el enfermo, y después de haber rogado por él le impuso las manos, con lo que le dió la salud. Entonces de todas las partes de la isla le traían los dolientes de cuaquier enfermedad, a fin de que Pablo los bendijese. Acaso, además de la intervención sobrenatural provocada por la oración del Apóstol, algún éxito se debió naturalmente a la intervención de Lucas, buen médico. Ciertamente los isleños, una vez que conocieron las virtudes naturales y sobrenaturales, muy agradecidos, no dejaron de recompensarles y de honrarles lo que podían, tanto a Pablo, como a sus colegas, a los que dieron abundantes provisiones para lo que les quedaba de viaje, cuando vino la hora de zarpar de Malta.

Del libro de los *Hechos* no se desprende que se hiciesen conversiones entre los maltenses, ni que se formase una pequeña iglesia; pero tampoco se excluye, y yo creo que debió ser así. Los milagros de Pablo tenían un fin sobrenatural, y no se concibe que su celo quedase completamente eclipsado por tres meses, tanto más cuando todo le favorecía para el éxito de su trabajo. Por otra parte, tal es (por lo que pueda valer) la tradición de la isla de Malta, confirmada por una devoción ardiente de los isleños hacia San Pablo.

La ensenada donde ocurrió el naufragio lleva el nombre de Puerto de San Pablo, y una basílica se levanta en el lugar donde se cree que encontraron cobijo los tres Apóstoles. La intervención del Apóstol en defensa de la isla ha sido narrada y enaltecida en mil ocasiones, y muy en particular la ayuda que se cree prestase Pablo en el año 1470 cuando fue asediada por los mahometanos, que fueron rechazados, no obstante su número superior, el valor militar y el entusiasmo de que estaban animados.

★

Otra nave alejandrina, que tenía la divisa de Cástor y Pólux, cuyo capitán había sido más prudente que aquel que no había querido escuchar los consejos de Pablo, había invernado en el puerto principal de la isla y tenía su cargamento intacto. Era una de las acostumbradas naves de grande arqueo confiada a la protección de los los gemelos hijos de Leda, que le daban el nombre y que estaban reproducidos en grandes mascarones en la proa. Cástor y Pólux eran símbolos del amor fraterno y les veneraban mucho los marineros, que a la mutua ayuda deben con frecuencia la conservación de su vida en los peligros que les asechan.

En los primeros días de marzo el capitán juzgó que se podía intentar la travesía a Puzol, viaje relativamente breve y cómodo por los muchos puertos en los que podían atracar, en caso de un posible empeoramiento de las condiciones atmosféricas.

El centurión pidió el embarco para él y para los suyos y la nave zarpó de Malta, mientras Pablo, desde la popa bendecía aún a los muchos isleños que, reconociendo los beneficios recibidos, fueron a saludarle y a despedirle.

El primer puerto donde se detuvieron fue Siracusa, donde acaso se hicieron aprovisionamientos que requirieron tres días de detención.

Los monumentos paulinos que existen en Sicilia y la devoción de aquellos pueblos no parece que pueden ellos solos autorizarnos a creer que Pablo bajó a la ciudad. San Lucas, que ha hecho de este viaje una descripción tan detallada, no olvidando ninguno de los particulares de importancia, es de creer que no hubiese dejado de anotarlo.

Desde aquí, costeando las tierras de Sicilia para aprovecharse de las corrientes, no siendo muy favorables los vientos, se dirigieron a Regio; pero desde esta ciudad a Puzol, tuvieron viento en popa, así que el trayecto fue cubierto en un solo día, haciendo un viaje feliz.

Puzol entonces era un puerto y un centro importante. Casi todas las naves de Oriente atracaban allí y el aprovisionamiento de grano de Roma se hacía en gran parte por ese puerto. Esto hacía que allí se encontrasen mercaderes de todos los países, y por lo tanto también hebreos entre los cuales había algunos que se habían convertido ya al cristianismo. Acogieron a Pablo y sus compañeros con gran cordialidad; le rogaron que se quedase con ellos algunos días, cosa que hizo, después de haber pedido permiso al centurión Julio, que tenía de Pablo una gran estima, y que se lo concedió gustosamente.

Estuvieron siete días. En este tiempo el centurión debía mandar a Roma noticia de su desembarco y de los prisioneros que conducía. En efecto una comitiva de cristianos salío a esperar al Apóstol hasta el Foro Apio, y otros a Tres-Tabernas, hoy Cisterna, que se juntaron al primer grupo.

Grande fue el ánimo que Pablo cobró por esta acogida tan cariñosa. Ser recibido con tanta alegría en un lugar en donde no había trabajado, y donde acaso temía enemistades o al menos antipatías, le compensaba sobradamente los disgustos que desde hacía tres años soportaba con la mirada fija en Roma, a la que le había prometido Jesús que iría.

Cuando la comitiva dominó los montes albanos, apareció a sus ojos la Ciudad deseada. Aún cuando entonces no la consideró como la futura capital del cristianismo, ciertamente la entrevió como un centro ideal, desde el cual la fe de Cristo se podría extender por todo el mundo. El siempre había mirado a los grandes centros de irradiación moral. Roma era muy superior a todos. Es seguro que pensó en el gran bien que podía hacer, y si la cadena que le ataba las manos pudo hacerle dudar por un momento, debió decirse inmediatamente a sí mismo aquella frase que escribió más tarde: "Sed verbum Dei non est alligatum. Pero la palabra de Dios no está encadenada"[4].

Mientras tanto los cristianos que habían salido a esperarle se desvivían en recordarle los lugares célebres de aquella célebre ciudad, y darle noticias de la cristiandad que se había formado, de las virtudes que resplandecían, y acaso también de algún defecto, que él con su autoridad había de arrancar. Así entretenidos llegaron a Puerta Capena y entraron en Roma. Pablo dió gracias a Dios, mientras una gran confianza llenaba su corazón de Apóstol.

_____

(4) 2 Tim., 2, 9.

El centurión Julio condujo en seguida a los prisioneros al campo de los pretorianos, cuyo comandante debía hacerse cargo de su custodia.

Después dé un primer examen sumario, teniendo en cuenta la favorable relación del gobernador Porcio Festo, repetida a viva voz si desapareció el escrito en el naufragio, y las personales recomendaciones del centurión, Pablo fue puesto en aquella categoría de prisioneros, a los que se concedía, mientras esperaban el juicio, una cierta libértad. Esta consistía en poder estar fuera de la prisión y atender a su propio oficio o trabajo bajo la vigilancia de un pretoriano, que, en las salidas por la ciudad, tenía atada a su misma mano izquierda la cadena que sujetaba la derecha del sometido a vigilancia.

Pablo, que siempre había tenido buen cuidado de no causar gastos y molestias a los hermanos, no creyó oportuno aceptar la hospitalidad de los de Roma, si se exceptúa por aquellos pocos días que le fueron necesarios para encontrar un pequeño local que tomó en arriendo.

Muchas son las opiniones, y bastante dispares acerca del punto donde radicaba la casa santificada por San Pablo, en el tiempo de su primera prisión.

Algunos opinan que se encontraba en el lugar donde está Santa María en Vía Lata, otros en el Palatino, quien en el mismo palacio imperial, quien en las casas vecinas; pero todas las circunstancias parecen indicar que debía encontrarse en uno de los barrios en los que habitaban los judíos, y con más probabilidad en el Arénula, que estaba pegando al Tíber, y que puede decirse que llegaron los judíos a ocupar casi totalmente. Sobre las orillas del río podían ellos con toda comodidad dedicarse a aquellos bajos oficios que no desdeñaba la plebe judía, y Pablo habría encontrado también más cómodo el ejercicio de su oficio de fabricante de tiendas en un punto en que se trabajaba en oficios de cierta afinidad con el suyo.

Además, su causa continuaba siendo una causa religiosa aun después de su apelación al César. Por aquel entonces los hebreos habían conseguido tener un tribunal particular, donde se les juzgase en las cuestiones peculiares de ellos y precisamente en ese tribunal había de ser juzgado también el Apóstol. Nos manifiesta esto con cierta claridad el cuidado que tiene de ponerse en contacto con ellos apenas llega a Roma, y la exposición detallada que les hace de su imputación. Esta misma opinión parece confirmarla el hecho de la relativa facilidad, con la cual Pablo, prisionero, convoca cerca de sí varias veces a los judíos. La única objeción de algún peso es la frase del Apóstol en su carta a los Filipenses: "Es sabido por todo el pretorio y por otros muchos que estoy prisionero por Cristo"[5]. Pero ésta se desvanece, si se toma el nombre de pretorio no por una localidad, sino por una clase de personas, que en este caso serían los guardias pretorianos, muchos de los cuales estuvieron por turno encargados de su custodia, mientras otros debieron oírlo en las varias comparecencias que el Apóstol hizo a los tribunales romanos. La palabra *praetorrium* se usa en tal sentido por los mismos clásicos Tito Livio y Tácito, y parece acomodarse mejor a la significación del texto o interpretación textual.

Tampoco se ha de olvidar ni callar que en tal sitio desde tiempos antiquísimos, fue edificado un templo en honor del Apóstol: el único, dentro de los muros de Roma, San Pablo de la Regla, y que aun en la actualidad se designa con el nombre de Casa de

_____

(5) Filip., 1, 13.

San Pablo; es una edificación vieja del siglo diez y seis, que no sabemos cómo habrá adquirido tal nombre, sino porque haya sido edificada en el lugar donde otra ha sido destruída o se ha caído sucediéndole en el nombre.

Acaso el departamento que él tomó en arriendo estaba constituído por un amplio almacén, de una o dos ventanas, según afirma el escritor del libro *Acta Pauli*, que habla precisamente de un depósito de grano o almacén de mercaderías.

Por lo tanto, en el lugar donde ahora está San Pablo de la Regla (probablemente corrupción del nombre "Arénulas"), el Apóstol fijó su residencia viviendo dos años enteros hasta que fue absuelto por el tribunal de César, al que había apelado.

Aquí tenía habitación para él y para el soldado que le custodiaba, para Lucas, Timoteo y Aristarco y algunos otros que en este tiempo vivieron con él, para los huéspedes que recibió, como Epafrodito, obispo, y Onésimo, esclavo. Allí se encontraba también el ángulo que hacía de taller para su trabajo manual, y una vasta habitación, en que reunía a los cristianos y hablaba a los hebreos y gentiles predicándoles el Evangelio para que se convirtiesen.

Por esto la iglesia de San Pablo de la Regla llevó y lleva el nombre o título de Escuela de San Pablo.

Pasados tres días después de su llegada a Roma, Pablo convocó cerca de sí a los hebreos de más relieve que allí había, para ponerles al corriente de lo que le imputaban, para que no sucediese que viéndole con cadenas le considerasen como enemigo; acaso también para explorar si le había seguido hasta Roma el oído de los judíos de Jerusalén con alguna falseada y maligna relación de la causa, y en tal caso disipar las dudas y establecer la verdad: hacerles comprender la razón de su apelación del tribunal nacional, al tribunal del romano que era dominador.

Los judíos vinieron en gran número, y Pablo después de recibirles cordialmente y saludarles, les habló así: "Yo, hermanos míos, sin haber hecho nada contra el pueblo, ni contra las tradiciones de nuestros padres, fui preso en Jerusalén y entregado en manos de los romanos, los cuales, después que me hicieron los interrogatorios, quisieron ponerme en libertad, visto que no hallaban en mí causa de muerte. Mas, oponiéndose los judíos, me vi obligado a apelar a César, pero no con el fin de acusar en cosa alguna a los de mi nación. Por este motivo, pues, he procurado veros para que sepáis que por la Esperanza de Israel me veo atado con esta cadena"[6].

Los judíos no debían estar en modo alguno prevenidos contra él. Acaso no habían llegado aún los correos y cartas que el Sanedrín habría enviado. Por ello le respondieron que nunca habían oído hablar mal de él, ni de viva voz ni por escrito, más aún, le rogaron que les dijese algo le la Esperanza de Israel, y de los que confesaban su realización, ya que tenían noticia de que éstos eran combatidos y contrariados en todas partes.

Si esta pregunta no fue un engaño, lo que no parece, es necesario decir que desde la expulsión decretada por Claudio al volver a Roma, los judío-cristianos vivían separados de los judíos no convertidos, ocultándose un poco para no ser conocidos por éstos, por temor de luchas o de una segunda expulsión. De todas suertes, para los judíos no convertidos Pablo estableció y determinó un día en el que les habló del reino de Dios establecido por Jesús, al que daban testimonio la Ley y los Profetas.

_____

(6) **Hechos, 28, 17-20.**

Algunos creyeron, otros al contrario en seguida manifestaron su desacuerdo, así que nació una disputa, por la cual abandonaron a Pablo, antes que esta disputa degenerase en tumulto. ¡También aquéllos se acordaban de la expulsión de Claudio!

Ciertamente, los que creyeron volverán nuevamente para ser instruídos y bautizados; pero Pablo, al ver marchar "en masa" a los judíos de su escuela, no pudo contenerse y dirigió a sus connacionales un reproche, la última advertencia escrituraria para aquellos que habían recibido como en depósito las Escrituras, y no querían entender su interpretación; y les gritó cuando volvían las espaldas: "Oh, con cuánta razón habló el Espíritu Santo a nuestros padres por el profeta Isaías diciendo: —Ve a ese pueblo, y diles: oiréis con vuestros oídos, y no entenderéis; y por más que miréis con vuestros ojos, no veréis. Porque embotando este pueblo su corazón, ha tapado sus oídos, y apretado las pestañas de sus ojos, de miedo que con ellos vean, y oigan con sus oídos y entiendan con el corazón, y así se conviertan, y yo les dé la salud. Por tanto tened entendido todos vosotros, que a los gentiles es envidada esta salud de Dios, y ellos la recibirán"[7].

Esta fue acaso la última predicación que Pablo dirigió a sus connacionales, por lo menos la última que conocemos, ya que San Lucas termina en este punto su historia de los *Hechos de los Apóstoles*, con estas palabras: "Y Pablo permaneció por espacio de dos años enteros en la casa que había alquilado en donde recibía a cuantos iban a verle, predicando el Reino de Dios, y enseñando con toda libertad, sin que nadie se lo prohibiese (por parte de los romanos), lo tocante a nuestro Señor Jesucristo"[8].

---

(7) Hechos, 28. 26-29.
(8) Id. ib., 30.

★

Los paganos de Roma y los que a aquella ciudad habían llegado de todas partes del imperio, respondieron en buen número a la llamada de Pablo, y hubo conversiones de toda clase de personas, desde los que vivían en la casa de Nerón hasta los más humildes esclavos. Los consuelos que tuvo Pablo fueron muchos. Su ejemplo de predicador incansable produjo el efecto de sacudir la apatía de otros cristianos, aun de los que no habían sido convertidos por él, y hacer que se dedicasen a la predicación. Es cierto que entre éstos se encontraban algunos que no veían a Pablo con mucha simpatía; le consideraban como un extraño que venía a recoger en campo que no era suyo, y si podían lanzarle algo que le molestase o hacer alguna insinuación malévola acerca de él, se la hacían.

El Apóstol no sólo se ocupaba de la iglesia de Roma, sino de otras iglesias que había fundado y de las que procuraba saber su situación con interés.

Habiendo tenido noticia por Epafra, obispo de Colosas, que las iglesias de Asia Menor estaban turbadas por los movimientos de los judaizantes y de los gnósticos, escribió dos cartas: una a los de Colosas, donde acaso él no había estado, no obstante estar aquella comunidad unida a la de Efeso, y otra a los Efesios mandándolas con Tíquico, el que tenía el encargo de dar a conocer el contenido de aquellas cartas a las demás iglesias de Asia que se encontrasen en idénticas condiciones.

La carta a los Filipenses tuvo origen por la caridad generosa de aquella iglesia, la cual, en cuanto supo que Pablo había llegado a Roma, envió a su propio obispo Epafrodito con una fuerte suma de dinero.

Epafrodito debía confortar al Apóstol, repetirle el afecto de sus queridos Filipenses. El dinero podría servirle para subvenir todas las necesidades materiales. Pero sucedió que Epafrodito enfermó en Roma, y esta enfermedad fue causa de gran temor para Pablo. Apenas curó de la enfermedad, Pablo quiso que volviese a Filipos, y escribió con este motivo una carta, dándoles las gracias; también les hace algunas advertencias y da instrucciones muy provechosas; de Epafrodito dice: "Me ha parecido necesario el enviaros ya a Epafrodito, mi hermano y coadjutor en el ministerio y compañero en los combates, apóstol y enviado vuestro, que me ha asistido en mis necesidades (con las limosnas con que me enviasteis); porque, a la verdad él tenía grande ansia de veros a todos, y estaba angustiado, porque vosotros habíais sabido de su enfermedad. Y cierto que ha estado enfermo, a punto de morir; pero Dios tuvo misericordia de él, y no sólo de él, sino también de mí para que yo no padeciese tristeza sobre tristeza. Por eso le he despachado más presto, a fin de que con su visita os gocéis de nuevo, y así yo esté sin pena. Recibidle, pues, con toda alegría en el Señor y con el temor debido a semejantes personas en atención a que por el servicio de Cristo ha estado a las puertas de la muerte, exponiendo su vida, a trueque de suplir lo que vosotros desde ahí no podíais hacer en obsequio mío".[9]

La cuarta epístola que escribió desde esta prisión fue la dirigida a Filemón, rebosante de efecto y liberalidad, y que reproducimos porque en ella se manifiesta plenamente el corazón y dulzura de Pablo, toda su ingeniosa caridad para ordenar las cosas atañentes a esta virtud pero mirando sobre todo a la justicia.

Filemón era cristiano, noble ciudadano de Colosas, convertido probablemente por Pablo cuando estuvo en

_____

(9) Filip., 2, 25-30.

Efeso. Un esclavo suyo llamado Onésimo, le robó una fuerte suma de dinero y huyó. Después de quién sabe cuántas vueltas llegó a Roma, cuando debía de haber gastado en crápulas la suma robada, y era necesario estar oculto con objeto de no caer en manos de la justicia. Un día se encontró entre los que frecuentaban la escuela de Pablo. Acaso vendría a pedir alguna ayuda a Epafras al que había conocido en casa de su señor, o acaso sencillamente para oír a Pablo. Lo cierto es que éste le ganó para el Señor y le hizo un buen cristiano.

Si el caso de Onésimo hubiera sido descubierto por la justicia, nadie le habría librado de una muerte ignominiosa y cruel porque con los esclavos no se tenían miramientos, especialmente cuando se trataba de ladrones y huídos.

Pablo le tuvo consigo un poco de tiempo, y Onésimo le tomó mucho cariño y le servía con devoción. Si hubiese informado a Filemón, éste hubiera aprobado lo hecho; pero le pareció faltar a la delicadeza tener un siervo suyo y obligarle en cierta manera a que accediese ante lo hecho. Por eso quiso enviárselo, y ahora más porque sabía que su señor no sólo le habría perdonado por el robo y la fuga, sino que le miraría como hermano por el bautizmo que le constituía, como a él, hijo de Dios y heredero del cielo.

He aquí la carta de presentación. El que no esté persuadido de lo mucho que ha hecho la Iglesia por la libertad, la igualdad y la fraternidad entre los hombres, no tiene que hacer más que leerla, después de haberse puesto en el tiempo en que se escribió, y haber reflexionado un poco acerca de la situación de los esclavos de entonces, y de lo que pensaban de ellos los filósofos y todos los que pertenecían a la clase de los libres:

"Pablo, preso por amor de Jesucristo, y Timoteo su hermano: al amado Filemón, coadjutor nuestro, y a la carísima hermana nuestra, Appia, su esposa, y a Arquipo, nuestro compañero en los combates o en la milicia de Cristo, y a la iglesia congregada en tu casa.

"Gloria y paz a vosotros, de parte de Dios nuestro Padre y del Señor Jesucristo. Acordándome siempre de ti en mus oraciones, querido Filemón, doy gracias a Dios, oyendo la fe que tienes en el Señor Jesús, y tu caridad para con todos los santos o fieles, y de qué manera la libertad que nace de tu fe resplandece a la vista de todo el mundo, haciéndose patente por medio de todas las obras buenas que se practican en tu casa por amor de Jesucristo.

"Así es que yo he tenido gran gozo y consuelo en las obras de tu caridad, viendo cuánto recreo y alivio han recibido de tu bondad, hermano mío, los corazones de los santos o fieles necesitados. Por cuyo motivo, no obstante la libertad que pudiese yo tomarme en Jesucristo para mandarte una cosa que es de tu obligación, con todo, lo mucho que te amo me hace preferir el suplicártela, aunque sea lo que soy respecto de ti, esto es, aunque yo sea Pablo el Apóstol, ya anciano, y además preso ahora por amor de Jesucristo. Te ruego, pues, por mi hijo Onésimo, a quien he engendrado o dado la vida de la gracia entre las cadenas; por Onésimo que en algún tiempo fue para ti inútil, y al presente tanto para ti como para mí es provechoso, el cual te le vuelvo a enviar. Tú de tu parte recíbele como a mis entrañas o como si fuera hijo mío. Yo había pensado retenerle conmigo, para que me sirviese por ti, durante la prisión en que estoy por el Evangelio; pero nada he querido hacer sin tu consentimiento, para que tu beneficio no fuese como forzado, sino voluntario. Que quizás él te ha dejado por algún tiempo, a fin de que le recobrases para siempre; no ya como mero siervo sino como quien de siervo ha venido a ser por el bautismo un hermano muy amado, de mí en particular; ¿pero cuánto más de ti, pues que te pertenece según el mundo y según el Señor? Ahora bien, si me tienes por íntimo compañero tuyo, acógele como a mí mismo. Y si te ha causado algún detrimento, o te debe algo, apúntalo a mi cuenta. Yo, Pablo, te lo he escrito de mi puño; yo lo pagaré, por no decirte que tú me debes todo a mí, puesto que te convertí a la fe.

"Sí, por cierto, hermano, reciba yo de ti este gozo en el Señor. Da en nombre del Señor este consuelo a mi corazón. Confiado en tu obediencia te escribo; sabiendo que harás aun mucho más de lo que te digo.

"Y al mismo tiempo disponme también ospedaje; pues espero que por vuestras oraciones os he de ser restituído.

"Epafras, preso conmigo por amor de Jesucristo, te saluda, con Marcos, Aristarco, Demas y Lucas que me ayudan y acompañan. La gracia de nuestro Señor Jesucristo sea con vuestro espíritu. Amén".

★

En los comienzos de la primavera del año 63, probablemente, fue absuelto Pablo por el tribunal romano. La moderación de la prisión preventiva en que había estado, le había dado ocasión para trabajar bastante en Roma. por eso, una vez conseguida la libertad, es de suponer que no se detendría mucho. El campo que el Señor le había recomendado era grande en demasía, y debía ser todo roturado antes de la tarde que ya se avecinaba.

EL TESTIMONIO SUPREMO

Libre de las cadenas, el Apóstol dirigió su mirada hacia España, a la cual había deseado ir hacía mucho tiempo, según lo manifestó en su carta a los Romanos.

Es una verdadera pena que de aquí en adelante no tengamos ya a Lucas, el historiador fiel, para que nos contase sus trabajos. La consecuencia de esto es que ya no podemos seguir al Apóstol en sus correrías, y si algunas veces queremos hacerlo nos exponemos a separarnos de la verdad; porque entre las muchas noticias que nos dan los demás, siempre posteriores, algunas veces más novelistas que históricas, es muy difícil separar lo verdadero de lo falso. Aún recordaremos algunas noticias: primero las pocas que hay ciertas; después las demás, advirtiendo siempre su mayor o menor valor.

Y antes de todo hemos de decir, que el hecho de la evangelización de España por el Apóstol debe darse por históricamente probado, ya que la alusión a que al principio de este capítulo nos hemos referido, está confirmada por Clemente Romano, el cual, pocos años después de la muerte de Pablo, dice que su predicación se había oído hasta el extremo Occidente. Ahora bien, entonces el extremo Occidente para todos era España, en particular para un romano. Por lo demás tal misión paulina está fuera de discusión por muchos Padres de la Iglesia, que por su proximidad cronológica y por los documentos que pudieron tener, son de grande autoridad.

Acaso el viaje en esas regiones en parte fue por mar y en parte por tierra. Debió tocar en varias ciudades del litoral de Francia, y el envío de Crescente a las Galias parece una confirmación de esto. Pero del apostolado en particular, tanto en Francia como en España, no tenemos noticias ciertas.

Una leyenda nos muestra al Apóstol ocupado con todo interés en la conversión de los españoles, encuadrándole en una aureola sobrenatural. Dice que mientras predicaba a una familia muy rica de la que era huésped, de repente su cabeza apareció rodeada de un círculo de luz resplandeciente. Su cara de sufrimiento y palidez manifestó entonces un halo maravilloso de dulzura y benignidad, mientras en el círculo de luz aparecieron las letras: "Pablo, Apóstol y predicador de Cristo".

A nosotros nos basta esta leyenda. Ella nos presenta a Pablo como ciertamente fue también en España: Apóstol y predicador, por lo tanto, incansable en los trabajos como lo fue en Corinto y en Efeso; todo dulzura para sus hijos espirituales, por los cuales habrá sufrido persecuciones, hecho viajes, desafiando peligros, en la tierra, en el mar, de ladrones, azotes, insultos de la plebe, etc., y por lo tanto lleno de solicitud de celo, de virtud, y por último obrando milagros, para confirmar su apostolado.

De España Pablo volvió a Italia; pero sin detenerse mucho, acaso apenas el tiempo suficiente para tener amplias noticias de todas sus iglesias y de la de Jerusalén, a la que inmediatamente antes o después del viaje a España escribió la famosa carta a los Hebreos.

Desde Italia, no sabemos con qué compañeros, volvió a tomar el camino de Oriente para visitar las iglesias que había fundado y para establecer otro centro importante en la isla de Creta, donde dejará después, por cierto tiempo y con plenos poderes, primero a Tito y después probablemente a Artemas, otro de sus compañeros.

La primera iglesia que probablemente visitó fue Efeso, pero estuvo poco tiempo, porque quiso cumplir sus promesas; seguramente visitó las iglesias vecinas a Efeso, que estaban enlazadas con la misión efesina, y de las que le habían llegado muy claros signos de adhesión y amor mientras estuvo preso en Roma. En Efeso dejó a su entrañable discípulo Timoteo.

Después visitó Macedonia, de allí fue a Corinto, continuando en las iglesias de Grecia y el Epiro, y, según parece, Iliria y Dalmacia.

Con esta última misión todo el antiguo mundo romano que estaba en relación con el Mediterráneo, con excepción únicamente de las costas africanas, fue evangelizado por Pablo. Y no perdía de vista a sus iglesias. Aunque estuviesen muy alejadas, las gobernaba por medio de sus ayudantes, y disponía lo conveniente para el recto ordenamiento social.

En el Epiro el Apóstol quería fundar otro centro de irradiación cristiana en Nicópolis, ciudad nueva e importante, fundada por Augusto en recuerdo de la batalla de Accio. Por esta razón en su carta a Tito le da cita para que vaya en seguida que haya llegado Artemas, a la ciudad de Nicópolis, en donde piensa Pablo pasar el invierno, que debía ser el del año 66-67. Pero antes de que éste terminase, o a lo más al principio de la primevera debió dejar el Epiro para pasar otra vez al Asia Menor, donde probablemente fue arrestado. Esto es lo poco que puede reconstruirse de sus viajes, apoyándose en las indicaciones muy genéricas que encontramos en sus cartas. Antes de continuar en la narración, creemos que es conveniente digamos algo de sus cartas: la dirigida a los Hebreos, y las dos pastorales: la primera, dirigida a Timoteo, y la que escribió a Tito.

★

Algunos atribuyen a Apolo la carta a los Hebreos, otros a Bernabé, y otros, por fin, a un discípulo desconocido, muy versado en la filosofía.

Probablemente fue ideada y planeada por Pablo y escrita por Bernabé, que conocía muy íntimamente a la iglesia de Jerusalén, por haber vivido en ella mucho tiempo. Por esto no lleva el nombre de alguno al principio, al contrario de lo que ocurre en todas las demás cartas paulinas; ni al terminar, el saludo del escritor o de los compiladores, sino un saludo genérico: "Los hermanos de Italia os saludan".

No entra dentro de nuestro plan profundizar demasiado en las cuestiones que se refieren a la autenticidad de esta carta. Nos basta saber que contiene las ideas de Pablo, y que la Iglesia Romana la considera canónica, esto es, divinamente inspirada como las demás.

Aunque genéricamente inscrita a los Hebreos, está dirigida a los hebreos de Jerusalén, que en aquel tiempo veían acercarse las tribulaciones predichas por Jesucristo. Los primeros chispazos fueron el martirio de Santiago el Menor y después la anarquía de la ciudad santa, por la cual los cristianos de la iglesia madre, reclutados en su mayoría entre el bajo pueblo, tuvieron que sufrir toda clase de tribulaciones.

Los grandes sacerdotes del tiempo, arribistas y corrompidos, parece señalaban aquella especie de maldición que se cumple para las sociedades infieles, y por la cual a la ineptitud de los dirigentes sigue la rebelión de los súbditos y la desolación de la sociedad. El Sumo Sacerdote en cargos era hostigado por el depuesto Ananías, el enemigo de Pablo, y los dos tenían su partido y sus esbirros. Los cristianos no sabían cómo conducirse. Eran acaso señalados como rebeldes, porque no se unían a los rebeldes. Fieles al culto mosaico, lo veían arrastrado por el fango en la persona de los sumos sacerdotes. El Señor les estaba probando. Les separaba del Templo antes de que éste fuese destruido. En tal contingencia, muy dolorosa para ellos, Pablo, no queriendo acordarse de la frialdad y de la sorda hostilidad que siempre le habían prodigado, muestra los tesoros de su caridad.

La carta comienza con un himno a Jesucristo, y prosigue con la alabanza de su sacerdocio, infinitamente superior al de la Ley, personificado en hombres pecadores. Teje el elogio de la fe, siempre con llamadas y citas del Antiguo Testamento, como para demostrarles con toda claridad la continuidad del Antiguo con el Nuevo, iniciado por nuestro Señor Jesucristo.

Aquí y allá el fin consolatorio de la carta emerge con oportunas exhortaciones, como cuando recuerda las persecuciones del tiempo de Esteban y de Santiago el Mayor, alabando la constancia que todos tuvieron.

"Traed a la memoria —les dice— aquéllos primeros días de nuestra conversión, cuando después de haber sido iluminados sufristeis con valor admirable un gran combate de persecuciones; por un lado habiendo servido de espectáculo al mundo, por las injurias y malos tratamientos que habéis recibido, y por otro tomando parte en las penas de los que sufrían semejantes indignidades. Porque os compadecisteis de los que estaban entre cadenas, y llevasteis con alegría la rapiña de vuestros bienes, considerando que teníais un patrimonio más excelente y duradero. No queráis, pues, malograr vuestra confianza, la cual recibirá un gran galardón. Porque os es necesaria la paciencia para que, haciendo la voluntad de Dios, obtengáis la promesa. Pues dentro de un brevísimo tiempo, dice Dios, vendrá aquel que ha de venir, y no tardará.

"Mantengamos sin vacilar la esperanza que hemos confesado (que fiel es quien hizo la promesa), y pongamos los ojos los unos en los otros para incentivo de caridad y de buenas obras; no desamparando nuestra congregación o asamblea de los fieles, como es costumbre de algunos, sino, al contrario, alentándonos mutuamente, y tanto más, cuanto más vecino viereis el día"[1].

Ni deja de aducirles ejemplos de paciencia en las tribulaciones, el primero y principal el de Jesús, y luego el de aquellos que han derramado su sangre por la fe.

"También nosotros corramos con paciencia al término del combate, a la meta o hito que nos es propuesto, poniendo siempre los ojos en Jesús, autor y consumidor de la fe, el cual en vista del gozo que le estaba preparado en la gloria sufrió la cruz, sin hacer caso de la ignominia, y en premio está sentado a la diestra del trono de Dios. Considerad, pues, atentamente a aquel Señor que sufrió tal contradicción de los pecadores contra su misma persona; a fin de que no desmayéis, perdiendo vuestros ánimos. Pues aun no habéis resistido hasta derramar la sangre como Jesucristo combatiendo contra el pecado; sino que os habéis olvidado ya de las palabras de consuelo, que os dirige Dios como a hijos, diciendo en la Escritura:

---

(1) Hebreos, 10, 32-37; ib., 23-25.

—Hijo mío, no desprecies la corrección o castigo del Señor, ni caigas de ánimo cuando te reprenda porque el Señor, al que ama le castiga; y a cualquiera que recibe por hijo suyo, le azota y le prueba con diversidades. Sufrid, pues, aguantad firmes la corrección. Dios se porta con vosotros como con hijos. Porque ¿cuál es el hijo a quien su padre no corrige?

"Que si estáis fuera de la corrección, de que todos los justos participaron, bien se ve que sois bastardos, y no hijos legítimos...

"Por tanto, volved a levantar vuestras manos lánguidas y caídas, y fortificad vuestras rodillas debilitadas, marchad con paso firme por el recto camino; a fin de que alguno, por andar claudicando en la fe no se descamine de ella, sino antes bien se corrija. Procurad tener paz con todos, y santidad de vida, sin la cual nadie puede ver a Dios"[2].

★

Las otras dos cartas están dirigidas, una a Tito y otra a Timoteo, a los que había dejado para que presidiesen las iglesias de Creta y Efeso, respectivamente. Estas dos cartas, con otra que escribió a Timoteo durante el tiempo de su última prisión, poco antes de su muerte, forman el grupo de las cartas pastorales: llamadas así porque están dirigidas a Pastores de la Iglesia cristiana, y porque en ellas expone los deberes de éstos.

Las dos primeras tienen una semejanza muy pronunciada. A Timoteo, como a hijo espiritual predilecto, le da consejos hasta para que conserve la salud corporal, rogándole, entre otras cosas, que temple el rigor de su abstinencia referente al vino, el cual en

_____

(2) Hebreos, 12, 1-8; 12-14.

pequeña cantidad puede favorecer su estómago. Le enseña cómo debe reprender y comportarse con los culpables, los cuales, con frecuencia serán de más edad que él; pero —le dice— que se porte de tal manera que nadie le menosprecie por su poca edad.

A Tito le recomienda que se haga irreprensible y modelo por sus obras, doctrina e integridad, de tal manera que los enemigos queden confusos delante de un hombre totalmente irreprensible. La mejor predicación y más útil para los muchos paganos de aquella isla es el buen ejemplo; de ellos dijo Epiménides, poeta y filósofo cretense: "Los cretenses son mentirosos, malignas bestias y vientres perezosos".

Por lo demás, tanto a Timoteo como a Tito, les manda que no se entretengan en cuestiones inútiles de genealogías, de fábulas y de prescripciones judaicas. San Pablo quiere que ciertos propaladores de tonterías no sean ni siquiera escuchados; sean sencillamente amonestados, pero no se entre en discusiones con ellos.

Para los que pertenecen a la Iglesia indica algunos de sus deberes:

"Quien desea obispado, desea un buen trabajo o un ministerio santo. Por consiguiente es preciso que un obispo sea irreprensible, que no se haya casado sino con una sola mujer, sobrio, prudente, grave, modesto, casto, amante de la hospitalidad, propio y capaz para enseñar, no dado al vino, no violento sino moderado; no pleitista, no interesado, mas que sepa gobernar bien su casa, que tenga buena reputación entre los gentiles"[3]

De la misma suerte los diáconos sean honestos y morigerados, no dobles en sus palabras, no bebedores de mucho vino, no aplicados a torpe granjería; que traten el misterio de la fe con limpia conciencia. Y

(3)   1 Tim., 3, 1-5 y 7.

por tanto sean éstos antes probados y así entren en el ministerio no siendo tachados de ningún delito.

También las viudas, aquellas que se ocupaban del servicio de la Iglesia, no teniendo necesidad de pensar en su familia, y que por lo tanto servían al altar y vivían del altar, "han de ser honestas y vergonzosas, no chismosas o calumniadoras; sobrias, y fieles en todo"[4].

Pero no se han de admitir fácilmente las mujeres al servicio de la Iglesia: "La viuda no sea elegida para el servicio de la Iglesia de menos de sesenta años de edad, ni la que haya sido casada más de una vez; sus buenas obras den testimonio de ella, si ha educado bien a sus hijos, si ha ejercido la hospitalidad, si ha lavado los pies de los santos, si ha socorrido a los atribulados, si ha practicado toda suerte de virtudes. Viudas jóvenes no las admitas al servicio de la Iglesia. Pues cuando se han regalado a costa de los bienes de Cristo, quieren casarse. Teniendo contra sí sentencia de condenación, por cuanto violaron la primera fe, y aun también estando ociosas o teniendo poco trabajo, se acostumbran a andar de casa en casa; no como quiera ociosas, sino también parleras y curiosas, hablando de cosas que no deberían hablar. Quiero, pues, más en este caso que las que son jóvenes, se vuelvan a casar, críen hijos, sean buenas madres de familia, no den al enemigo ninguna ocasión de maledicencia, pues algunas se han pervertido ya para ir en pos de Satanás. Si alguno de los fieles tiene viudas en su parentela, asístalas, y no se grave a la Iglesia con su manutención, a fin de que haya lo suficiente para mantener a las que son verdaderamente viudas pobres, y desamparadas"[5].

---

(4)   Tito, 2, 3 y 5.
(5)   Tim., 5, 9-16.

Mientras Pablo trabajaba en las iglesias, la comunidad de Roma, que había aprendido del él cómo el cristiano debe soportar el sufrimiento, tuvo la prueba del fuego y la soportó con tanta grandeza, que muy pronto se puso sobre todas las demás iglesias aun en este aspecto, de tal suerte que ya desde entonces mereció el elogio que se le dirigirá más tarde: "Roma, campo fértil de mártires".

El 19 de julio del 64 se desarrolló en la ciudad un terrible incendio, en el cual el fuego se adueñó de diez de los catorce cuarteles en que se dividía la Urbe, dejándoles a unos completamente reducidos a escombros y a otros en muy lamentable estado. El incendio duró seis días, y después de ser dominado mediante una ancha brecha de aislamiento, estalló de nuevo en las propiedades de Tigelino, arruinando templos y pórticos importantes. La consternación de los romanos no tuvo límites. Muchos habían perdido en el incendio todos sus bienes, y también las personas más queridas; otros no supieron resistir el golpe fatal de verse reducidos a la más espantosa miseria y se arrojaron a las llamas.

Si el incendio fue fortuito o provocado intencionalmente no puede aseverarse con toda certeza; pero si seguimos el rumor popular y la relación de Suetonio, diremos que Nerón fue el que mandó se produjese la catástrofe. Y verdaderamente aquel loco había manifestado desde pequeño tendencias criminales, deleitándose en oír hablar de grandes catástrofes, del incendio de Troya, y envidiando a los que habían presenciado tales sucesos. Ceñida la corona imperial, más de una vez se había lamentado de la miseria de numerosas casuchas, que se veían en algunos de los barrios de Roma, y manifestando su deseo de hacer más y mejor, especialmente para su residencia. Cuando estalló el incendio él estaba en Anzio; no obstante se supo que pretorianos y esclavos del César habían sido vistos en varios puntos de la ciudad aplicar el fuego a las casas con luces y estopas impregnadas de materias fácilmente combustibles. Llegado que fue a Roma, trabajó con todo ahinco para hacer ver al pueblo el gran disgusto que le había producido tal catástrofe; abrió en seguida al público sus jardines, hizo construir refugios provisionales, y tomó medidas enérgicas para subvenir a la miseria de los sin tejado donde cobijarse. Pero la voz popular que murmuraba contra él y le señalaba como autor del delito, no disminuía por eso, antes por el contrario se hizo más insistente. Nerón comprendió que era necesario encontrar un diversivo.

Los judíos, que pudieron librar su barrio de *Trastevere* de las llamas, y que también en otros lugares habían sido bastante afortunados en la desolación general, temieron ser señalados como los autores de la catástrofe. En general eran mal vistos por los romanos.

Nerón debió pensar en seguida en ellos, para hacer caer sobre los mismos la responsabilidad; pero éstos le dominaban por una gran cantidad de adivinos, magos, libertos, y más que todo por la bella Poppea, prosélita judía, y supieron desviar a tiempo el golpe, haciéndolo caer sobre los cristianos.

La afirmación de Clemente Romano, de que la primera persecución fue efecto de los celos o envidia, nos da motivo para reconstruir de tal modo la imputación de delito a los cristianos. Los judíos les odiaban, porque entre ellos había muchos que habían abandonado la sinagoga. Les hemos visto otras veces soliviantar con fútiles motivos a las poblaciones contra ellos y ponerlos en manos de la autoridad. Esta vez la misma maniobra les serviría para apartar de sí un grave peligro y para perder a sus enemigos. La prueba de su acusación era fácil llevarla ante un Nerón loco y criminal, que ya mandaba como un tirano y se había desembarazado de tantos personajes importantes, no teniendo ningún contrapeso que templase su locura.

Además, los cristianos en su mayoría eran gente de baja condición social, y su vida retirada, con las reuniones nocturnas, daba pábulo a ciertas malignas interpretaciones. Su misma doctrina daba pretexto. Ellos decían que había de venir muy pronto el gran día en el cual la tierra sería pasto de las llamas: entonces su Rey habría vencido al mundo.

Los cristianos, acusados como reos del incendio, fueron encontrados fácilmente con las indicaciones judaicas. ¡El juicio después se hizo con los modos acostumbrados en aquellos tiempos de gran libertad! Una vez admitidos por los jueces de Nerón que los cristianos habían incendiado Roma, porque era necesario encontrar una víctima en sustitución del César, bastaba que uno afirmase que era cristiano para merecer la condena. Mientras tanto se hacía correr la voz que la religión cristiana era una superstición muy perjudicial, una superstición maléfica que era rea de odiar al género humano.

Un gran número de cristianos fue condenado. Tácito dice: "Una gran multitud".

Nerón tenía la manía de ser grande en todo: quiso también serlo en castigar el delito cometido por él mismo. Por temor de que algún cristiano expuesto a las fieras hubiese luchado bravamente y acaso el pueblo hubiese pedido gracia, ordenó que fuesen crucificados unos, otros atados a palos en el circo, y después mandó introducir leones y panteras hambrientos, para que con toda comodidad y sin resistencia ni lucha posible los devorasen. A otros les cubrió con pieles de bestias feroces y después les hizo desgarar por perros que se creían luchar contra las fieras. Muchos fueron revestidos en sus jardines privados con la "túnica molesta", especie de túnica impregnada de pez, resina y azufre, luego izados sobre antenas, y al anochecer se les encendía convirtiéndoles en antorchas vivientes, mientras él, Nerón, en medio de los romanos, para hacerse popular, cometía las acostumbradas locuras.

A las jóvenes les fueron reservados tormentos e insultos que nuestra imaginación no quiere recordar. No fueron perdonados ni siquiera los niños y los ancianos y la crueldad llegó a tal punto de sadismo que obtuvo el efecto contrario al que se perseguía con ella.

El pueblo en vez de aplaudir a Nerón continuó murmurando de él. Muchos comprendieron que aquellas no eran víctimas de la justicia del pueblo sino de la crueldad del príncipe.

Mientras tanto los cristianos que se libraron de aquella hecatombe recibieron una lección inolvidable de los cristianos que murieron, y el fervor se acrecentó extraordinariamente en la iglesia de Pedro y Pablo. La sangre de los mártires fue semilla de cristianos. Con este motivo, éstos de ahora en adelante, serán considerados como fuera de ley por el Imperio romano.

Cerca de tres siglos continuó el Imperio siendo el enemigo del nombre cristiano, en Roma y fuera, adonde llegaba su jurisdicción. Unas veces enemigo que no se preocupaba de él, otras feroz; en ocasiones blando, en otras ocasiones cruel; a veces cazará a sus víctimas con método y con una ley general, otras como al acaso e incidentalmente, pudiendo ser efecto de una denuncia particular, de un odio o de una venganza.

Pablo será sacrificado así.

Le habíamos dejado en Nicópolis, en donde le habría encontrado Tito, en el invierno del 66 al 67. En el verano del 67 le encontramos preso en Roma. ¿Por qué? ¿Dónde y cuándo fue arrestado?

Las hipótesis son muchas, los hechos indiscutiblemente ciertos faltan; pero la hipótesis que nos parece más cerca de la verdad, y que parece respaldada por las noticias e indicios de la última carta a Timoteo, es la que propone el Padre Prat, S. J., y la seguimos, inducidos particularmente por aquel ruego de Pablo a Timoteo de que le lleve a Roma la capa, los libros y los pergaminos. No se puede suponer que Pablo, el cual viajaba según el mandato del Divino Maestro a los Apóstoles en lo que se refería a su ajuar personal, se haya dejado todo esto en Tróade en la casa de Crispo, si es que él voluntariamente y libremente tuvo intención de ir a Roma. Es necesario que en Tróade haya ocurrido algún suceso extraordinario que le obligó a ello; y este hecho pudo ser su arresto por la delación de Alejandro el calderero, acaso apóstata del cristianismo, que quiso vengarse de Pablo. Este pronuncia su nombre poco después de decir que le lleve los objetos dejados en Tróade. Acaso este enlace no es puramente casual. El recuerdo de la ciudad le trajo al pensamiento el otro más amargo del calderero y de su delación y apostasía. Hasta el hecho de recordar muchos asiáticos probablemente no es sin razón. El mismo Onesíforo que desde Efeso se traslada a Roma para encontrarle y no le halla sino después de muchas indagaciones, debió asistir al Apóstol, preso en Efeso; y no habiendo podido acompañarle, le siguió poco después, le buscó, y por fin le encontró en Roma.

En Tróade, por lo tanto, fue denunciado Pablo y de allí conducido a Efeso, capital de Asia Menor; y por aquel gobernador, acaso por una segunda apelación al tribunal del César, fue enviado a Roma por vía marítima, haciendo trasbordo en Corinto. Según una tradición de la iglesia de Corinto, Pedro y Pablo se encontraron allí, en donde predicaron por última vez el Evangelio y después partieron a Roma. Esta tradición no puede decirse que esté en contradicción con el hecho de que Pablo hiciese este viaje prisionero.

Con Pedro pudo encontrarse por última vez en Corinto, como pudo ver y hablar por última vez a los cristianos de aquella iglesia. No es de suponer que viajase con toda aquella clase de atenciones y miramientos que tuvo en el primer viaje como prisionero con el centurión Julio; pero, en el fondo era un prisionero en espera de juicio, y en Corinto había tal número de cristianos, que fácilmente pudieron mover la inflexibilidad de los funcionarios romanos. ¡El oro puede hacer la vista larga en lo tocante a las ordenanzas político-judiciarias!

Como quiera que sea, aunque Pedro y Pablo llegasen a la vez a Roma, el uno libre y el otro prisionero o como quiera pensarse, la vida de ellos no siguió los mismos pasos. Acaso se vieron alguna vez; quién sabe si estuvieron juntos algún tiempo en la cárcel Mamertina, y en el mismo año (y hay quien dice que también en el mismo día), recibieron la palma del martirio.

Pero no habiendo en todo esto más que casos y posibilidades más o menos atendibles, preferimos seguir al Apóstol de las Gentes, dejando a un lado las vicisitudes de Pedro, Cabeza de la Iglesia, para ser más claros y proceder expeditamente.

★

En Roma Pablo pudo ponerse en comunicación con aquella cristiandad.

Eubulo y Lino, Pudente y Claudio, los padres de las santas vírgenes Práxedes y Pudenciana, se encontraron con él y le encargaron también que saludase a Timoteo, al que conocían desde el tiempo de la primera prisión.

Esta carta a Timoteo debió ser escrita poco tiempo antes del martirio. El Apóstol había comparecido ya una vez ante los tribunales y el Señor le había librado por entonces de la boca del león. ¿Aludía acaso a Nerón o a Tigelino?

La defensa que hizo en esta circunstancia ante los tribunales fue no tanto la defensa de su persona, como la de la religión cristiana.

Los mártires del incendio de Roma esperaban esta reivindicación por boca de su Apóstol, y él no pudo faltar. Por ello escribió: "El Señor me ha asistido y me ha confortado, a fin de que por mi medio se complete la predicación y la oigan todas las gentes"[6].

También esta vez, como delante del Sanedrín y de los gobernadores de Judea, estuvo solo delante de los enemigos. "En mi primera defensa ninguno me auxilió, antes bien todos me desampararon; no les sea imputado. Pero el Señor me ha asistido y me ha confortado"[7].

No podemos creer que le abandonasen todos los cristianos de Roma. Pablo debe aludir a alguno de Asia que no fue lo suficientemente valiente para dar un testimonio favorable, lo que confirma que en aquella región fue hecho prisionero.

Mientras tanto, aun teniendo en perspectiva una

_____

(6) 2 Tim., 4, 17.
(7) Id., ib., 16.

próxima segunda comparecencia ante los tribunales, sobre cuyo éxito no podía hacerse muchas ilusiones, él piensa en sus iglesias, en sus colaboradores, en sus hijos espirituales, a pesar de los abondonos y de la falta de valor de muchos. El amor hacia ellos se ha hecho en su corazón una sola cosa con el amor de Jesús; él habla del primero comprendiendo también al segundo. "Por tanto todo lo sufro por amor de los escogidos, a fin de que consigan también ellos la salvación, adquirida por Jesucristo, con la gloria celestial. Es una verdad incontrastable, que si morimos con él, también con él viviremos"[8].

Para Timoteo es todo ternura y amor. Vuelve a repetirle lo que le había dicho en su primera carta y le da nuevos consejos, rogándole con todo encarecimiento venga en seguida a Roma, porque: "Demas me ha desamparado, por el amor de este siglo, y se ha ido a Tesalónica; Crecente partió para Galacia; Tito para Dalmacia, por lo que sólo Lucas está conmigo"[9].

Pero acaso también Pablo temía fuese posible que su querido discípulo, aun poniéndose en camino con toda premura, no llegase a tiempo para volverle a ver. Por esto le amonesta:

"Mas has de saber esto, que en los días postreros sobrevendrán tiempos peligrosos. Levantaránse los hombres amadores de sí mismos, codiciosos, altaneros, soberbios, blasfemos, desobedientes a sus padres, ingratos, facinerosos, desnaturalizados, implacables, calumniadores, disolutos, fieros, inhumanos, traidores, protervos, hinchados, más amadores de deleites que de Dios; mostrando, sí, apariencia de piedad, pero renunciando a su espíritu. Apártate de los tales. Porque de éstos son los que se meten en las casas, y cautivan a las mujercillas cargadas de pecados, arrastra-

(8) Id., 2, 10-11.
(9) Id., 4, 10-11.

309

das de varias pasiones; que andan siempre aprendiendo, y jamás arriban al conocimiento de la verdad.

"Te conjuro, pues, delante de Dios y de Jesucristo, que ha de juzgar vivos y muertos, al tiempo de su venida y de su reino. Predica la palabra de Dios con toda fuerza y valentía, insiste con ocasión y sin ella; reprende, ruega, exhorta con toda paciencia y doctrina, porque vendrá tiempo en que los hombres no podrán sufrir la sana doctrina, sino que, teniendo una comezón extremada de oír doctrinas que lisonjeen sus pasiones, recurrirán a una caterva de doctores, propios para satisfacer sus desordenados deseos, y cerrarán los oídos a la verdad, y los aplicarán a las fábulas. Tú entretanto vigila en todas las cosas, soporta las aflicciones, desempeña el oficio de evangelista, cumple todos los cargos de tu ministerio"[10].

Parece como si quisiera preparar al discípulo a la eventualidad de una llegada demasiado tardía, cuando prosigue: "En cuanto a mí, ya estoy a punto de ser inmolado, y se acerca el tiempo de mi muerte. He combatido con valor, he concluido la carrera, he guardado la fe. Nada me resta sino aguardar la corona de justicia, que me está reservada, y que me dará el Señor en aquel día como justo juez; y no sólo a mí, sino también a los que desean su venida"[11].

¡Qué preciosas son estas palabras, puestas casi al terminar su última carta! ¡Oh, qué feliz sería el que pudiese repetir con verdad palabras semejantes al fin de su propia carrera!

Y realmente todos podemos combatir bien en el lugar de la batalla que se nos haya señalado por la Providencia, y que ciertamente es mucho más fácil que el lugar en que Dios puso al Apóstol.

La segunda comparecencia ante el tribunal de los

---

(10) Id., 3, 1-7; 4, 1-5.
(11) Id., ib., 6-8.

prefectos —porque Nerón en aquel tiempo, el año 67 de la Era cristiana, estaba haciendo de bufón en Grecia—, debió efectuarse muy pronto. No valieron en ella ni la verdad de los argumentos ni la perfecta defensa personal. Ahora los cristianos eran reos del delito de odio al género humano, y su religión una superstición maléfica. Pablo fue condenado.

Pero como era ciudadano romano, no se le aplicó un suplicio infamante; fue condenado a ser decapitado, después de sufrir la flagelación.

Ordinariamente la sentencia se ejecutaba a poco de ser promulgada. Acaso al día siguiente. Pablo fue sacado de la cárcel Mamertina y, rodeado de los pretorianos, se dirigió hacia la Puerta de Ostia. ¡Cuántos cristianos estarían al lado del camino para poder verle otra vez y oír aún su palabra!

Si no Timoteo, ciertamente Lino, Pudente y Lucas le acompañaron. Este último habría podido conservarnos una escena sublime, refiriéndonos aquella ejemplar muerte; pero él acaso no pudo continuar la compilación de los Hechos de los Apóstoles. Así ha sucedido que la leyenda se ha posesionado de aquella escena y la ha conservado a su manera.

Según la leyenda el Apóstol continuó su predicación hasta el último momento de su vida, y convirtió a alguno de los pretorianos que le acompañaron al suplicio.

Otra leyenda nos cuenta que Plautila, devota y noble matrona romana, se había puesto al lado del camino para verle, pero no pudo detener el llanto a la vista de él, así que apenas tuvo fuerza para decirle: "Acuérdate de mí cuando estés delante de Jesús". El Apóstol, para consolarla, le pidió el velo que llevaba, para vendarse con él los ojos a tiempo de la ejecución. Ella volvió a recuperarle, como preciosa reliquia, empapado en la sangre del Apóstol.

311

Cuando llegaron al lugar donde ahora se levanta la basílica dedicada al santo, éste reconoció la casa y quinta de Lucina, donde sería sepultado. Mas el cortejo se dirigió a otra parte, y dejando la amplia vía de Ostia, echó a andar por la Ardea. Después de haber andado algún kilómetro se entrevió a la izquierda un pequeño valle en el que una fuente burbujeaba gota a gota el agua. Al lado se levantaba un pino robusto. El centurión ordenó hacer alto, y determinó que el condenado fuese decapitado cerca de aquel pino. Estaban ya suficientemente distantes de la ciudad.

Decidido esto, Pablo fue nuevamente azotado. ¡Cuántos golpes habían recibido aquellas espaldas escuálidas, y a la vez cuánto peso habían soportado! Golpes de los judíos y golpes de los romanos; pero por cada golpe que recibía, contaba a millares judíos y romanos que habrían sufrido con mucho gusto aquel ultraje para librarse a él.

Terminada la flagelación se le vendaron a Pablo los ojos con el velo de Plautila. Después, a una orden del centurión, se blandió la espada sobre Pablo dándole un fuerte tajo en el cuello, y la injusta sentencia, bajo el nombre de justicia legal, se cumplió.

El Apóstol, que durante su vida había combatido la buena batalla, consiguió en aquel mismo instante una completa victoria. Jesús, que en el camino de Damasco le había hecho caer en tierra, y que tantas veces se le había manifestado después, estaba allí más bello y con más resplandor que nunca. Tenía en la mano una corona para él, que había corrido tan maravillosamente en el estadio; para él, que había combatido no como quien azota al aire, sino castigando y sometiendo a su cuerpo a fin de no encontrarse entre los réprobos;[12] para él, que tantas veces había deseado morir por estar con Cristo.

_____

(12)   1 Cor., 9, 25-27.

Añade la leyenda que de la cabeza separada del tronco brotó leche y sangre, mientras la boca bendita repetía el querido nombre de Jesús. Volteando, la sagrada cabeza tocó tres veces en tierra e hizo brotar en cada una de ellas una fuente.

★

Los cuerpos de los ajusticiados podían ser reclamados por los parientes y amigos. Lucina, Plautila, otras piadosas mujeres y los discípulos de Pablo pidieron el cuerpo de éste y lo transportaron a la quinta de Lucina.

Bien pronto se convirtió el sepulcro del Apóstol en meta y término de peregrinaciones. Los fieles de Roma se acercaban con frecuencia para pedir gracias y honrar al Vaso de elección. Así se erigió un trofeo: no tanto un monumento sepulcral como una señal de victoria; trofeo, que se gloriaba de haber visto el sacerdote Cayo, poco después del año 200, considerándolo como un monumento de la mayor importancia.

Más tarde el cuerpo del Apóstol, para ponerle a cubierto de las profanaciones de los gentiles, recibió sepultura en las catacumbas de San Sebastián, a la vez que el de San Pedro, hasta que en tiempo de Constantino se edificó en la quinta de Lucina una gran basílica en honor al Apóstol, y a ella fue transportado su cuerpo.

Sobre la tumba se grabaron estas sencillas palabras:

A PABLO, APÓSTOL Y MÁRTIR

En el lugar de la muerte de Pablo llamado "Las Tres Fuentes" se levanta ahora un monasterio de Trapenses; trabajo manual y oración constituyen su vida, y en este lugar, donde Pablo terminó su combate, se respira un ambiente de santidad y de recogimiento, como no siempre, por desgracia, es dado encontrar en los lugares dedicados a la piedad y a la oración.

Donde la leyenda dice que brotaron las tres fuentes, se levantó un oratorio con tres fuentes de desigual grandeza, las que, amenazando ruina, fueron destruidas, y en su lugar se puso el actual oratorio por encargo del Cardenal Pedro Aldobrandini, según los diseños o planos de Santiago de la Porta, el año 1599.

Sobre el frontispicio de la puerta de entrada campea la siguiente inscripción latina: "Sancti Pauli martyrii locus ubi tres fontes mirabiliter eruperunt". "Lugar del martirio de San Pablo, donde milagrosamente brotaron tres fuentes".

En el interior hay dos altares: uno con un cuadro de la crucifixión de S. Pedro, y otro que representa la decapitación de S. Pablo; delante, las tres fuentes, que ahora son de igual tamaño, sobre las que se levantan tres pequeños altares con la cabezza del Santo esculpida en bajorrelieve. Detrás de una verja, una columna; sobre ella habría apoyado la cabeza el Apóstol al momento de ser ejecutado.

Los fieles beben por devoción el agua de las tres fuentes, y suelen llevarla consigo como recuerdo de aquel santo lugar para parientes y amigos. Pero lo que todos indistintamente llevan de la visita a la Abadía de Las Tres Fuentes es un buen pensamiento concebido en el silencio y en el recogimiento del lugar que vio a Pablo en el momento supremo de la victoria.

Después de una visita a Las Tres Fuentes, se ruega con más fervor sobre la tumba del Apóstol en la maravillosa y espléndida Basílica de S. Pablo extramuros.

CONCLUSION

Como conclusión de esta vida, sería bello delinear en pocos trazos el retrato completo del Apóstol, no el retrato material, que ya fue delineado con la guía de las pocas noticias que hasta nosotros han llegado, sino los rasgos que forman su figura moral, y que siendo tan complejos, parece que a veces se eluden mutuamente.

Fue uno de esos hombres de acción que raramente aparecen en el mundo.

Esta prerrogativa pasa de su vida de perseguidor de la Iglesia a la de propagandista del Evangelio, y no decae ni por los achaques del cuerpo febricitante, ni por los obstáculos que Satanás interpone. Su arrojo no se enfría ni por las varas romanas y judaicas, ni por la indiferencia de los filósofos de Atenas, o la tibieza y defección de algunos de aquellos cristianos que ha formado. No obstante, si consideramos otro lado de su carácter, se nos muestra como el hombre interior perfecto, el hombre de oración y mortificación: el hombre que vive la vida de Cristo.

Si leemos sus escritos podemos repetir con San Jerónimo: "Cuantas veces leo sus cartas, creo más bien oír el fragor del trueno que la palabra de un hombre".

Sin embargo a veces de repente este fragor se endulza, se apacigua y entonces es un canto solemne que se levanta, una música que transporta, donde la fe, la esperanza y la caridad se identifican en la victoria. Tal es la terminación del capítulo octavo de la carta a los Romanos:

"Estoy seguro de que ni la muerte, ni la vida, ni ángeles, ni pricipados, ni virtudes, ni lo presente, ni lo venidero, ni la fuerza, ni todo lo que hay de más alto, ni de más profundo, ni otra ninguna criatura podrá jamás separarnos del amor de Dios, que se funda en Jesucristo nuestro Señor"[13].

Pero he aquí que el canto se endulza, entonces su palabra es como caricia de madre, como un hálito ligero, mezcla de bondad y de ternura: "Hijitos míos, que yo engendro aún en el Señor"[14].

Y como en las cartas, así en la vida.

¡Qué diferencia aparece entre Pablo que habla en el Areópago, que se defiende en lo alto de la Torre Antonia de Jerusalén y delante de Agripa en Cesarea, y el Pablo que predica en el taller de Aquilas y Priscila, sentado en el telar, con las manos encallecidas y los músculos contraídos por el esfuerzo del trabajo!

¡Qué diferencia entre Pablo del que se mofan, al que abofetean, al que consideran como el desecho y las barreduras del mundo, silencioso y humilde, sufriendo paciente el hambre y la sed, y el Pablo que se adelanta arrogante, proclamando su título de ciudado romano! ¡Entre Pablo judío, hijo de judíos, fariseo, hijo de fariseos, y Pablo que grita a los de Galacia: ¡"Os lo aseguro yo, Pablo, que si os circuncidáis, Cristo no os aprovechará nada"[15] ¡Entre Pablo que reprende a Cefas en pública asamblea, y Pablo que grita: "No soy digno de ser llamado Apóstol, porque he perseguido a la Iglesia de Dios!"[16]

---

(13)   Rom., 8, 38-39.
(14)   Gál., 4, 19.
(15)   Gál., 5, 2.
(16)   1 Cor., 15, 9.

Y no obstante, todo se armoniza perfectamente en él; la dulzura, la benignidad, la seguridad en el mando, la profundidad en la ciencia y la humildad en exponerla, la grandeza del taumaturgo y la bondad del padre, la extensión y amplitud de sus obras y el inmediato cuidado de todas las necesidades de sus hijos espirituales.

El Vaso de elección estaba realmente adornado de todas aquellas cualidades naturales y sobrenaturales que eran necesarias para la grande misión, a la que Jesucristo le había llamado.

En el capítulo tercero de la carta a los fieles de Efeso expone esta misión suya con una humildad que atrae, a la vez que invita a sus hijos para que se aprovechen de ella, y les promete sus oraciones para este fin. Meditándola, vemos que él se muestra en ella mejor y más completamente reproducido, al mismo tiempo que nos dirige su augurio.

"A mí, el más inferior de todos los santos se me dio esta gracia: De anunciar en las naciones las riquezas investigables de Cristo, y de ilustrar a todos los hombres, descubriéndoles la dispensación del misterio que después de tantos siglos había estado en el secreto de Dios, criador de todas las cosas; con el fin de que en la formación de la Iglesia se manifieste a los principados y potestades en los cielos, la sabiduría de Dios en los admirables y diferentes modos de su conducta, según el eterno designio que puso en la ejecución por medio de Jesucristo nuestro Señor, por quien mediante su fe tenemos segura confianza y acceso libre a Dios. Por tanto os ruego que no caigáis de ánimo en vista de tantas tribulaciones como sufro por vosotros; pues estas tribulaciones son para vuestra gloria, y prueba de mi apostolado.

"Por esta causa doblo mis rodillas ante el Padre nuestro Señor Jesucristo, el cual es el principio y ca-

beza de toda esta gran familia que está en el cielo y
sobre la tierra; para que según las riquezas de su gloria os conceda por medio de su Espíritu el ser forta-
lecidos en virtud en el hombre interior, y el que Cristo habite por la fe en vuestros corazones; estando arrai-
gados y cimentados en caridad, a fin de que podáis
comprender con todos los santos cuál es la anchura
y longura, y la alteza, y la profundidad de este misterio; más aún, podáis conocer aquel amor de Cristo
hacia nosotros que supera todo conocimiento, para
que seáis plenamente colmados de todos los dones de
Dios.

"Y en fin, a aquel Señor que es poderoso para hacer infinitamente más que todo lo que nosotros pe-
dimos, de todo cuanto pensamos, según el poder que
obra en nosotros; a El, sea dada la gloria, por medio
de Cristo Jesús, en la Iglesia, por todas las generaciones de todos los siglos. Amén"[17]

(17) Efesios, 3, 8-21.

INDICE

Baja California
1144
De la O

Se terminó de imprimir en los Talleres de
EDICIONES PAULINAS, S. A. - Av. Taxqueña
No. 1792 - Deleg. Coyoacán - 04250 México, D. F.
el 22 de Junio de 1984. Se imprimieron
3,000 ejems., más sobrantes para reposición.